D1488409

Collection QA **compact**

De la même auteure

La Femme de Sath, QA compact, Québec Amérique, Montréal, 2012.

Rivière Tremblante, Québec Amérique, Montréal, 2011.

Lazy Bird, Québec Amérique, Montréal, 2009.

Le Pendu de Trempes, Québec Amérique, Montréal, 2004.

Projections (en collaboration avec la photographe Angela Grauerholz),
    J'ai vu, coll. L'image amie, Québec, 2003, photos.

Le Ravissement, L'instant même, Québec, 2001.
    Prix littéraire du Gouverneur général 2001, catégorie «romans et nouvelles».
    Prix littéraire des collégiennes et des collégiens 2002 (Collège de Sherbrooke).

Les derniers jours de Noah Eisenbaum, L'instant même, Québec, 1998.

Alias Charlie, Leméac, Montréal, 1994.

Portrait d'après modèles, Leméac, Montréal, 1991.

La Femme de Sath, Québec Amérique, Montréal, 1987.

MIRROR LAKE

Nouvelle édition dirigée par Raphaelle D'Amours, adjointe à l'édition en collaboration avec Isabelle Longpré, éditrice

Mise en pages: André Vallée – Atelier typo Jane
Révision linguistique: Diane Martin et Sabine Cerboni
Conception de la grille graphique : Isabelle Lépine
Image en couverture : © Les Films Christal, Les Films Séville, Novem Communications. Avec Maxim Gaudette, Laurent Lucas, Laurence Lebœuf et Benoît Gouin.

Québec Amérique
329, rue de la Commune Ouest, 3ᵉ étage
Montréal (Québec) Canada H2Y 2E1
Téléphone : 514 499-3000, télécopieur : 514 499-3010

Nous reconnaissons l'aide financière du gouvernement du Canada par l'entremise du Fonds du livre du Canada pour nos activités d'édition.

Gouvernement du Québec – Programme de crédit d'impôt pour l'édition de livres – Gestion SODEC.

Les Éditions Québec Amérique bénéficient du programme de subvention globale du Conseil des Arts du Canada. Elles tiennent également à remercier la SODEC pour son appui financier.

L'auteure remercie le Conseil des Arts et des lettres du Québec pour son soutien dans la réalisation de ce projet.

Conseil des Arts du Canada / Canada Council for the Arts

SODEC Québec

Catalogage avant publication de Bibliothèque et Archives nationales du Québec et Bibliothèque et Archives Canada

Michaud, Andrée A.
Mirror Lake
(QA Compact)
Édition originale : c2006.
Publié à l'origine dans la collection : Collection Littéraire d'Amérique.
Texte en français seulement.
ISBN 978-2-7644-2549-7 (version imprimée)
ISBN 978-2-7644-2641-8 (PDF)
ISBN 978-2-7644-2642-5 (ePub)
I. Titre.
PS8576.I217M57 2013   C843'.54   C2013-941083-X
PS9576.I217M57 2013

Dépôt légal : 3ᵉ trimestre 2013
Bibliothèque nationale du Québec
Bibliothèque nationale du Canada

ANDRÉE A. MICHAUD

MIRROR LAKE

Le roman qui a inspiré le film *Lac Mystère*, d'Érik Canuel

Québec Amérique

À Pierre, qui m'a confié son lac

Aussi longtemps que les hommes croiront à l'infini,
on croira que quelques étangs sont sans fond.

Henry David Thoreau,
Walden ou La vie dans les bois

Mirror Lake est un lac dont l'opacité masque des fosses que certains disent insondables, mais dont je crois avoir, pour ma part, mesuré la profondeur. Son nom lui vient de sa brillance et de son calme, mais aussi des reflets des montagnes l'enserrant, dont les masses immobiles, à certaines heures silencieuses, rendent presque affolante la noirceur des eaux qui se fendent sous la barque, parcourues d'irisations ne venant pas de la couleur des cieux, mais du plus creux des gouffres, dirait-on, où ont chuté les victimes de Mirror Lake, innocents promeneurs dont l'embarcation s'est un jour renversée sans que l'on sache pourquoi ils n'avaient jamais reparu, ni dans quels fascinants paysages leur corps s'était abîmé. Ce ne sont cependant pas là les véritables motifs ayant poussé des hommes, il y a de cela si longtemps que leur témoignage se perd dans la rumeur de l'histoire non écrite, à baptiser ce lac du seul nom qui pouvait lui convenir. Pour avoir des milliers de fois arpenté ses rives, j'ai appris que Mirror Lake tenait son nom de ce que le miroitement de ses eaux trompeuses vous pousse à vous regarder droit dans les yeux et à vous demander qui vous êtes, qui vous auriez pu être, pendant que le miroitement s'estompe et que vous constatez qu'il n'est pas de réponse à cette question.

Après quelques années passées à l'ombre des montagnes, j'ai donc cessé de me demander qui était cet homme las dont l'image inversée me suivait pas à pas sur la grève. J'aurais pourtant aimé, quand les voix du passé se taisaient en moi, connaître ce reflet qui avait mon visage, découvrir quel destin m'avait conduit à Mirror Lake, en ce lieu même où, à la suite des innocents promeneurs, je m'effondrerais dans l'obscurité du lac. J'aurais assurément tenté d'ouvrir dans le sable chaud quelque chemin menant à la lumière si Mirror Lake ne m'avait fait comprendre que les efforts que nous déployons pour contre-carrer le destin ou incurver le cours d'événements ne pouvant plus être infléchis sont aussi vains que les bourdonnements affolés de la mouche tombée dans un pot de miel, si l'expérience ne m'avait montré que la résolution de la fatalité n'a d'égale que la rapidité de la mort.

Avant de m'établir à Mirror Lake, je croyais naïvement que la fatalité pouvait se résumer à un grincement de pneus sur la chaussée mouillée, aux giclées de sang qu'un dérèglement de la mécanique projetait sur les murs sales à travers le boucan des machines. Je l'avais donc rangée dans la catégorie des mouve-ments aveugles du temps, de cette forme de calamité qui pousse les hommes à se taire, au bar du village, quand la nouvelle d'un drame inexpliqué commence à courir de table en table, et ne pensais pas qu'elle puisse être ordonnée ni avoir de plan précis. En fait, je ne m'étais jamais rendu compte, pas même quand l'accumulation des hasards est devenue telle qu'il m'aurait fallu donner un autre nom à cet engrenage organisant le chaos, que la fatalité pouvait s'installer dans le déroulement d'une vie et en déterminer le cours. Aussi ne me suis-je pas douté, le jour où j'ai mis les pieds à Mirror Lake, que les forces du destin s'étaient mises en branle.

Quelque part, de l'autre côté du lac, un carillon teintait doucement une mélodie douce-amère, un huard lançait sa com-plainte, une rame incisait la surface claire de l'eau dans un chuintement évoquant l'indifférence de la lenteur, et voilà, le sort en était jeté, le premier de la série de dominos qu'un faux geste allait balayer venait d'être posé. Mais je n'en savais rien, je me croyais libre, alors que la musique hallucinée du carillon m'avait déjà ensorcelé, comme le font toujours ces musiques que je dis folles, ces airs mélancoliques répétant à l'infini des motifs plats, monotones, qui vrillent en vous les blessures d'un incurable et lointain ennui : l'*Adagio pour cordes* de Samuel Barber, le *Paris, Texas* de Ry Cooder, les *Gymnopédies* d'Érik Satie, la plupart des compositions moins immortelles de Thomas Newman, puis cette pièce d'Arvo Pärt, *Für Alina*, qui s'était glissée ce matin-là dans le mol entrechoquement des chimes, mot que je préfère à carillon, pour sa sonorité, d'abord, puis pour le mystère qu'il recèle à mes yeux, issu de sa quasi-homonymie avec cet autre mot, *charms*, dans lequel se camouflent les pouvoirs maléfiques de la séduction.

J'avais découvert cette pièce, *Für Alina*, peu de temps avant de m'installer à Mirror Lake, dans un film de Gus Van Sant tout aussi halluciné que la musique, où deux hommes marchent dans un désert et ne font que cela, marcher, dans la tristesse exténuée d'Alina. Pendant des jours, je m'étais aussi avancé dans un désert, poursuivi par Alina, quelques notes de piano, et le sentiment que je ne retrouverais jamais l'issue de ce chemin de sable réchauffant mes pieds nus. Puis une autre musique, venue d'un autre film, avait rompu l'enchantement, me permettant de me reposer un peu de la douleur d'Alina.

C'est toujours ainsi que ma vie s'est déroulée, d'images en mélodies, la musique ne pouvant aller chez moi sans les scènes desquelles je finis par la croire issue. Je ne connais donc de la musique que ce que m'en ont appris le rêve et le cinéma, à travers ces histoires où je tentais d'oublier la mienne avant d'aller dormir quand les écrans cathodiques faisaient partie de mon quotidien. Je me déshabillais, je m'installais dans le salon à la lueur de la télé, avec Jeff, une bière ou un bourbon, et je me laissais raconter n'importe quoi, la guerre des étoiles ou du Viêt Nam, l'assassinat de Bob Kennedy, les aventures érotiques ou pornographiques d'une fille dont la vie tenait dans l'ampleur de son soutien-gorge, n'importe quoi, pour oublier que ce qui se passait derrière ma fenêtre ne reflétait que la platitude de mon existence.

Le jour où j'ai entendu les chimes m'interpréter du Arvo Pärt dans la déroutante tranquillité de Mirror Lake, j'ai cru que la réalité prenait enfin les couleurs rassurantes de la fiction, et j'ai acquiescé à la folie de la musique. Cela n'aurait toutefois pu se produire ailleurs, il fallait que l'envoûtement ait lieu dans ce coin perdu du Maine que j'avais choisi pour son total isolement. Mais quand je dis perdu, je ne veux pas seulement dire loin de tout, car ce mot pourrait alors s'appliquer à l'ensemble des régions de cet État, dont il suffit d'emprunter l'un des chemins de bois pour tomber sur le petit frère de Daniel Boone, qui ne sait pas que le monde a prétendument évolué depuis l'invention de la poudre à canon et qui s'en fout, qui continue à chasser le pécan et le castor en pestant contre ces bêtes sans se demander qui empiète sur le territoire de l'autre ni qui est le plus bête. Quand je dis perdu, je pense aux liens qu'entretient ce mot avec l'idée de la perte, de la perdition, et je vois un navire s'échouer sur un cap orageux.

Je me suis installé sur la rive nord, en face de la musique des chimes et de la lumière des crépuscules, qui colore l'autre côté du lac de roses à vous fendre le cœur, si vous en avez un, si la vie ne vous a pas enlevé cette capacité de vous émerveiller devant l'éphémère en dépit du déchirement qui, à tout coup, vous fait déplorer ce rapide passage de la tendresse, trop rapide pour ne pas vous rappeler que vous passez aussi et que, tout compte fait, votre cœur n'est plus ce qu'il était. Si j'ai choisi la rive nord, c'est aussi parce que Jeff et moi y serions les seuls à avoir une vue directe sur les crépuscules, et qu'ainsi je ne risquais pas, en sortant sur ma galerie le matin avec ma gueule de bois, d'insomniaque ou de déterré, d'être frappé de plein fouet par les good mornin' enjoués de voisins ne sachant rien des nausées matinales de la misanthropie. Sur cette rive, je n'aurais que moi à détester et ne désespérerais du genre humain qu'en apercevant mon image, dans l'eau claire clapotant au bout du quai.

C'est donc poussé par l'illusion, puérile entre toutes, que le repos était chose possible, puis par le sentiment que je devais à tout prix m'éloigner des hommes et de l'image qu'ils me renvoyaient de moi, que j'ai pris la route un matin de printemps dans ma vieille Volvo 2000, vitres ouvertes, cheveux au vent, aussi libre qu'un héros de *road movie* à l'époque bénie où le cinéma n'avait pas encore transformé ces apatrides en psychopathes ou en déjantés. Or il m'aurait fallu, pour atténuer le sentiment de dévastation rongeant cette partie de mon âme de moins en moins perméable à la tendresse des crépuscules, aller où aucun homme n'aurait pu me suivre, jusqu'où je serais moi-même devenu une bête, en harmonie totale avec la cruauté de ma faim. Mirror Lake ne se trouvait malheureusement pas assez loin. Au lieu de m'accorder cette paix de l'âme et de l'esprit n'existant que dans la naïveté de l'espoir, il se chargea de me révéler peu à peu ma sottise, et si je crois encore qu'il existe des hommes qui peuvent habiter un lieu sans l'avilir, je ne crois pas que cela soit vrai des paradis. L'homme est un être réprouvé des cieux, je n'ai jamais mieux senti cela qu'à Mirror Lake, où toutes mes tentatives pour faire de cet éden un endroit habitable et recouvrer ce que j'aimerais nommer une pureté originelle ont tourné à la catastrophe.

Il ne me reste aujourd'hui que les étoiles, illusions d'entre les illusions, pour me réconcilier avec une certaine vision de l'éternité. Quand mon passé devient trop lourd, je me tourne donc vers celui de l'univers. Je sors m'asseoir sur la galerie ou sur le quai et je regarde la lumière des étoiles mortes, propulsée du fond d'un âge auprès duquel nous ne sommes rien, un écho sur la rive, une minuscule fiente de mésange ou de moineau. C'est alors que l'éternité se met à tournoyer, qu'elle me prend dans son tourbillon et m'entraîne dans un vertige où tout devient spirale, le lac, les arbres, le temps, où la vie se jette avec un enthousiasme suspect dans la gueule béante de la mort et où tout se répète, où tout devient spirale. Puis, selon que la journée a été bonne ou mauvaise, cette idée que l'éternité ne serait toujours que recommencement du même m'apaise un peu, me permet de relativiser le prix de la vie, de calmer le tremblement de mes mains ou, au contraire, me plonge dans ces pensées noires excluant toute possibilité de rachat du simple fait que la vie s'étrangle avec une féroce ironie quand elle parvient enfin à se mordre la queue. Quand je suis dans l'une de ces journées, je me demande pourquoi je suis venu ici, alors qu'il aurait été si facile de demeurer là-bas, au Québec, sur ce territoire de neige comportant assez de coins perdus pour abriter un homme en fuite, puis suffisamment d'étoiles pour contrecarrer l'idée de la fuite.

Je n'ai pas de réponse claire à cette question, mais je crois qu'il me fallait mettre le nom d'un pays entre mon passé et moi, m'abriter sous les étoiles d'un drapeau auquel je ne devrais aucune allégeance. De par sa position géographique, le Maine constituait l'endroit idéal en ce qu'il me parlait d'un ailleurs où je n'éprouverais pas l'égarement de l'expatrié. Avec ses chemins de contrebande, ses snack-bars construits au milieu de nulle part, ses routes bordées d'ombres et de ravins, le Maine avait toujours représenté pour moi l'incarnation d'un certain mystère, circonscrit par le trajet sinueux d'une frontière suivant la ligne de partage des eaux, où les rivières courant vers l'Atlantique tournent le dos à celles charriant leurs cailloux jusqu'au Saint-Laurent, et au-delà de laquelle, dans ma perception de l'espace embrumée par une trop longue fréquentation des salles obscures, tout devenait autre, même les arbres, même les forêts. J'avais besoin de cela, de m'engager sur des routes où le moindre panneau de signalisation m'indiquerait que je venais de pénétrer en territoire étranger, là où même les arbres, même les forêts ne parlaient pas la même langue.

Dans mon esprit, des mots comme Bangor, Penobscot, Chesuncook, étaient des mots impénétrables, que ne pouvaient habiter des êtres semblables à moi, et si le temps a démenti cette impression, le Maine demeure pour moi un lieu chargé de secret, qui n'est pas le prolongement du Québec, mais son versant sombre, sur la pente humide duquel le moindre faux pas peut être fatal. Pour l'homme brisé que j'étais et suis demeuré, la menace d'une interminable chute comporte un attrait à la fois morbide et salvateur auquel j'aime à m'abandonner quand le contact avec le réel m'oblige à une trop grande stabilité, comme c'est le cas ce soir, pendant que brillent les étoiles mortes et que Victor Morgan, Bob Winslow, Jack Picard, Tim Robbins, Anita Swanson et John Doe, alias Doolittle, apparaissent sur la surface opaque du lac.

Nous n'étions pas si nombreux, à mon arrivée. À part Jeff et les oiseaux, un homme, un seul, dont le chalet faisait face au mien, brouillait parfois les eaux spéculaires de Mirror Lake. Le chalet est toujours là, mais l'homme qui l'habitait a quitté Mirror Lake il n'y a pas longtemps, m'abandonnant sous le ciel noir, les mains tremblantes devant la froideur soudaine de la solitude.

I

Nouveau départ

Mais alors, qu'est-ce qui pousse le présent
à s'écouler vers le futur
(à moins que ce ne soit le futur qui vienne vers nous)?

Étienne Klein,
Les tactiques de Chronos

Je suis arrivé à Mirror Lake au milieu du mois de mai, un peu après les hirondelles et les lilas, en cette période de l'année où les banlieues ressortent leurs nains de jardin, leurs chérubins pisseurs et leurs adolescentes à demi nues, toutes horreurs ou tentations dont je n'aurais pas à supporter la vue dans le paradis qui m'attendait.

J'avais roulé vitres ouvertes sur environ deux cent cinquante milles en chantant à tue-tête les plus grands succès de mon palmarès, de *Walk on the Wild Side* à *Car Wheels on a Gravel Road*, de Lou Reed à Lucinda Williams en passant par le grand Brel, Johnny Cash et Robert Charlebois, les yeux éblouis par la luminosité des feuillages encore tendres, le visage crispé par la fraîcheur du vent charriant la persistante odeur d'humus montant des sous-bois humides. Je n'aurais pu choisir meilleur moment pour entamer cette étape de mon existence que j'entrevoyais ni plus ni moins comme une résurrection après le calvaire qu'avaient été les dernières années passées parmi ceux qu'il me fallait bien appeler mes semblables. J'étais à ce point dévasté par la compagnie des hommes que j'enviais presque le sort de Grégoire Samsa, le malheureux que Franz Kafka avait transformé en coquerelle ou autre répugnant insecte sans lui demander son avis. À Mirror Lake, je n'aurais nul besoin de me métamorphoser en bestiole pour me sentir vivant et pourrais enfin me reposer, loin du bruit et de l'agitation d'une époque où j'avais l'impression de vivre en perpétuel état d'apnée.

Dès que je suis sorti de la voiture, je me suis remis à respirer et j'ai su que j'étais enfin chez moi, mots n'ayant jusqu'alors représenté dans mon esprit que l'expression d'un rêve que je n'aurais jamais la possibilité d'atteindre, et voilà que le rêve prenait forme sur les rives d'un lac qui m'attendait, impassible, depuis que les ruisseaux avaient creusé leur nid dans les montagnes pour s'y déverser. On est chez nous, Jeff, ai-je murmuré à l'intention du grand chien jaune qui avait déjà compris qu'on était arrivés à destination, qu'on avait trouvé notre place dans ce monde absurde, lui et moi, et qui courait dans tous les sens, excité par la luxuriance d'odeurs nouvelles, le parfum âcre de la terre trempée, qui allait boire une lampée dans le lac, venait me remercier en frappant sa grosse tête contre mes cuisses, puis retournait enfouir sa truffe dans un buisson ou un tas de feuilles pourries.

J'étais enfin chez moi et j'étais enfin libre, autre mot dont je n'avais jamais cru qu'il puisse avoir à mes oreilles une résonance ne le reléguant pas immédiatement dans le champ des pures abstractions. Free, free, free, ont répondu les montagnes au cri qui a spontanément surgi de mon ventre, puis je me suis mis à fredonner *Blowin' in the Wind*, de Bob Dylan, qui m'est venu aux lèvres sans que j'y pense, comme toutes les choses vraies : j'ai froid, j'ai faim, j'ai mal. « How many years can some people exist, before they're allowed to be free ? » ai-je nasillé en pensant au nombre d'années qu'il m'avait fallu pour comprendre que la véritable liberté d'un homme consiste à ne pas se trahir, et je me suis demandé si je vivrais assez vieux pour me pardonner ma bêtise. « The answer, my friend, is blowin' in the wind », m'a répondu Dylan, puis le vent s'est levé, a fait frissonner le lac, s'entrechoquer les chimes suspendus sur la galerie du chalet d'en face, un huard a lancé ce qu'on appelle une tyrolienne, soit une plainte suivie d'un long cri ondulant, tourloulou, tourloulou, j'avais lu ça dans un livre, et j'ai fermé les yeux en essuyant une larme qui avait réussi à franchir les barrages que j'avais depuis longtemps érigés contre les pleurs. La petite musique de *Für Alina* s'est alors avancée sur le lac, belle à hurler, pour m'annoncer que ma traversée du désert tirait à sa fin.

Si je n'avais eu peur de briser la joie de Jeff, je me serais effondré, j'aurais laissé Alina emporter les digues et j'aurais regardé mes larmes se noyer dans le lac après s'être ouvert une petite rigole dans le sable, juste assez sinueuse pour qu'on devine qu'elles étaient sérieuses. Ne voulant pas infliger à Jeff la déroutante manifestation de ma propre joie, je me suis secoué et j'ai crié hurry up, Jeff, mais Jeff n'avait pas besoin de ça pour se grouiller et il n'allait pas m'aider, de toute façon, à décharger la voiture. Il a à peine levé une oreille dans ma direction puis s'est concentré sur le crapaud qui n'avait probablement jamais vu de chien de sa vie et se demandait s'il ne devait pas déménager dans une swamp en Caroline du Sud. Je le comprenais, ce crapaud, mais je n'allais pas retourner en ville rien que pour lui faire plaisir. Chacun son tour de souffrir. Je lui ai conseillé de se pousser discrètement, you'd better scarper, frog, et me suis dirigé vers la voiture.

Le chalet étant meublé, je n'avais apporté que l'essentiel, quelques boîtes de livres, des vêtements, de la nourriture, une caisse de bière et quatre bouteilles de bourbon qui me permettraient de tenir le premier mois. La bière, ça faisait partie de mes habitudes alimentaires. Le bourbon, c'était une histoire de nostalgie. Je buvais cet alcool depuis ma tendre vingtaine à la mémoire de Ned Beaumont, l'un des héros de Dashiell Hammett que j'avais découvert en même temps que les nuits américaines du cinéma. Quand je m'étais rendu compte que la moitié des privés de la Série noire se défonçaient au bourbon, c'était devenu une affaire de mélancolie, parce que j'aurais voulu être l'un de ces personnages qui cuvent la misère du monde dans les bars crasseux de New York, Los Angeles ou Chicago, là où la nuit américaine a définitivement installé ses quartiers. J'ai fait un clin d'œil à Ned, qui ne se trouvait jamais loin quand une odeur d'alcool me montait aux narines, et j'ai emporté le sac de bouteilles dans le chalet avec ma vieille valise de cuir bouilli en gueulant *Freedom*, de Richie Havens, pour que la mélancolie ne prenne pas le dessus. Ne connaissant d'autres paroles de cette chanson que le «freedom, freedom, freedom...» ayant soulevé Woodstock et la jeunesse perdue dont je faisais partie à l'époque, je me suis vite lassé et suis revenu à Dylan, dont certaines chansons s'incrustent dans votre mémoire ainsi que le font les prières, empreintes d'un soupçon de regret pour cette époque où vous aviez la foi.

En début de soirée, j'avais à peu près fini de m'installer et je suis sorti sur la galerie avec une bière et une pizza surgelée, repas traditionnel des jours de déménagement, auquel Jeff aurait également droit, puisque c'était notre fête, le premier jour de notre nouvelle vie. De l'autre côté du lac, les chimes chantaient toujours, le huard qui m'avait accueilli saluait le crépuscule, accompagné d'un merle d'Amérique qui turlutait près du chalet, le soleil baissait doucement, le lac se teintait des lueurs du couchant : l'heure était parfaite. J'aurais voulu trouver les paroles aptes à décrire la douceur de ce moment, formuler quelque phrase inoubliable à la gloire de cette splendeur, mais les seuls mots qui me venaient à l'esprit étaient d'une simplicité inouïe. Maudit que c'est beau, ai-je murmuré en me calant confortablement dans ma chaise. Je n'avais rien à ajouter, c'était ça, c'était beau, on était chez nous. Puis, au chant du merle, du huard et des chimes, s'est ajouté le grincement d'une chaloupe qu'on glisse sur le sable, et j'ai vu mon voisin d'en face monter dans son embarcation. Quelques secondes plus tard, se conjuguait au bruit ambiant celui apaisant d'une rame incisant la surface claire du lac, pendant que la petite chaloupe verte s'avançait lentement sur l'eau striée de rose, image idyllique qui aurait pu figurer sur une carte postale, dans un guide touristique ou sur un vieux calendrier jauni, comme ceux qu'on voit épinglés sur les murs sales des postes d'essence et que personne n'a songé à remplacer, malgré qu'ils datent de la guerre de 39 ou des années d'effervescence ayant suivi cette guerre, parce que le temps n'a pas d'âge et qu'il en est des images immortelles comme des premières amours, elles ne s'effacent pas. Ému par la pureté du tableau qui s'offrait à moi, j'ai répété maudit que c'est beau en avalant une lente gorgée de bière, dont j'ai laissé les saveurs imprégner mon palais et avec laquelle je me suis étouffé quand j'ai constaté que la frêle embarcation se dirigeait droit vers nous et que l'homme qui l'occupait, coiffé d'une casquette du même vert que sa chaloupe, levait la main dans notre direction, en guise de salut.

Baptême, ai-je couiné en cherchant mon souffle, juron que je n'utilise que quand l'heure est grave et que se lève un vent de catastrophe : les voisins qui débarquent. Si j'avais été aussi sauvage que le monde dans lequel nous vivons, j'aurais été chercher une kalachnikov et j'aurais réglé ça tout de suite, mais outre que je ne possédais pas d'arme, je n'aimais pas le sang, sous quelque forme que ce soit, boudin, perle laissée sur la peau par une seringue ou une dent de vampire, croûte séchée au milieu d'un genou, petite rigole dégoulinant sur un front se refroidissant. Je détestais ça. J'ai furtivement pensé à l'étranglement mais, le temps que je mette la main sur une corde, l'assaillant aurait envahi le territoire et y aurait planté son drapeau, ce qu'il allait faire de toute façon, mais ça, je ne le savais pas encore. On est cuits, ai-je chuchoté à l'oreille de Jeff lorsqu'un nouveau grincement s'est répercuté contre les montagnes, signe que l'ennemi venait de toucher terre, mais Jeff étant non seulement un chien pacifiste, mais un chien pacifiste qui a tendance à devenir un peu tarte quand il a bu, il s'est précipité sur la plage en battant de la queue pour accueillir notre visiteur avec force aboiements de joie. Good dog, s'est écrié l'autre abruti qui débarquait de sa chaloupe en soufflant comme un phoque. Fuck, a-t-il d'ailleurs ajouté en mettant sa grosse bottine dans l'eau, et le sort en était jeté, l'invasion des barbares avait commencé.

Quelques instants plus tard, l'homme qui venait de souiller la virginité que j'avais un peu trop rapidement attribuée à Mirror Lake montait sur ma galerie sans y avoir été invité, porté par la jovialité du simple, qui ne voit pas que le monde est un lieu de supplices et qu'il est l'un des principaux éléments alimentant le feu de cet enfer. Hi, I'm your new neighbor, a-t-il lancé sur un ton enjoué, comme si je ne le savais pas, comme si je n'avais pas assez vécu pour connaître les multiples visages que peut emprunter la calamité, puis il a rectifié en disant qu'en fait, ce n'était pas lui, le nouveau voisin, mais moi, ce qui l'a entraîné dans un interminable discours sur l'antériorité, la postériorité, la poule, l'œuf et le coq. Le coq ! qu'on oublie toujours dans cette histoire d'antériorité et de postériorité, puis il est revenu sur l'importance de s'exprimer clairement, m'a même cité Boileau, le con, puis Wittgenstein : « Tout ce qui se laisse exprimer se laisse clairement exprimer. » Tout ça pour m'apprendre que c'était moi, le nouveau voisin.

Dans un certain sens, il avait raison, sauf que si l'on s'attardait à la nouveauté en tant que telle, à l'essence de la nouveauté, il était aussi nouveau pour moi que je ne l'étais pour lui. Sur la base de cet argument, on pouvait déduire qu'il y avait deux nouveaux voisins autour du lac, un qui se trouvait là avant et un qui ne s'y trouvait pas, un qui semblait heureux de son caractère de nouveauté et un qui aurait préféré n'être rien, retourner à l'état larvaire ou redécouvrir l'innocence du spermatozoïde, un qui se croyait le droit de débarquer sans prévenir pour se lancer dans une analyse logique et un autre qui, tout à coup, avait mal à la tête.

Il a dû remarquer que je n'étais pas dans les dispositions idéales pour discuter, car il a conclu avec un never mind, you're here, I'm here se voulant amical, mais qui m'a fait l'effet d'une condamnation à perpétuité. Bob Winslow, a-t-il enchaîné en me tendant la main. Robert Moreau, ai-je répondu à contrecœur en lui présentant la mienne. Si j'avais eu la présence d'esprit nécessaire, j'aurais gardé les mains dans mes poches et lui aurais dit que j'étais amputé de la droite, que j'avais une maladie contagieuse ou que j'étais le petit-fils de Howard Hughes et souffrais de manière atavique de sa phobie des microbes. Le temps que cette idée me vienne, il était trop tard, les germes de Bob Winslow me gambadaient sur la main et s'aventuraient allègrement sur mon avant-bras. Voyant que je demeurais silencieux et qu'un léger malaise allait s'installer, Bob Winslow y est allé d'un hum-hum, d'un reniflement, puis d'un so, do you like this place ?

Que répondre à une telle question quand celui qui la pose n'est autre que le vandale, le profanateur qui vient de détruire l'illusion que vous entreteniez puérilement quant à la survivance de quelques havres de paix sur cette planète surpeuplée ? I liked it, ai-je répondu un peu sèchement, et Winslow, qui n'était pas si con que ça et savait conjuguer ses verbes, a compris que je n'étais pas très liant. Il m'a quand même souhaité la bienvenue, welcome to Mirror Lake, stranger, puis m'a gratifié d'un clin d'œil gouailleur, je ne trouve pas d'autre qualificatif, avant de se diriger vers le lac en chantonnant see you soon, racoon, sentence confirmant la condamnation à mort qu'il avait déjà prononcée. Au moment où il rembarquait dans sa chaloupe et que Jeff le resaluait avec force aboiements de joie, ce crétin a cru bon de poursuivre sa comptine en me criant avec une franche goguenardise see you later, alligator !

See you later, alligator… Exactement ce dont j'avais besoin pour qu'un radieux sourire détende mon visage crispé et illumine cette resplendissante fin de journée, puis je me suis rendu compte que la nuit tombait et que j'avais raté mon premier coucher de soleil sur les eaux paisibles de Mirror Lake, ce qui ne m'en a fait détester Bob Winslow que davantage. Je suis tout de même resté dehors pour admirer le pan de ciel bleu foncé et étrangement lumineux subsistant derrière les montagnes, mais que la nuit allait rapidement obscurcir, pendant que la chaloupe de Bob Winslow, petite tache noire au sein de la pénombre, s'avançait calmement sur la surface huileuse de Mirror Lake, d'où s'est élevé un see you in a while, crocodile, au moment où la petite tache était bouffée par les ténèbres. Dile, dile, dile, a répondu la voix enchanteresse des montagnes, ce à quoi j'ai brillamment rétorqué compte pas sur moi, face de rat, et autres perles de versification spontanée que j'aurais notées si j'avais eu un calepin. Puis, Winslow ayant enlevé à mon humeur toute possibilité de devenir autre chose que massacrante, j'ai hélé Jeff pour lui signifier qu'on rentrait.

C'est cette nuit-là, à mon plus grand désarroi, que Humpty Dumpty est apparu à Mirror Lake. J'avais souffert dans mon enfance d'une névrose jusqu'alors inconnue, le syndrome Humpty Dumpty, forme de paranoïa qui m'avait amené à développer une aversion sans bornes pour ce personnage qui me semblait ni plus ni moins l'archétype de la bêtise. Je suis d'ailleurs persuadé que l'expression tête d'œuf doit être associée à la navrante histoire de cet œuf suicidaire et bilieux dont ma mère me racontait parfois les trépidantes aventures pour m'endormir, ignorant que ce ne sont ni les leçons ni la poésie de Lewis Carroll que je retenais, mais l'incommensurable fatuité de ce gros tas de jaune qui débitait des conneries à Alice. Puis mon aversion s'était transformée en obsession et je m'étais mis à faire des cauchemars dans lesquels Humpty Dumpty tenait le rôle principal chaque fois qu'une nouvelle contrariété venait m'apprendre que la vie n'était pas cette prairie verdoyante où les belles filles embrassaient des crapauds. Ça avait duré quelques années, puis Humpty Dumpty s'était effacé au profit de Godzilla, Goldorak et Frankenstein, que je confondais comme tout le monde avec sa créature, jusqu'à ce que mes hantises prennent des formes plus humaines, c'est-à-dire plus proches de ce à quoi il nous faut associer le malheur, quel qu'il soit.

Cette nuit-là, cependant, une brèche s'est ouverte dans le recoin fangeux de mon subconscient où le monstre se tenait tapi, et Humpty Dumpty a regagné sa place dans le paysage tourmenté de mes rêves sous les traits de Bob Winslow, dont l'ovoïde physionomie se prêtait parfaitement à l'interprétation d'un tel rôle. Il était assis sur le mur de Humpty Dumpty, contre lequel il frappait rythmiquement ses pattes maigrichonnes en récitant dans un style ampoulé le discours qu'il m'avait tenu le soir même, avec quelques variantes, à propos de l'ordre d'apparition et du degré de vérité des divers éléments constituant un ensemble. « La proposition est l'expression de l'accord et du désaccord avec les possibilités de vérité des propositions élémentaires », répétait-il en se grattant le ventre, qu'il avait à côté du front, et moi, agenouillé au pied du mur, je priais silencieusement pour que Godzilla apparaisse en arrière-plan, la gueule écumante, et qu'il écrabouille cette enflure d'un coup de talon irréversible.

Je me suis réveillé en sueur aux petites heures, alors que les premiers rayons du soleil filtraient à travers les arbres, pour apercevoir dans le miroir de la commode la face blême d'un homme dont les cauchemars d'enfance venaient de tuer les derniers rêves. Baptême, ai-je murmuré, mais les montagnes ne m'ont pas répondu, les montagnes ne répondent qu'aux cris, comme les gens qui font semblant d'être sourds. Seul mon reflet, qui tentait de se refaire une coiffure, a répété après moi, prouvant que la vitesse du son est inférieure à celle de la lumière. Baptême, a-t-il murmuré, puis il est sorti côté cour pendant que je me dirigeais vers la salle de bain en me disant que, tout compte fait, la liberté d'un homme ne pouvait s'obtenir qu'au prix d'un total lavage de cerveau. Quant à ce qui se passait de l'autre côté du miroir, je l'apprendrais plus tard.

Pendant les deux ou trois jours qui ont suivi, Jeff a pu jouir d'une relative tranquillité, pas moi, parce que j'avais toujours à l'esprit le see you soon racoon de Bob Winslow, puis le see you in a while crocodile, dile, dile qui avait sinistrement résonné dans la nuit d'encre ayant sacré mon arrivée à Mirror Lake. Plutôt que de profiter de l'accalmie qui m'était accordée, je vivais sous le joug de la menace, l'oreille aux aguets, surveillant les allées et venues de Bob Winslow et réagissant au moindre bruit pouvant évoquer le grincement d'une chaloupe qu'on glisse lentement sur le sable, car j'imaginais, dans ma folie naissante, que l'ennemi opterait pour une attaque en douce, un pas en avant, deux pas en arrière, histoire d'épuiser mes nerfs et de me forcer à capituler.

Au bout de trois jours, j'ai un peu relâché ma surveillance et j'ai décidé de me parler. Va t'asseoir, faut que je te parle, me suis-je dit avec une certaine lassitude. J'ai choisi d'aller m'installer sur la roche qui dormait en bas de la galerie depuis trois ou quatre cents millions d'années, ai-je évalué à vue de nez, c'est-à-dire bien avant qu'il y ait là une galerie, un chemin de gravier, une vieille poubelle et autres traces de l'indécrottable présence humaine, à moins qu'elle n'ai été amenée là au cours de la dernière glaciation. Comme cette dernière hypothèse ne m'avançait pas et que quelques milliers d'années ne sont rien au regard du temps géologique, j'ai décrété qu'elle avait quatre

cents millions d'années, en essayant de ne pas penser à la verti-
gineuse mémoire inscrite dans la matière métamorphique ou
granitique dont elle était constituée. Elle semblait confortable,
cette roche, malgré son petit air dur, ce qui serait parfait pour
ce que j'avais à y faire. J'ai lancé salut, roche, hi, stone, et me
suis assis en me disant que je réagissais comme un imbécile, un
malade, un putain de paranoïaque, que ma peur de voir resurgir
Bob Winslow n'avait aucun sens et que je créais mon propre
enfer. S'il existait des produits pour exterminer la vermine, il
devait bien y en avoir pour pulvériser les voisins et, s'il n'en
existait pas, je n'avais qu'à en inventer un et à devenir riche.

Après une vingtaine de minutes de ce soliloque thérapeu-
tique, je me sentais relativement mieux, mais n'en jetais pas
moins de temps à autre un coup d'œil de l'autre côté du lac, au
cas où. Puisque tout semblait tranquille, je me suis laissé glisser
le long de la roche, contre laquelle je me suis appuyé en fermant
les yeux, et j'ai observé les jeux de lumière du soleil à travers
mes paupières, sous lesquelles se dessinaient d'autres soleils, des
comètes, des galaxies, des comètes encore, qui allaient s'échouer
sur la face cachée de mon globe oculaire en faisant valser leur
queue. Au moment où je commençais à baisser ma garde en
me répétant que j'étais vraiment stupide de ne pas profiter de
ma nouvelle retraite, j'ai entendu Jeff détaler, aboyer, renâcler,
puis une voix, semblable à celle de Humpty Dumpty, a surgi
derrière la roche de quatre cents millions d'années pour me
chuchoter à l'oreille : get a bit of shut-eye, stranger ?

L'expression, prononcée sur un ton légèrement sarcastique,
n'aurait pu être mieux choisie, car elle confirmait que toute
paranoïa a sa raison d'être et qu'il suffit de fermer les yeux trente
secondes pour que l'objet de votre hantise en profite pour
se couler subrepticement dans votre oreille. J'ai décidé de
ne pas bouger, de faire le mort, parce que c'était sûrement
un cauchemar. Ça ne pouvait pas être autre chose. C'était un

cauchemar. Un abominable cauchemar mettant en scène Humpty Dumpty dans son propre rôle, la suite de mon rêve, en fait, qui s'avérait être un rêve éveillé, en boucle, récurrent, un cauchemar rémanent, une forme de réminiscence due à la persistance partielle d'un phénomène après la disparition de sa cause. J'ai toutefois eu un petit doute quand la voix de Humpty Dumpty a fait hum-hum avant de renifler et de se racler la gorge. Pour en avoir le cœur net, j'ai levé le coin d'un œil et l'ai aussitôt rebaissé. Ce qui était entré par l'embrasure de cet œil était effectivement cauchemardesque, mais réel. Ne sachant que faire, j'ai prononcé une formule qui se voulait magique, abracadabra, et j'ai prié le saint affecté aux objets perdus pour qu'il n'ait pas à m'aider à retrouver mon calme disparu.

Quand j'ai ouvert bien grand les deux yeux, rien n'avait changé, j'avais au-dessus de moi le visage gigantesque de Bob Winslow, la grosse tête de Jeff, puis la tête d'un petit inconnu prénommé Bill, ainsi que me l'apprendrait Winslow. Vus de l'extérieur, on devait avoir l'air un peu con, surtout moi, alors je me suis redressé, relevé, épousseté, et j'ai demandé à Winslow ce qu'il voulait, non sans avoir auparavant sifflé le saint responsable des objets disparus, qui aurait finalement de l'ouvrage. To introduce you my new friend, stranger, a-t-il répondu gaiement.

Outre que je n'avais pas envie de connaître les amis, nouveaux ou pas, antérieurs ou postérieurs, de cet abruti, il y avait deux choses, dans cette phrase, qui me dérangeaient. *Primo*, le mot *new*, qui risquait d'entraîner Winslow dans un autre discours sur le sens de la nouveauté; *secundo*, le mot *stranger*, dont la désinvolture, ainsi que toute désinvolture, avait un petit quelque chose qui pouvait se montrer capable de me taper sur les nerfs. Ce vocable, par ailleurs, me rappelait lointainement un film dont je n'arrivais pas à me remémorer l'intrigue, élément qui m'aurait été essentiel pour savoir qui passait son temps, et dans quel film, à appeler l'autre stranger. Or s'il y a une chose qui m'agace, c'est de m'apercevoir que la mémoire est une chose friable, pleine de trous, de précipices, d'abîmes et de silences béats qui vous font passer pour un inculte. On allait régler ça tout de suite. My name is Robert, Bob, so you call me Robert, OK, not stranger. Never stranger! Je venais de lui donner un peu de corde en l'autorisant à m'appeler par mon petit nom, je le savais bien, mais que vouliez-vous que je fasse? OK, Ro-bert, a-t-il répondu en laissant glisser son sourire sur le *bert*, ce qui m'a fait grincer des dents et contraint à sourire, parce que mon faciès est ainsi constitué que, quand je grince, je souris, et vice versa, je ne suis pas très liant, je l'ai dit.

Cette mise au point faite, Winslow m'a présenté Bill, son nouvel ami, qui était jaune, mais pas comme un Chinois, plutôt comme Jeff, avec lequel il partageait la caractéristique d'avoir quatre pattes, un museau, des oreilles pointues, une petite queue qui deviendrait grande et tout ce qui vient avec. En fait, dans quelques semaines, Bill le chiot serait en tous points identique à Jeff le chien, qui aurait pu être son père s'il avait connu sa mère. Pour être franc, ça m'a un peu contrarié. S'il fallait que ce type, en plus de saper ma joie de vivre, veuille qu'on aille magasiner ensemble pour s'acheter des bobettes assorties, la nouvelle existence qui s'offrait à moi sur les bords paisibles de Mirror Lake s'annonçait pour être longue, le temps, en pareilles circonstances, étant lié à une forme de relativité qui, pour relative qu'elle soit, n'en fait pas moins de ravages.

À la vue de l'élastique tricolore des bobettes de Winslow, qui dépassaient d'un bon trois pouces l'arrière de son pantalon, j'ai senti monter dans ma gorge une nausée légèrement acide, alimentée par toutes ces menues contrariétés qui vous rongent lentement l'intérieur et j'ai pensé, sans le formuler clairement, que Bob Winslow était un homme dangereux, un pauvre type que l'isolement avait rendu fou, un dégénéré animé du désir malsain de prendre son vis-à-vis pour modèle afin de stopper le processus de déperdition de soi engendré par son absence de personnalité, un déficient qui croyait qu'il lui suffisait de se procurer un chien pour me prouver que nous étions semblables et me faire comprendre que le type de lien m'unissant à Jeff n'avait rien d'exclusif, que ce qui constituait ma différence pouvait être anéanti par un simple jeu de miroirs.

La stratégie de Bob Winslow, ou ce que je croyais être sa stratégie, n'avait rien d'original. Elle répondait au très banal principe sur lequel était fondée la société que j'avais tenté de quitter : abolir l'identité par la multiplication du même et créer de nouveaux multiples à l'aide desquels l'identité tentera vainement de se reconstruire. Je détestais cette mentalité de suiveux et j'ai eu l'impression, en regardant Bill bien en face, d'avoir été catapulté dans la banlieue pastel d'*Edward Scissorhands* ou de *Pleasantville*, c'est-à-dire dans l'un de ces cauchemars où vous n'avez qu'à vous pencher au-dessus de l'inévitable haie pour voir votre charmante épouse, votre coquette maison, votre rutilante voiture et vos adorables enfants dans la cour du voisin ou, pire encore, pour vous y apercevoir, tout sourire, en train de tondre le gazon ou de tailler l'inévitable haie. L'horreur. Rien qu'à penser que je pouvais un jour arriver face à face avec Winslow en passant devant mon miroir a ravivé ma nausée, sitôt suivie des frissons provoqués par l'homme froid, en moi, qui grignotait mes rancœurs.

Beau chien, gentil toutou, nice dog, ai-je néanmoins aligné comme un débile en m'accroupissant devant Bill, qui faisait des cabrioles à mon intention sous le regard jaloux de Jeff, qui aime tout le monde mais pas les chiens, enfin, pas les chiens qui essaient de me séduire. Pour lui montrer que j'étais son maître et qui était le maître, Jeff a retroussé sa babine gauche, dévoilé ses crocs jaunes, grogné un peu, et Bill a semblé comprendre ce que Jeff lui racontait, car il est aussitôt allé se coucher à ses pieds en battant de la queue. Il y en avait au moins un de nous deux qui savait se faire respecter, preuve que dans un verre à moitié vide, il reste toujours un peu de liquide, ou que la dynamique d'un couple repose invariablement sur l'association de celui qui est prêt à mordre et de l'autre qui se laisse déchiqueter, le mordant et le mordu.

En attendant, Winslow suivait Bill du regard amoureux de qui vient de découvrir un sens à sa vie, ce qui m'a fait éprouver pour lui une forme de respect, car j'ai toujours considéré qu'un homme qui aime les chiens ne peut pas être entièrement mauvais ni entièrement stupide, mais je n'allais pas céder à ce bref élan de sympathie. Si je voue en effet un certain respect aux hommes qui aiment les chiens, je préfère de loin ceux qui n'aiment que les chiens et qui vous fichent la paix. Ce n'était pas le cas de Winslow, qui a profité de mon moment de faiblesse pour m'annoncer qu'il ne venait pas seulement me présenter son chien, mais m'inviter à souper, histoire de me souhaiter officiellement la bienvenue à Mirror Lake et de célébrer du même coup l'arrivée de Bill dans notre petite communauté, c'est ce qu'il a dit, our little community, le con.

C'était le moment ou jamais de tenter de lui expliquer que je n'aimais pas les communautés, petites ou grandes, nouvelles ou anciennes, antérieures ou postérieures, et que la meilleure façon de m'accueillir était de m'ignorer, ce que j'ai fait, mais il n'a pas compris. Il y des gens, et Winslow appartenait à cette catégorie, qui sont à ce point persuadés que l'harmonie entre les hommes et, au premier chef, le bon voisinage, la connivence entre conjoints, la communion des idées et autres balivernes vont sauver le monde, qu'ils ne vous écoutent pas quand vous leur faites remarquer que l'harmonie ne naît ni de la promiscuité ni de la surpopulation. Winslow a donc fait la sourde oreille car il avait prévu que, poussé par une gêne toute naturelle, j'allais refuser, aussi avait-il apporté de quoi nous préparer une petite bouffe. Sans me laisser le temps de protester ni de prétexter que je n'avais pas faim, que j'étais anorexique, suivais un régime à base de fenouil, souffrais de multiples allergies et étais le petit-fils de Howard Hughes, il a couru vers son auto, garée en haut du chemin menant à mon chalet – c'était donc ainsi qu'il était venu, le fourbe –, pour revenir avec un panier évoquant celui du Petit Chaperon rouge, deux bouteilles de mousseux et un paquet orné d'un ruban tirebouchonné qu'il avait dû exhumer d'une vieille boîte de décorations de Noël.

For you, a-t-il rougi en me tendant le paquet. Ce jésuite avait tout prévu, jusque dans les moindres et microscopiques détails, raison pour laquelle il avait mis trois jours à se manifester. Je n'ai eu d'autre choix que de l'inviter à monter sur la galerie, où j'ai déballé son cadeau pendant qu'il sortait une nappe de son panier, l'installait sur la vieille table de bois qui n'attendait que ça et préparait le souper. Le cadeau s'intitulait *The Maine Attraction,* roman d'un certain Victor Morgan – que je ne connaissais ni d'Ève ni d'Adam –, que Winslow m'a chaudement recommandé pour la vraisemblance des personnages mais, surtout, parce que l'histoire se déroulait dans un patelin situé non loin de Mirror Lake. Comment avait-il deviné que j'aimais la lecture, je n'en avais aucune idée. Pour en avoir le cœur net, je le lui ai demandé. Une intuition, m'a-t-il répondu, en ajoutant qu'il partageait cette faculté avec les femmes, que c'était la partie *anima* de sa personnalité et que son intuition ne le trompait jamais. Il m'a ensuite lorgné avec son petit sourire désagréable et j'ai constaté qu'il avait les yeux du même bleu que les miens, une espèce de bleu délavé ou pervenche, selon les éclairages et le menu de la veille.

Je n'ai toutefois pas eu le temps de m'attarder là-dessus, car il m'a tendu une coupe de mousseux, a levé la sienne en me souhaitant longue vie, live long and prosper, buddy, puis l'a frappée contre la mienne, qui était pleine et a débordé. Pour masquer ma contrariété, j'ai grincé, donc souri, et je lui ai parlé à mon tour de mes lectures, ce qui nous a entraînés sur un terrain où il arrive que les hommes sympathisent. Si je n'avais éprouvé pour Bob Winslow ce qu'on éprouve normalement pour la main qui vous étrangle, je pourrais dire que nous avons passé une agréable soirée, assis sur la galerie à parler de Victor Morgan, de David Goodis et de Stephen King, dont l'ombre planait sur les forêts du Maine. Mais, quand Winslow a dit Irish : William Irish ; Woolrich : Cornell Woolrich, j'ai cassé ma fourchette et j'ai cherché un mot apte à définir la pourtant indicible contrariété qui m'envahissait.

Winslow venait de prononcer le double nom d'un écrivain auquel j'avais réservé une place de choix dans mon panthéon et avec lequel j'entretenais une relation privilégiée, personne dans mon entourage n'ayant jamais lu Irish, et voilà que ce primate lui donnait du William et du Cornell comme s'ils avaient couché ensemble. Corollaire de cette constatation : plus ça allait et plus je découvrais de points communs entre ce connard et moi. Si Winslow avait détesté la compagnie de ses congénères, j'aurais été content qu'on se ressemble, d'autant plus que je ne l'aurais jamais appris, sauf par le plus fortuit des hasards, mais c'était, semble-t-il, l'un des seuls traits que nous ne partagions pas.

Pendant que j'établissais la liste de nos similitudes, Winslow a dû s'apercevoir que je me retenais pour ne pas fulminer car, effet de mimétisme ou empathie, il s'est mis à grimacer, m'offrant une parodie de moi-même et de Yolande la grenouille qui m'a du coup guéri. Pas trop heureux de constater que ma physionomie pouvait évoquer celle de Yolande, pour laquelle je n'éprouvais aucune sympathie, je me suis détourné et j'ai plongé en moi, profondément en moi, loin de la surface irritante des choses, laissant Winslow déblatérer à propos de

La sirène du Mississippi, pièce maîtresse d'Irish, pendant que Catherine Deneuve, qui avait immortalisé la sirène en question devant la caméra de Truffaut, évoluait sur l'écran installé entre Winslow et moi, poursuivie par un Jean-Paul Belmondo aussi fou qu'amoureux. Quand Deneuve a disparu, après un temps difficile à déterminer pour un homme que la beauté subjugue, Winslow s'était lancé dans une analyse plan par plan de *La mariée était en noir*, et j'ai laissé Jeanne Moreau et ses voiles de deuil envahir l'écran. Lorsque le sang de sa troisième ou quatrième victime m'a giclé dans l'œil, j'ai tourné le bouton et me suis intéressé aux papillons qui se brûlaient les ailes à l'ampoule poussiéreuse brillant sous le fanal. Winslow avait dû l'allumer pendant que j'embrassais Catherine Deneuve et que Belmondo avait le dos tourné, car il faisait maintenant nuit noire.

C'est beau, cette expression, *nuit noire*, presque aussi beau que *noir comme chez le diable*, mais plus réaliste, parce que si on croit ce qu'on nous a raconté, il ne fait pas noir, chez le diable, mais rouge, rouge et jaune. Une bouffée de chaleur m'est montée au visage quand j'ai pensé que les gens qui n'aiment pas leur prochain comme eux-mêmes sont de bons candidats pour l'équipe de Lucifer et que mon éternité risquait de se dérouler dans une ambiance de discothèque. Cette perspective m'effrayant autant que de me réveiller dans le même lit que Winslow, je me suis rassuré avec le premier argument venu : puisque je détestais mon prochain comme moi-même, je pourrais m'arranger avec ça pour plaider ma cause quand les anges du ciel et de l'enfer se saisiraient de moi et m'écartèleraient pour déterminer de quel bord je devais aller.

Cette affaire réglée, j'ai regardé Jeff et Bill se disputer les cadavres de papillons jonchant la galerie. Bill était maladroit et ne savait pas trop comment s'y prendre, alors il observait Jeff et tentait de l'imiter. Il avait un morceau d'aile velue accroché sur le bord de la mâchoire qui lui donnait un air idiot, mais il ne semblait pas s'en soucier, pas plus qu'il ne paraissait avoir de compassion pour ces petites créatures ne cherchant qu'à écourter leur vie pourtant si brève.

Que ressentent les chiens devant la mort, me suis-je demandé, pas la leur ni celle de leurs maîtres, mais celle des papillons, des écureuils, des mulots? Difficile à dire… Dans le double but de satisfaire ma curiosité et d'étouffer la voix de Winslow, je me suis concentré sur la grosse tête de Jeff, sur les yeux ronds de Jeff, et j'ai essayé de me placer là, derrière ces yeux braqués sur les papillons. J'y ai d'abord vu des petites choses folles, inutiles, insignifiantes, tourner autour de la lumière dans des bruits de crépitement de feu, virevolter dans l'air frais du soir, puis tomber devant mes pattes, insignifiantes. J'ai observé l'agonie d'une phalène réfugiée sous la chaise de Winslow et, ce spectacle ne me faisant ni chaud ni froid, j'en ai conclu que les chiens ne ressentaient rien devant la mort d'êtres qui leur sont dissemblables, comme c'était peut-être le cas de l'un ou l'autre des parias du roman de Morgan, *The Maine Attraction*, qui sont en fait sept condamnés à mort qu'un détour de la fiction permet de réunir autour d'un repas qui sera leur dernier, c'était ce qu'était en train de me raconter Winslow, qui avait enfin décidé de foutre la paix à Irish.

Je l'ai écouté distraitement, ma conscience étant encore à demi coincée dans la grosse tête de Jeff, mais j'ai quand même laissé filtrer l'information dans l'autre moitié de ma conscience, pour tâcher de savoir si les sept condamnés de la prison de Holburn étaient comme les chiens et si l'univers de Winslow chevauchait réellement le mien, mais j'étais trop fatigué et n'ai rien appris de vraiment intéressant sur ce roman ni sur les affinités électives pouvant nous réunir, Winslow et moi, sinon que Morgan, l'auteur du roman, n'avait rien publié par la suite et avait disparu dans la nature en 1951, année de ma naissance.

Après ce récit, je suis sorti de ma torpeur et j'ai vu que Winslow était sombre et préoccupé. Cette lecture l'avait marqué, de toute évidence, au point d'effacer toute trace de son sourire débonnaire, et j'ai pensé que la lecture avait au moins ça de bon qu'elle nous faisait parfois paraître moins cons. J'ai également constaté que Winslow était un personnage difficile à saisir, moitié mal dégrossi moitié sortable, comme une grosse branche gossée d'un seul côté. Pendant que je cherchais une façon d'exprimer clairement le côté insaisissable de Winslow, Wittgenstein a refait surface et je me suis souvenu qu'il avait écrit quelque chose à propos de l'inexprimable. Si ça ne s'exprime pas, ça ne se dit pas, ou un truc du genre. J'ai donc rangé Winslow dans cette catégorie, celle de l'inexprimable, et lui ai versé le fond de la deuxième bouteille de mousseux, geste qui a illuminé son visage, qui s'est immédiatement retransformé en grosse face d'idiot.

Et la soirée s'est terminée là-dessus. Winslow a calé son verre, ramassé son panier de chaperon, sa nappe, sa vaisselle sale, puis il est monté vers sa voiture avec Bill, ombre massive et petite ombre que la nuit a rapidement bouffées pendant que les ténèbres recrachaient un see you soon racoon que les montagnes n'ont pas repris, parce que les montagnes ne répondent qu'aux cris et que Winslow, en cette fin de soirée, avait une petite mine. Or les petites mines, c'est connu, ne crient pas. Elles marmonnent, les petites mines, murmurent, se parlent à elles-mêmes. En fait, j'ai plutôt deviné ce see you soon que je ne l'ai entendu, si bien que je n'ai aucune certitude quant aux paroles peut-être énigmatiques, à l'image de Winslow, que les ténèbres ont ravalées sitôt après les avoir mâchouillées, à l'image des ruminants.

La plus élémentaire civilité, après que Bob Winslow m'eut gentiment invité à souper chez moi, aurait voulu que je lui rende la pareille, que j'empile quelques galettes, un petit pot de beurre et autres victuailles dans un panier pour sauter dans ma chaloupe et aller me jeter dans la gueule du loup. Or la civilité était un concept qui me dépassait. Si j'étais venu à Mirror Lake, c'était pour être seul et n'avoir plus à me soucier des convenances dont s'encombrent les hommes qui n'ont pas le loisir de s'isoler au fond des bois et doivent faire semblant d'aimer leur prochain.

J'ai donc opté pour le silence et l'impolitesse, convaincu que Bob Winslow, tout coriace qu'était son désir d'ériger un pont entre les deux rives de Mirror Lake, finirait par comprendre. J'errais avec une superbe innocence. Deux jours plus tard, il traversait de nouveau le lac dans sa vieille chaloupe verte pour m'inviter à partager le fruit de sa pêche miraculeuse. Twenty trouts in a half hour, Robert, never saw that in this fucking lake, ne cessait-il de répéter en faisant sonner ses fucking, car Bob Winslow, ainsi que la plupart de ses concitoyens, émaillait ses phrases de fuck et de fucking qui devenaient une respiration, une forme de ponctuation marquant l'intensité de ses émotions, fucking life, fucking shit, fucking sun, puis il a enchaîné en me disant que c'est moi qui lui portais chance, a fucking luck, Robert, et qu'il n'était que justice que je partage ces truites avec lui. Je lui ai répondu qu'il se trompait, qu'un homme tel que moi portait la poisse, mot que son élémentaire connaissance du français lui a fait interpréter comme fish, fucking fish, et il m'a fallu un certain temps pour lui faire entrer dans la tête que le malheur me collait aux semelles, ill fortune dogs my footsteps, Bob, et que si ma présence autour de ce lac pouvait avoir une quelconque influence sur l'habitat local, ce sont les poissons qui en faisaient les frais, pas le contraire.

J'ai ensuite tenté de lui expliquer que je voulais être seul, like a rat, Bob, avec Jeff. Ayant une autre fois, dans sa grande perspicacité, prévu cette réaction, il a sorti d'un panier d'osier qui traînait au fond de sa chaloupe quelques filets de truite qu'il m'a recommandé de rouler dans la farine avant de les faire frire, puis il est reparti en ramant lentement vers l'autre rive, tête baissée, ressassant peut-être d'anciennes et tenaces tristesses, pendant que Bill, assis à l'arrière de la chaloupe, regardait Jeff de ses yeux ronds, en souriant comme le font les chiens, avec cet air bonasse où se concentre toute l'innocence du monde. J'ai alors ressenti un étrange malaise en voyant cet homme que les aléas de l'existence ne semblaient pas atteindre courber l'échine, et j'ai songé que sa bonne humeur naturelle n'était peut-être qu'une façade l'empêchant de s'effondrer. J'ai néanmoins laissé filer le malaise, j'ai appelé Jeff et suis rentré faire frire les fucking fish de Winslow.

À huit heures, en vue de profiter du spectacle du couchant, je ressortais sur la galerie avec Jeff et mon assiette de truite fumante, en même temps que Bill et Bob Winslow, qui se sont assis face à nous, silencieux, de l'autre côté du lac, et ont mangé en nous regardant. En fait, j'ai eu l'impression qu'ils nous observaient, même s'il est difficile de suivre le mouvement des yeux à cette distance. Ce dont j'étais persuadé, c'est que Winslow avait attendu que je sorte pour m'imiter. J'ignorais quel but il poursuivait en agissant de la sorte et pourquoi il avait décidé de se livrer à ce jeu avec moi, car il est également difficile de suivre le mouvement des pensées à cette distance, mais le fait est qu'il avait atteint sa cible et m'avait coupé l'appétit. J'ai craché la bouchée que je mastiquais en bas de la galerie, en plein sur la roche de quatre cents millions d'années, qui aurait sursauté si elle avait été un caillou, mais est demeurée stoïque, comme savent l'être les roches. Elle n'avait rien à voir dans cette histoire, mais je la tenais inconsciemment pour responsable du relâchement de ma vigilance à l'égard de Winslow et de la déplorable situation qui s'en était suivie. Comme l'inconscient, qui ne se comprend pas, est plus lent à pardonner, le mien a décidé que tout ça était de sa faute. Maintenant que j'avais quelqu'un à qui reprocher mon malheur, j'aurais dû me sentir mieux, ce qui n'était pas le cas, aussi ai-je donné le reste de mon assiette à Jeff et suis rentré en claquant la porte, pour que la roche réfléchisse un peu et que Winslow comprenne que je n'étais pas dupe de son manège.

Le lendemain, j'ai ruminé toute la journée et, sur le coup de six heures, j'ai embarqué Jeff dans ma chaloupe et j'ai mis le cap sur la rive sud et Bob Winslow, déterminé à lui dire que je ne voulais plus le voir, plus l'entendre, plus respirer le même air que lui, qu'il me donnait de l'urticaire, me faisait vomir, que je détestais le poisson, le Petit Chaperon rouge, les relations fraternelles, Victor Morgan, et sa bande d'assassins, tiens, dont je n'avais aucune envie de lire les insipides péripéties, bref, j'étais fermement résolu, mais je ne sais pas ce qui s'est produit, vraiment pas… Avant même que j'aie ouvert la bouche, Winslow m'a inondé d'un flot incohérent de paroles où il était encore question de pêche miraculeuse et m'a gratifié de deux ou trois tapes dans le dos, comme si de rien n'était, comme s'il ne m'avait pas vu l'injurier en crachant son poisson sur la roche devenue mon souffre-douleur. Sans avoir eu le temps de me rendre compte de ce qui se passait, je mangeais un ragoût de truite, préparé avec les restes de la veille, en face de Bob Winslow, dont le regard pervenche me toisait, me semblait-il, avec cette pointe de sarcasme et de supériorité qui constitue la marque des vainqueurs. Je ne l'en ai détesté que davantage, ce qui commençait à faire beaucoup, mais j'ai néanmoins mangé mon ragoût, arrosé d'une bière locale, en l'écoutant me parler de la pêche à la ligne et du cri muet des poissons que l'hameçon déchire.

En fait, Winslow n'a pas explicitement mentionné ces cris, c'est moi qui les ai imaginés, pendant qu'il me décrivait les mouches qu'il confectionnait avec des plumes ramassées dans le bois ou sur le bord du lac et comment le poisson frétille au bout de la ligne quand vous le retirez de l'eau fraîche. Je l'écoutais d'une oreille distraite quand j'ai vu un poisson, semblable à celui dont les morceaux nageaient dans mon bol, se profiler à la périphérie de mon champ de vision, branchies ouvertes dans l'air asphyxiant, puis un cri, un tout petit au secours, étouffé, apparenté à une sorte de chuintement que n'ont pas répercuté les montagnes, qui ne savent pas chuinter, est sorti de ses yeux exorbités. Pour être franc, ce sifflement moribond m'a secoué. N'ayant jamais été particulièrement ému à la vue d'une truite, j'en ai déduit que cette absence d'intérêt venait du fait que les poissons n'émettaient aucun son audible pour nos oreilles atrophiées. Si les poissons avaient parlé, comme les autres animaux, l'activité barbare qu'est la pêche à l'hameçon aurait sûrement découragé quelques adeptes. Mais la souffrance muette des poissons, condamnés à gigoter au bout d'une ligne sans avoir le loisir de protester, arrangeait tout le monde, puisque l'esprit en paix associait l'absence de cri à l'absence de douleur et soulageait ainsi ce qui lui servait de conscience. À la suite de ces réflexions, j'ai eu du mal à terminer mon repas, qui a encore abouti dans le ventre de Jeff, mais j'ai repris une bière, puis une autre, qui ont fait tanguer la chaloupe quand enfin je me suis extirpé de la chaise à bascule de Winslow pour lui dire que, toute bonne chose ayant une fin, il me fallait rentrer.

C'est ce que j'ai dit, well, every good thing must come to an end, comme un idiot, devant les yeux pétillants de Bob Winslow, puis j'ai pris le lac en ramant au rythme lent des soirs d'alcool, une chanson triste au bord des lèvres. «Vivront d'amour», «plus de misère», répondaient les montagnes, car je venais de sceller, en buvant la bière de Bob Winslow, ce qu'on appelle parfois une amitié. Il est vrai que la conversation, après que le vent se fut levé, avait pris ce soir-là un tour plus intime. Pendant que les chimes tintaient doucement dans un coin de la galerie, Winslow m'avait raconté son enfance dans les Adirondacks, insistant sur le fait qu'il ne pouvait vivre loin des montagnes, puis sur ce qui l'avait amené dans le Maine.

C'est pour ne plus souffrir, m'a d'abord avoué Winslow, qu'il avait acheté le chalet de Mirror Lake, to chase away the pain. Il se souvenait du jour où il avait pris la décision de quitter son bled, de partir sans se retourner. It was spring, end of April, a-t-il poursuivi dans le tintement des chimes, mais rien de ce qui constituait son récit n'évoquait cette saison. D'après le ciel qu'il décrivait, on aurait pu se croire en octobre ou en novembre, juste avant les premières neiges. Dehors, les arbres encore dépourvus de feuilles ployaient sous la force du vent qui rabattait sur son front les cheveux en bataille de Bob Winslow. Il se trouvait sur une route déserte, à quelques milles de son village natal, qui faisait partie de la collection de clichés nostalgiques qu'il me détaillerait pendant que le soleil baissait sur Mirror Lake. Il avait arrêté sa voiture au pied d'un petit chemin en pente aboutissant à un large terrain vague, un dépotoir, en fait, où une fumée dense s'élevait des ordures calcinées. Sur le chemin de gravier, un homme, qu'il avait toujours considéré comme son frère, s'avançait devant lui, solitaire et silencieux, vers un tas d'immondices où sautillaient quelques corneilles, indifférent à la violence du vent, au piaillement des oiseaux, à l'odeur pestilentielle qu'atténuait heureusement le froid de cet avril automnal.

In the depths of the fog, a murmuré Bob Winslow à ce point de son récit, I had perceived the lonesomeness of that man, my brother, as deep as the deep waters of Mirror Lake, et ses yeux se sont embués, pendant qu'il pointait un index courbé vers le centre abyssal de Mirror Lake, à l'idée de cette infranchissable distance nous séparant des êtres que nous aimons. L'image de Winslow s'éloignant sur le lac, la veille, grosse carcasse sombre ruminant sa tristesse, a alors furtivement traversé mon esprit. J'ai suivi cette image quelques secondes puis l'ai effacée du revers de la main, car je n'avais pas l'intention de me laisser attendrir par ce qui ne pouvait être qu'un mirage, et je suis revenu à Winslow, dont la voix se perdait dans l'hallucinante musique des chimes, qui racontait qu'il avait vu la fumée envelopper peu à peu les épaules et la tête de l'homme seul, qu'il avait vu l'homme seul disparaître lentement au bout du chemin désolé, et s'était dit que c'est ainsi que ceux que nous chérissons s'en vont. Ils prennent un chemin où nous ne pouvons les suivre, they take a narrow path, too narrow for two men, puis nous demeurons les bras ballants à l'orée du sentier, contraints de regarder leur silhouette s'éloigner, s'amenuiser, pendant que la distance et le brouillard rognent les contours de leur corps. Nous savons alors que tout ce que nous pouvons dire ou faire sera inutile et constatons notre propre isolement, our fucking solitude, Robert.

À ce moment, Bob Winslow a avalé bruyamment, les épaules voûtées sous le poids de la brume. Pour la première fois depuis que je connaissais Winslow, j'ai éprouvé pour lui une forme de sentiment, je veux dire de sentiment positif, malgré mes efforts pour ne pas me laisser émouvoir par cette teigne, et j'ai baissé la tête pour qu'il ne voie pas ce sentiment, que j'ai attribué aux quelques bouteilles de Gritty McDuff's que j'avais englouties, pour ne pas le voir non plus. Puis son récit s'est arrêté là, sur la vision de cet homme dont il ne pouvait envisager la mort sans imaginer l'effondrement du monde.

Il y a eu quelques instants de silence, au cours desquels l'homme seul de Winslow a rôdé autour de nous, et je me suis de nouveau demandé qui était Winslow, qui passait sans transition de la vulgarité à la tendresse, de la gravité au lieu commun. Your new neighbor, m'a répondu une petite voix qui cherchait à me mettre en garde contre certains ramollissements. Quelque chose me disant que cette voix était celle de la sagesse, j'ai salué Bill et Bob Winslow et suis monté dans ma chaloupe avec Jeff, non sans songer au fait que c'était moi, ce soir, qui devais projeter l'image de celui qui vous échappe, forme vague s'éloignant dans la nuit, ma chaloupe creusant dans les eaux noires un sillon trop étroit pour deux hommes, puis je me suis mis à chanter, « quand les hommes vivront d'amour », pour briser l'image et que Winslow ne m'identifie pas à cet homme, son frère.

De retour chez moi, je me sentais sale, poisseux, enduit de cette sentimentalité visqueuse que les confidences de Winslow avaient déposée sur ma peau, et j'ai pris une interminable douche pour tenter de nettoyer cette glu qui m'obstruait les pores. J'ai ensuite ouvert le roman de Morgan, mais je n'étais pas en état de lire. Je l'ai feuilleté distraitement et j'ai fait ce qu'il m'arrive de faire quand ce ne sont pas mes yeux qui regardent la page, mais cette partie de mon cerveau affectée à la lecture, et que je relis cinq, six, dix fois la même page, pendant que le reste de mon cerveau s'abandonne à un endormissement que pénètre parfois un mot, une phrase, une image née des mots.

Les premières lignes de ce roman, peut-être à cause de la Gritty McDuff's, ne m'en ont pas moins donné la nausée, alors je suis retourné m'asperger le visage d'eau fraîche et j'ai annoncé à Jeff que j'allais dormir, ce qui l'a soulagé, car il n'aime pas me voir dans cet état. Je me suis étendu sur le lit, il s'est couché contre mon flanc, j'ai ajusté mon flanc à la courbure de son dos, puis j'ai sombré dans un sommeil agité qui m'a propulsé au milieu d'un rêve où Humpty Dumpty, le vrai, la tête d'œuf, tombait de son mur, y réapparaissait, basculait encore, mû par l'attraction de la bêtise, une large craquelure courant de son front jusqu'à ce qu'on pourrait appeler son absence de sexe, mais affichant toujours ce sourire de moule qui me donnait envie de l'étrangler, de l'écraser en refermant mes bras sur son gros ventre d'idiot. Le dégoût d'avoir à patauger dans la matière jaune et gluante qui jaillirait de ce ventre m'en empêchait cependant, ce qu'il savait, l'imbécile, si bien qu'il poursuivait son manège en me fixant de ses yeux de courge, nullement affecté par le chapelet d'injures que j'égrenais à son intention : bloody fool, fucking bloody fool, bastard, moron, tête de nœud, twit, twit, maudit twit ! Puis un poisson est soudainement passé dans le ciel de carton-pâte dessiné derrière le mur de Humpty Dumpty en lançant son cri muet, sitôt suivi, si l'on peut dire, d'un autre poisson venant en sens inverse, à moins qu'il ne se soit agi du même poisson, ayant décidé de faire demi-tour dans le hors-champ, je ne le saurais jamais et je m'en foutais, puis le rêve s'est terminé là-dessus, abruptement, sans un mot d'explication.

Quand j'ai entendu les oiseaux, je n'étais pas mécontent que le soleil se lève. J'ai ouvert les yeux, me suis levé aussi, mais avec moins d'enthousiasme, et suis allé jeter un coup d'œil à Mirror Lake, qui aurait pu être le plus bel endroit du monde après Capri et les chutes Niagara s'il n'y avait eu une petite chaloupe verte, stationnée en plein milieu, dans laquelle un homme coiffé d'une calotte verte lançait sa ligne, inconscient de l'affligeant mutisme des poissons. Plusieurs options s'offraient à moi devant ce désolant spectacle. J'ai choisi la plus simple et suis retourné me coucher.

Durant les trois ou quatre semaines qui ont suivi, j'ai échafaudé toutes sortes de plans pour me débarrasser de Winslow. J'ai de nouveau envisagé l'étranglement, me suis rabattu sur l'empoisonnement, suis revenu à l'asphyxie. J'ai même songé à percer un trou au fond de sa chaloupe, en espérant qu'il ne sache pas nager, à mettre le feu à son chalet, à engager un tueur à gages, mais je n'ai mis à exécution aucun de ces projets, parce que je ne voulais pas que Bill devienne orphelin. J'ai mangé le poisson de Winslow, le recrachant sur la roche de quatre cents millions d'années si d'aventure un poisson parlant passait en se dandinant devant les montagnes, puis j'ai laissé Winslow s'incruster dans le paysage, avais-je le choix, en essayant de tirer le maximum de Mirror Lake, et j'y suis parvenu, je me suis créé une petite routine, comme tout animal attentif à sa survie. Au bout d'un certain temps, j'ai même retrouvé le sourire, au grand plaisir de Jeff, qui se faisait du souci. Je croyais que ma vie dans le Maine se déroulerait ainsi, entre Winslow, Bill et Jeff, mais c'était oublier le fait que nous sommes six milliards, sur cette planète, et qu'il existait un risque réel que l'un ou l'autre de ces six milliards de dégénérés sorte de chez lui un matin et décide d'emprunter un sentier qui le mènerait droit à Mirror Lake, entraînant à sa suite tous ceux qui s'étaient mis en tête que je ne méritais pas le repos.

J'avais choisi Lolita, à cause du roman de Nabokov et de Juliette Lewis dans le remake de *Cape Fear*, où elle incarne l'une des plus authentiques Lolita que le cinéma et la littérature nous aient données après Nabokov. Je ne m'attendais pas à voir arriver Juliette Lewis, mais espérais secrètement que la fille aurait ses lèvres pulpeuses et que je pourrais, en y mettant le prix, l'amener à reproduire la moue démoniaquement sensuelle de Lewis. Comme il était hors de question que je fasse venir une fille sur le territoire déjà trop fréquenté de Mirror Lake, ce qu'aurait de toute façon refusé l'agence de casting, ainsi qu'elle se faisait appeler, je suis parvenu à un arrangement avec l'impresario de l'agence, ainsi qu'il se faisait appeler, afin de rencontrer la fille en question au motel du village le plus proche.

Depuis mon arrivée à Mirror Lake, j'avais limité mes sorties à quelques escapades rapides au State Liquor Store et au Mirror Food Market, mais les rêves torrides qui m'éveillaient au milieu de la nuit depuis quelque temps, alternant avec les cauchemars où Humpty Dumpty tentait de me rendre fou, m'indiquaient que je n'avais pas atteint le degré d'ascèse nécessaire pour oublier mes sens. J'ai donc décidé de réagir, d'autant plus que j'avais peur que les deux types de rêves se mélangent. Si ça se produisait, j'allais me retrouver en train de faire des cochonneries avec Humpty Dumpty et serais bon pour l'asile. Il me faut ajouter à cela que les tentations, contrairement à ce qu'on pourrait croire, étaient nombreuses à Mirror Lake, particulièrement dans le garde-robe de ma chambre, où j'étais tombé sur plus de filles qu'il n'en faut pour déstabiliser un homme normalement constitué.

L'un de mes prédécesseurs, par masochisme, magnanimité ou en vertu de la simple bêtise, y avait laissé une impressionnante collection de magazines allant de *Real Smart* et *Paris Sex-Appeal* à *Playboy* et *Penthouse*, en passant par *Duke, Rex, Jem, Chick and Chuckles, Girlie Gags* et autres mensuels où l'étalement de chair plus ou moins vêtue a irréversiblement secoué ma volonté de m'abstenir de tout contact avec l'autre sexe, ce type de contact n'ayant toujours mené chez moi qu'à des relations tordues où, invariablement, on me reprochait et me demandait à la fois d'être un homme, spécimen d'une espèce dont je n'avais jamais réussi à saisir la nature.

Quand j'ai découvert les magazines, cette partie de mon être que j'associais à tort ou à raison à la nature intrinsèque de l'homme a éprouvé un regain de vitalité et j'ai passé quelques soirées à feuilleter le papier mat ou glacé en me demandant pourquoi diable les femmes étaient si belles. C'est là que mes rêves torrides ont commencé, même si j'avais rapidement conclu avec ma conscience un pacte m'autorisant à d'anodins plaisirs solitaires devant le papier glacé, ce qui ne pouvait faire de tort ni à l'un ni à l'autre des protagonistes en cause, entièrement consentants du fait de leurs positions respectives, mais ça n'avait pas suffi. Le matin où je me suis éveillé avec une inflammation du poignet, j'ai repoussé mes scrupules, saisi le téléphone et passé un arrangement avec l'impresario, même si j'avais les motels en horreur et même s'il me fallait, pour toucher une femme, faire une incursion imprévue dans le monde des hommes.

J'ai demandé la chambre 11, ce chiffre m'ayant jusque-là porté chance, et je suis allé y attendre Lolita avec une bouteille de bourbon qui servirait dans les circonstances à me faire oublier que Lolita aurait pu s'appeler Conchita ou Marie-Chantal et que j'allais payer le mépris d'une femme à seule fin qu'elle m'ouvre cette partie de son corps où des dizaines d'autres, avant moi, avaient laissé leur cri avant de se rhabiller. La perspective de jouir d'un corps qu'un regrettable destin avait voué à l'usage du commun m'a poussé à boire davantage, pendant que mon reflet d'homme ivre se déformait dans le miroir de la commode de contreplaqué.

À l'évidence, Lolita n'avait jamais lu Nabokov et avait dû se laisser guider, dans le choix de son prénom, par l'exotisme un peu vulgaire qu'il pouvait dégager. Lorsqu'elle est enfin arrivée, avec quelques minutes de retard, un verre de trop dans le nez et une silhouette évoquant davantage la physionomie d'Anita Ekberg que celle de la frêle Juliette Lewis, j'ai été soulagé, non seulement parce qu'elle me distrayait de mon image, que l'alcool métamorphosait dans la poussière du miroir, mais parce que la sienne ne correspondait en rien à la fragilité que mes fantasmes auraient voulu profaner, ce dont je l'ai secrètement remerciée, pendant qu'elle me demandait de laver cette partie de mon corps qui m'avait amené dans ce motel et que j'avalais un autre verre, pour oublier, cette fois, que je bandais malgré ou à cause de la honte et que la chambre empestait déjà, avant même que j'aie touché Lolita, l'odeur de foutre froid.

Cela a été rapide, comme il se doit, on ne s'attarde pas dans les bras lointains d'une femme n'ayant d'autre désir que celui de sacrer son camp. Après avoir plié mes dollars pour les glisser dans le minuscule sac imitation léopard assorti à ses sous-vêtements, nettement plus volumineux que le sac, Lolita s'est toutefois penchée vers moi, m'offrant le spectacle de cette voluptueuse vallée de la mort où nous nous jetons tous aveuglément depuis des siècles, indifférents aux dangers contre lesquels devrait pourtant nous mettre en garde notre mémoire archaïque, et a fait ce que font toutes les femmes devant les hommes tristes. Elle m'a embrassé sur le front, a glissé une main dans mes cheveux et a esquissé ce que ma détresse a bien voulu interpréter comme un sourire. Ce geste de tendresse, n'ayant peut-être d'autre but que de m'indiquer que je n'étais pas si odieux que ça, a cependant eu pour résultat de ternir l'image déjà passablement amochée que j'avais de moi. J'avais quitté le monde d'où je venais pour ne plus voir ce que faisaient les hommes de la beauté, comment leur vulgarité la couvrait de honte, et voilà que l'instinct maternel d'une pute, tout en me révélant l'inaltérable douceur des mains des femmes, venait accentuer ma laideur.

Si Lolita ne m'avait à ce point ému, j'aurais pris mes jambes à mon cou et me serais enfui. Au lieu de cela, j'ai murmuré que j'aimerais la revoir, sentir encore la caresse de sa main. Ayant d'entrée de jeu été fasciné par ses rondeurs, qui avaient la puissance hypnotique de celles d'Anita Ekberg, j'ai ajouté que je l'appellerais désormais Anita, sans plus d'explications. Elle a dû croire qu'Anita était le nom de la femme qui m'avait mis dans cet état, car elle a accepté spontanément, avec cette ébauche de sourire, encore, qui m'a fait l'effet d'une lame en pleine poitrine, là où je me croyais devenu invulnérable.

Quand je suis rentré à Mirror Lake, Bob Winslow m'attendait, Jeff m'attendait, Bill m'attendait, avec ce regard chargé de crainte et de reproches qu'avait eu ma mère lorsque j'étais revenu de ma première soirée dansante à l'école, et j'ai été propulsé quarante ans en arrière, à cette époque où la seule chose que je savais du sexe des femmes, c'est qu'il saignait tous les mois et que ce saignement pouvait transformer le péché en drame. J'avais dû m'y prendre deux semaines à l'avance pour convaincre ma mère de me laisser aller à cette soirée, promettre de tondre le gazon jusqu'en décembre si nécessaire, d'être rentré à dix heures tous les soirs et de garder mes mains là où il le fallait quand je danserais avec des jeunes filles, c'est-à-dire sur leurs épaules, quelle que soit la danse et peu importe le ridicule qui risquait d'en résulter, ce qui était cher payer pour avoir le privilège de voir Rose Bolduc, Rosie, en dehors des heures de classe, et pour pouvoir l'admirer dans la robe de coton fripé qui laisserait voir ses genoux aussi blancs et doux, je n'en doutais pas, que des œufs cuits dur, mais j'étais prêt à payer le prix.

J'avais donc été à la soirée et m'étais conduit comme ma mère le souhaitait, en partie à cause de la mauvaise conscience que j'appréhendais si je manquais à mes promesses, mais surtout parce que Rose Bolduc, seule fille qui valait la peine d'amorcer une vie de mensonges, n'en avait que pour Gilles Gauthier, un imbécile ayant pour seul avantage sa chevelure à la James Dean, que la majorité des filles ne connaissaient pas, si bien que je me demande encore ce qu'elles lui trouvaient toutes. Bref, j'étais demeuré d'une sagesse exemplaire, à peine avais-je effleuré le cou de la grosse Ginette Rousseau, par accident, en dansant un ersatz de valse sur un succès de Fernand Gignac, alors que nous aurions tous préféré nous déchaîner sur une chanson d'Elvis ou des Beach Boys. Le choix musical revenant au directeur de l'école, nous avions tenté de tirer tout le profit que nous pouvions de cette soirée barbante, ainsi que nous appellerions désormais les soirées dansantes. C'est Julien Lapierre qui avait entendu ce mot dans un film avec Darry Cowl, je crois, *barbant*, c'est barbant les mecs. Sans Julien Lapierre et Darry Cowl, ces soirées seraient sans doute devenues des soirées ennuyantes, expression qui avait nettement moins de caractère et n'avait aucune chance de passer à l'histoire.

J'étais donc demeuré sage, ce qui n'avait rien donné, puisque ma mère, à mon retour, m'attendait dans la cuisine avec ce regard ayant une fois pour toutes décrété que j'étais un homme, et qu'un homme cherche désespérément la chair. Je n'avais pas oublié ce regard, pas plus que les genoux de Rosie Bolduc, le raidissement mi-outré mi-enchanté de Ginette Rousseau quand mes doigts avaient involontairement glissé de ses épaules à sa nuque, l'ennui de cette soirée rasante, autre terme hérité du cinéma français, mais je me souvenais surtout du regard, dont je retrouvais la trace dans l'affolement injustifié de celui de Bob, de Bill et de Jeff, qui m'attendaient près du chalet avec des têtes d'enterrement.

Thank god, s'est écrié Winslow en se précipitant vers moi et en me prenant dans ses bras, usant des paroles et des gestes que j'avais longtemps attendus de ma mère, plus prompte aux reproches qu'à la tendresse, mais le soulagement de Winslow ne venait pas du fait que j'avais échappé aux tentations de mes démons, ce qui n'était pas le cas, mais du fait que j'étais vivant, qu'importe les écarts dont je m'étais rendu coupable.

Un accident venait de se produire sur le lac, a fucking drama, a soufflé Bob Winslow en essuyant la sueur qui coulait sur son visage. Un homme, que Winslow avait logiquement pris pour moi, était monté dans ma chaloupe, avait pris le large, puis l'embarcation s'était renversée, l'homme avait sombré, et Winslow n'avait pas pu intervenir. I tought you were dead, Bobby, I tought you were fucking drowned, répétait-il en essuyant avec un mouchoir froissé les larmes que j'avais d'abord prises pour de la sueur, et les mots tournaient dans ma tête, dead, drowned, a man in your launch, Bobby, confirmant que j'étais vivant, que j'avais échappé à la mort, dead, drowned, puis j'ai réalisé que Winslow m'appelait Bobby, que le drame scelle les liens, et que la peur, après coup, autorise certains rapprochements.

J'étais contrarié par cette familiarité, en même temps que l'agitation de Winslow m'agaçait, mais le sentiment qu'un homme se préoccupait de mon sort, une heure à peine après qu'une femme avait voulu soulager ma douleur, me bouleversait plus que je ne voulais me l'avouer. J'ai donc mis la main sur l'épaule de Winslow, parce que son inquiétude méritait une forme de remerciement, lui ai assuré que je me portais comme un charme, puis j'ai ajouté, en prenant tout à coup conscience de la gravité de l'instant, qu'il fallait tout de même aller chercher les flics. Comme Winslow se contentait d'acquiescer sans bouger, je lui ai tendu les clés de ma voiture, prétextant un soudain étourdissement. Ce n'était pas très fair-play de ma part, j'aurais pu demander à Winslow de téléphoner, mais outre que je ne voulais pas qu'il sache que j'avais le téléphone, je détestais les manifestations de sentiments qui s'éternisent, se noient dans les larmes, les muqueuses, s'empêtrent dans les mots liquides et finissent par couvrir le sentiment de ridicule. Alors je me suis débarrassé de Winslow avant de suffoquer dans les débordements de sa joie revenue.

En attendant son retour, je me suis assis avec Bill et Jeff devant le lac où se trouvait un homme, plus précisément le corps d'un homme, mort à ma place, me demandant s'il referait surface ou viendrait s'échouer sur la rive avant l'arrivée des plongeurs, m'interrogeant quant à l'identité de cet étranger qui était venu chez moi, avait pris ma chaloupe et avait été avalé par les profondeurs abyssales de Mirror Lake.

Tout en guettant les remous que pouvait former sur le lac l'improbable émergence du noyé, que j'appellerais d'abord John Doe, quand viendrait le besoin de le nommer, puis John Doolittle, quand j'éprouverais le désir de le sortir de l'anonymat des Doe, puis encore John Doe, quand son anonymat deviendrait la seule chose qui le caractériserait, je me suis mis à tracer sur le sable des figures géométriques que j'ai reliées entre elles pour parvenir à quelques formes signifiantes, un bonhomme épingle, une polyvalente ou un gratte-ciel, selon qu'on prenait la chose à l'horizontale ou à la verticale, un costume de Paillasson, une boîte de petits pois, puis j'ai effacé tout ça et j'ai recommencé, des carrés, des triangles, des rectangles, des petits cercles dans des grands cercles, des losanges dans des hexagones. Cet exercice, outre qu'il me permettait de tuer le temps, avait l'avantage d'effacer l'image de l'homme qui gisait au fond du lac et n'aurait pas pris la peine de faire son lit ce matin-là s'il avait su qu'il ne se recoucherait pas le soir venu. C'est fou ce qu'on ferait ou ne ferait pas si on savait ce qui nous pend au bout du nez. Aussi bien l'ignorer.

Pour oublier John Doe et sa malchance, je me suis abandonné à la non-pensée, à la délicieuse sensation d'approcher le vide sans en être affolé, jusqu'à ce qu'un claquement de portière, suivi par une salve d'aboiements, deux autres claquements de portières et des voix s'interpellant en de brèves phrases, interrompent la formation du cercle qui cherchait à m'aspirer dans le néant. Alors je me suis levé, ai essuyé mon pantalon et suis allé à la rencontre de Winslow, flanqué du shérif du comté et de son adjoint, auxquels Winslow me présenta ni plus ni moins comme le rescapé, l'homme qui n'était pas mort.

Le shérif, avec ses Ray-Ban et son cure-dents, ressemblait à s'y méprendre à Tim Robbins dans *Short Cuts*, me prouvant en cela l'inégalable talent de Robbins, capable de prendre l'apparence de mecs qui se mettaient ensuite à lui ressembler, et j'ai immédiatement classé le shérif dans la catégorie des flics pourris, dans laquelle j'ai également inclus son acolyte, puisque la pourriture, on le sait, engendre la pourriture, et que, statistiquement, les hommes pourrissent très vite.

Après avoir rapidement examiné les lieux, ils m'ont interrogé sur mes allées et venues, à propos desquelles j'ai menti, omettant la main de Lolita sur mon front, puis m'ont demandé si j'attendais quelqu'un, si je recevais souvent des gens, si j'avais une idée de l'identité de l'homme qui m'avait emprunté ma chaloupe, toutes questions auxquelles j'ai répondu non, en observant mon reflet incurvé dans les Ray-Ban de Tim Robbins, où j'avais l'air idiot de Humpty Dumpty, puis ils ont inspecté ma chaloupe, que Winslow avait ramenée sur la grève en l'attachant à la sienne. C'est à ce moment que ça s'est corsé, car il y avait une brèche, dans le fond de la chaloupe, par où l'eau avait pu s'infiltrer, causant ainsi le naufrage de John Doe, et je suis devenu suspect à partir de là, de cette brèche, qui n'était pas là la veille, ai-je juré, ce qui n'a pas arrangé mon cas. Puis Winslow est venu à mon secours en disant que la chaloupe avait dû se fracasser sur un rocher quand il l'avait halée, ce qui nous a ramenés à la question initiale : Qu'est-ce qui avait fait sombrer John Doe ?

À ce point de l'interrogatoire, j'avais la tête qui tournait et aurais voulu être absorbé par le néant de mon cercle, mais puisque les voix m'entourant peuplaient l'espace, j'ai commencé à divaguer et j'ai mentalement rebaptisé John Doe, qui est momentanément devenu Harry, à cause de ce film de Hitchcock où l'on se demande qui a tué Harry, qui est en fait Harry, pourquoi Harry se baladait dans le coin, de quelle arme venait le projectile qui lui avait été fatal et autres questions normales quand on bute contre le cadavre d'un inconnu. Je me posais les mêmes questions et, de fil en aiguille, j'ai suggéré la possibilité d'un suicide. Un gars se promène, il est désespéré, sa vie est un enfer, il voit une chaloupe et un lac insondable, il entend le cri déchirant d'un huard, il se demande pourquoi il a fait son lit le matin et il met à exécution ses noirs desseins. Or Tim Robbins n'était pas seulement pourri, il était con. Non content de rejeter d'emblée cette hypothèse, il l'a interprétée, je l'ai vu dans les reflets de ses Ray-Ban, comme une autre façon de camoufler ma culpabilité, puisqu'il était également xénophobe, comme les trois quarts du Maine et de la planète, au demeurant.

Ce qui s'est passé par la suite est encore confus dans mon esprit. Je me suis mis en colère, je crois, et j'ai dit à Tim Robbins que je n'allais pas endosser la folie suicidaire de cet abruti de John Doe qui, en plus de venir crever chez moi, avait esquinté ma chaloupe. Puis j'ai ajouté que si j'avais voulu tuer quelqu'un, j'aurais choisi un moyen un peu moins aléatoire, c'est ce que j'ai dit, *aleatory*, parce que je ne savais pas comment traduire ce mot que Tim Robbins, de toute façon, n'aurait pas compris. Je l'ai fait exprès, j'ai dit *aleatory*, puis je me suis rappelé que j'avais moi-même pensé, il n'y avait pas si longtemps, à me débarrasser de Winslow en perçant un trou dans sa chaloupe, moyen que j'avais repoussé en vertu de son caractère aléatoire, mais là n'était pas la question. La question était de savoir si Winslow avait bel et bien brisé ma chaloupe sur un rocher ou si quelqu'un, Winslow, par exemple, y avait volontairement pratiqué une ouverture, si je puis dire, qui n'était pas destinée à l'un des quelconques John Doe susceptibles de diriger leurs pas vers Mirror Lake, mais à moi, Robert Moreau... Cette hypothèse ne tenait toutefois pas debout, car pourquoi diable Winslow aurait-il voulu m'assassiner alors que c'était lui, l'emmerdeur, et que c'était moi, l'emmerdé, c'est-à-dire celui qui avait toutes les raisons de vouloir le tuer? Anyway, si Winslow espérait me voir rendre l'âme, il était bien parti, il n'avait qu'à demeurer semblable à lui-même, attitude qui lui permettrait d'accomplir le crime parfait.

N'empêche, j'étais secoué, ce qu'ont constaté les trois mongols qui me regardaient comme si je venais de tomber de la lune, dont le cercle pâle se dessinait derrière les montagnes, bien que le soleil fût loin d'être couché, et ça m'a rappelé cette chanson idiote où le soleil a rendez-vous avec la lune. Je ne l'avais pas entendue depuis longtemps, mais je savais qu'elle allait maintenant me trotter dans la tête jusqu'au lendemain et que je fulminerais contre ce que certains appelaient de la poésie, alors qu'un texte poétique digne de ce nom aurait évoqué le désastre que la rencontre entre le soleil et la lune pourrait provoquer, le cataclysme occasionné par un tel rendez-vous, ou les phénomènes liés à la réfraction lumineuse, à l'altérité des miroirs, que sais-je. Un texte de cette nature aurait parlé de l'ignorance des astres se percutant, de l'influence des marées sur la folie qui déchire le ventre de ceux dont la poitrine et la gorge sont déjà lacérées, et j'ai dû fredonner un petit bout de la chanson en question, car Winslow a dit Tréné, pour Trenet, et je suis revenu au bord du lac, dans les Ray-Ban de Tim Robbins, où Humpty Dumpty ouvrait la bouche pour dire *lune*, ce qui m'a donné une idée de la raison pour laquelle ils me fixaient tous béatement. Ne voulant pas aggraver mon cas, je me suis ressaisi, me suis excusé, et j'ai fixé le bout renforcé de mes bottes pour ne plus voir la lune, Humpty Dumpty, ni la main prête à dégainer de l'acolyte de Robbins, que j'ai appelé Indiana Jones, parce qu'il était clair que ce blanc-bec se prenait pour Harrison Ford et n'attendait que le déchaînement du mal pour devenir l'un de ces héros que l'Amérique encense d'une gloriole aussi fugace que pitoyable, plaisir dérisoire que je n'allais pas lui offrir.

Je me suis excusé, puis j'ai murmuré en français, pour qu'ils n'y entendent rien, que je n'allais pas auréoler ce cow-boy de la gloire des tabloïds, événement dont il ne se remettrait jamais, parce qu'on ne résiste pas à l'aspect éphémère de la gloire, qu'il n'y a rien de plus triste qu'un homme qui raconte le même exploit pendant vingt ans et qui croit que ça suffit pour susciter le respect d'un père, d'un camarade de classe, l'amour d'une femme, parce qu'il n'y a rien de plus pathétique. Ç'aurait été un bon tour à lui jouer, mais je n'allais pas me prendre une balle dans le bide rien que pour empoisonner l'avenir d'un crétin que je ne verrais pas vieillir, puisque je mourrais dans la fleur de son innocente jeunesse.

J'en étais là de mes réflexions quand deux nouveaux claquements de portières se sont répercutés contre les montagnes et que deux gars, que Robbins est allé saluer, se sont mis à sortir leur équipement de plongée d'une camionnette jaune. Il y a alors eu une espèce de conciliabule, dont j'ai préféré ne pas me mêler, puis Winslow est venu me rejoindre et nous nous sommes assis au bord du lac, avec Bill et Jeff, là où j'avais dessiné des triangles et des cercles, équilatéraux, parfaits, que les petites pattes de Bill et les grosses pattes de Jeff avaient transformés en figures fractales. Les plongeurs se sont ensuite dirigés vers le centre du lac dans leur canot jaune, ce qui m'a fait penser que le jaune est la couleur de la folie, c'est ce que disent les livres, je ne sais pas pourquoi. Je n'ai jamais vu un fou devenir jaune.

Enfin, pendant que je réfléchissais au teint cireux de la folie, le jaune s'est immobilisé, les plongeurs se sont laissés tomber à la renverse, en position de crapaud, même si les crapauds ne plongent pas ainsi, et je me suis dit que si on persistait à les appeler hommes-grenouilles, c'était vraisemblablement à cause des palmes. Puis, un souvenir en appelant un autre, l'image de la fille qui avait supplanté Rosie Bolduc dans mes pensées les plus obscènes m'est revenue dans le léger ploc des plongeons.

Leslie Bégin, je n'avais pas oublié son nom, dont les pieds palmés faisaient la honte, si bien qu'elle ne portait jamais de sandales, prétextant une étrange maladie de la peau. La première fois qu'elle m'avait montré ses pieds, dans la pénombre du hangar où nous nous étions réfugiés, j'avais pensé à la bête qui tombe amoureuse de Julie Adams dans *Creature from the Black Lagoon*, puis aux animaux sortis des océans des millions d'années avant que Leslie Bégin pousse son premier vagissement, à la lignée de batraciens, de pseudo-batraciens ou d'archibatraciens, je n'en savais rien, qui avait mené à l'homme, et Leslie m'était ni plus ni moins apparue comme une erreur de l'évolution, un monstre qui n'aurait pas dû survivre. Quand, profitant de mon ébahissement, elle avait fourré sa langue dans ma bouche, j'avais eu l'impression d'être envahie par une marée de sel et je m'étais sauvé en suffoquant. Par la suite, je m'étais mis à érotiser les pieds de Leslie, qui était devenue le centre de mes fantasmes, et quand elle m'avait enfin permis d'enlever sa culotte, c'était la mémoire du temps que j'avais traversée.

La mémoire du temps, ai-je murmuré au moment où s'effaçait Leslie Bégin, puis j'ai regardé les montagnes, le lac, mes pieds, pendant que Jeff aboyait un peu, pour la forme, imité par Bill, qui répétait tout ce que disait Jeff, mais Winslow et moi n'avons rien dit de plus que la mémoire du temps. Nous avons observé les bouillons qui disparaissaient près du canot, en pensant au mort, puis nous avons attendu, devant le calme revenu des eaux, que réémerge une tête, que le silence de l'attente soit rompu.

C'est Winslow, au bout de quelques minutes, qui a déclaré qu'ils ne le repêcheraient jamais, que le lac était trop profond, que si cet homme réapparaissait un jour, c'est parce que le lac le rejetterait, ne voudrait plus de lui. Sur le coup, je n'ai pas pensé qu'il n'y avait peut-être pas de mort, que Winslow avait pu mettre cette noyade en scène pour que je ne voie pas le trou dans ma chaloupe, preuve irréfutable des projets assassins qu'il nourrissait envers moi. Je me suis seulement dit qu'il fallait récupérer ce noyé, que je ne pourrais supporter l'idée qu'il y ait un mort au centre du lac, dont le corps glauque risquait à tout moment de venir heurter ma barque pour y frotter son ventre gonflé de gaz pestilentiels. Si les plongeurs revenaient bredouilles, je vivrais dans la crainte continuelle de voir apparaître au bout du quai la face de l'homme qui s'était noyé à ma place, dans ma chaloupe esquintée.

Puis, alors que les montagnes masquaient le premier quart du soleil déclinant, c'est moi qui me suis mis à faire des confidences à Winslow, ce dont je ne me serais jamais cru capable. J'ignore si c'est ma rencontre avec Lolita ou l'atmosphère de tragédie pesant sur Mirror Lake qui était en cause, mais j'avais l'impression que mon passé entier luttait pour revenir à ma conscience. J'ai baissé la tête et j'ai dit à Winslow qu'il n'y avait rien de pire que de ne pas retrouver ses morts, de savoir qu'ils erraient quelque part dans la nature mais d'ignorer où était ce quelque part, ce qui est le propre des quelque part, en somme, si bien qu'on n'avait jamais la confirmation de leur mort, puis, comme tout ça n'était pas très clair, je lui ai parlé d'Alfie, un chien que j'avais lorsque j'étais gamin. Je lui ai parlé de la voiture rouge qui l'avait fauché et l'avait rendu fou, des deux hommes qui l'avaient amené dans le bois pour lui percer la tête d'un trou de balle, parce que c'est ce qu'on fait devant la souffrance des bêtes, des milliers et des milliers de fleurs de lilas du jardin qui s'épanouissaient pendant qu'on m'annonçait qu'Alfie était devenu fou. Je lui ai tout raconté, la folie des lilas, la mienne, le soleil qui nous cuisait le crâne, les cloches qui ne sonnaient pas parce qu'elles étaient parties se balader à Rome en attendant la résurrection du Christ, puis j'ai craché sur le sable le goût de fer que j'avais dans la bouche, qui revient chaque fois que je me mords les joues jusqu'à m'en arracher un bout de peau. Je n'ai jamais revu Alfie, never saw his corpse, ai-je conclu en jurant, du sang dans la bouche, puis j'ai serré la grosse tête de Jeff contre moi, pour qu'il ne m'échappe pas, celui-là, et je me suis remis à jurer, never saw his corpse, never saw the blood, et c'est ce qu'il y a de pire, Winslow, pas de cadavre pour attester la mort, pas de sang pour indiquer que la douleur a une cause.

Alors, si John Doe ne refait pas surface, on ne saura jamais, on se demandera jusqu'à la fin des temps si ce foutu John Doe, mais je n'ai pas dit foutu, j'ai dit fucking, this fucking John Doe, la manie de Winslow déteignant tristement sur moi, si ce fucking John Doe a jamais existé. Et c'est là que ça a fait tilt, au moment où la tête d'un plongeur réapparaissait près du canot jaune, enveloppée de sa cagoule de caoutchouc noir qui luisait sous le soleil, avec ses tubes pareils à de longues branchies externes qui m'ont furtivement fait penser aux cris muets des poissons asphyxiés. C'est là que je me suis dit qu'il n'y avait peut-être pas de John Doe, que Winslow avait peut-être menti, pour des raisons que j'ignorais et ignorerais à jamais, à moins que Winslow avoue sa faute ou que John Doe vienne s'échouer sur la plage. Sans John Doe ni aveu, je n'aurais aucun moyen de savoir s'il y avait eu mensonge, et je me suis enfoncé dans le sable, pouce par pouce, pendant que l'autre combinaison de caoutchouc noir émergeait près du canot dans un bruit d'eau calme, de vaguelettes, d'après-midi ensoleillé.

Les plongeurs n'avaient pas trouvé John Doe et ne le retrouveraient jamais, parce que le lac était trop profond, que Bob Winslow avait menti ou que les poissons des abysses avaient déjà mis en lambeaux les habits, la chair et les viscères de John Doe, pour s'en faire un festin à la mémoire de la lumière qui avait auréolé son corps quand il avait chuté vers les algues des enfers en zigzaguant mollement, telle une feuille tombant d'un arbre par un jour immobile.

De quelle couleur étaient les habits de John Doe? ai-je tout de même demandé à Bob Winslow en m'enfouissant dans la plage. Mais Winslow ne se souvenait pas, n'avait pas prêté attention, gray, maybe, black, il ne savait pas, pourquoi cette question? Pour rien, ai-je menti, pour me préparer au retour du mort.

Ce soir-là, je n'ai pas mangé avec Bob Winslow ni en même temps que lui. Je suis resté sous le couvert des arbres à guetter le lac et John Doe, Doolittle, en me demandant ce qui pouvait pousser un homme, pour autant que cet homme ait existé, à débarquer chez un étranger, à lui piquer sa chaloupe et à aller chavirer au milieu du lac, sinon la détresse, Jeff, ai-je murmuré en caressant la grosse tête jaune dont les yeux brillaient dans le noir, if not fucking pain. Je suis ensuite rentré et j'ai continué à surveiller le lac de ma fenêtre, le roman de Victor Morgan sur les genoux, que je parcourais du bout des doigts, tel un aveugle, mais rien n'est venu troubler la paix de la nuit étoilée. John Doe dormait, et s'il devait hanter le lac, ce ne serait pas sous la forme d'un ectoplasme ni d'un zombie à la chair rongée d'asticots, mais sous la forme de lancinantes questions.

Malgré que John Doe ne prît pas l'apparence d'un fantôme, je devais néanmoins l'apercevoir à quelques reprises, rôdant autour du lac, quand le mauvais temps déformait le paysage et qu'y apparaissaient les ombres floues cachées là depuis des siècles. La première fois que j'ai aperçu John Doe, qui était entre-temps devenu John Doolittle, il pleuvait des trombes.

Je m'étais levé à l'aube, Humpty Dumpty étant d'avis que j'avais assez dormi, et j'étais allé m'asseoir sur la galerie en espérant que la pluie, rabattue sur le chalet par le vent d'ouest, me débarrasserait des images dans lesquelles je m'engluais. C'est d'ailleurs ce qu'a fait la pluie, me prouvant que les espoirs ne meurent pas tous comme des rats. Elle a lavé mon visage, imbibé mon sweat-shirt, le vieux pantalon de coton troué où s'accumulaient les poils dorés de Jeff, un peu répugnants maintenant que la pluie les collait au tissu, puis les sandales de paille où mes pieds faisaient des pouish sourds quand j'arquais les orteils, bruits rassurants qui m'ont ramené à la réalité du jour, grise et opaque, à la fraîcheur bienheureuse des aubes d'août, puis à moi, être de peu de foi dont la vie s'enlisait dans le tourment quotidien d'un ennui non prévu dans son plan de retraite, loin du champ de bataille où les hommes se tirent dessus à bout portant.

Je venais à peine de réintégrer la douleur du quotidien, en rien préférable à celle du rêve, quoique moins abstraite, quand j'ai vu une forme sombre, sur le lac, qui semblait s'approcher du rivage. Sans l'incident John Doe, j'aurais pris cette forme sombre pour ce qu'elle était probablement, un tronc d'arbre arraché à la plage par les vagues, mais les doutes que j'entretenais quant à la réalité de John Doe m'ont immédiatement mis en alerte et je me suis levé d'un bond, pour m'apercevoir que j'avais les jambes flageolantes et le cœur qui battait au rythme saccadé, rumba, samba, des rares nuits de cocaïne que j'avais connues dans la trentaine, quand j'avais tenté une incursion dans le monde chic et branché où règne le vide vitesse grand V. Je n'avais rien retiré de ce vide, pas même le souvenir d'un ou deux bouts de chair consommés sur un canapé Garouste et Bonetti, au rythme tribal de mes ancestrales pulsions, mais je me souvenais du coup de fouet de la coke, qui avait bien failli m'envoyer *ad patres* avant terme, quand l'Afrique entière battait sous mon sternum. J'ai ressenti la même chose ce matin-là, alors que, secoué par la brusque poussée d'adrénaline qui m'avait fait bondir, je pouvais voir les soubresauts de mon cœur soulever mon sweat-shirt trempé. Jeff également était sur le qui-vive, qui regardait dans la même direction que moi, les oreilles pointées, prêt à se ruer sur l'intrus qu'il devinait dans l'exaspération de mon souffle. Nous sommes restés ainsi jusqu'à ce que la forme sombre disparaisse, soit de nouveau engloutie par les flots agités de Mirror Lake et que je me précipite sur la plage, jambes flageolantes, Jeff à mes trousses, pour conjurer Mirror Lake de rendre la forme sombre à la lumière pluviale de cette aube d'août, mais il n'y avait plus sur le lac que les crêtes blanchâtres des vagues, où ma naïveté crut à quelques reprises repérer l'hypothétique John Doe, le visage écumant d'une bave sitôt emportée, avec le visage, dans le tourment inhabituel du lac.

Après avoir admis le fait que la forme sombre que j'avais confondue avec John Doolittle n'était que l'œuvre de mon imagination, je suis rentré au chalet en me disant que si les espoirs ne meurent pas tous comme des rats, c'est quand même le lot de la majorité d'entre eux, que l'homme nage dans une mer de rats morts, ce qui n'a pas arrangé l'opinion que j'avais de mes congénères, et qu'il ne mérite que ça, la compagnie des rats crevés, puis j'ai claqué la porte en intimant à Jeff de rester sur le tapis. C'est bien le verbe qui m'a traversé l'esprit, *intimer*, quand j'ai dit tapis, Jeff, stay there, en anglais, pour qu'il comprenne bien que je ne rigolais pas, puis je me suis déshabillé près de lui et suis allé me poster devant la fenêtre, flambant nu, d'où j'ai observé, en pensant à la prétendue flamboyance de ma nudité, les rats qui s'accumulaient sur la plage. Seules les femmes peuvent avoir cette flamboyance, me suis-je dit, et je me suis rappelé l'opulence des chairs d'Anita, que je n'avais pas revue, mais dont j'avais suffisamment rêvé pour qu'elle sente, à des milles de distance, les ondes lubriques que suscitait en moi sa chair juste assez molle pour que la main s'y perde sans y être engloutie, puis je me suis rendu compte que je m'ennuyais, ce qui n'était pas prévu dans mon plan de retraite, et que la pluie ne parvenait qu'à renforcer cet ennui.

J'ai alors fait ce qu'on fait quand on s'ennuie et qu'on n'a heureusement pas la télé pour se donner l'illusion que n'importe quelle connerie peut venir à bout de la langueur du vide, j'ai cherché qui je pouvais appeler, je me suis dirigé vers le téléphone et j'ai composé le numéro du pimp d'Anita, que la pluie devait rendre irritable. Ce bandit m'a envoyé sur les roses en me disant que si je voulais me payer une pute par un temps pareil, je n'avais qu'à me déplacer. Il n'a pas utilisé le mot *pute*, mais c'est le mot que j'ai entendu sous le ton va-te-faire-voir de sa voix de connard, ce qui m'a donné envie de lui répondre qu'Anita n'était pas une pute, mais j'ai laissé tomber, faute d'arguments convaincants, et suis retourné à la fenêtre pour m'apercevoir que je ne distinguais même pas, sur l'autre rive, le chalet de Bob Winslow.

J'étais seul, comme l'un des milliers de rats crevés dont la marée m'emportait, mais ce sentiment de solitude n'était pas celui que j'avais espéré éprouver dans la forêt de Mirror Lake, loin des tourments de la vie grégaire. Il s'agissait de ce type de solitude qui vous fait amèrement ressentir le poids de l'être et vous fait comprendre pourquoi un homme peut parfois rechercher la compagnie d'un autre homme. Je n'aurais jamais cru cela possible, mais Bob Winslow, que je n'avais pas vu depuis l'arrivée de John Doe à Mirror Lake, commençait à me manquer, comme quoi l'ennui vous pousse à l'irrationnel. J'ai même songé à mettre une ou deux bouteilles de bourbon dans ma nouvelle chaloupe, l'autre ayant été transformée en bois de chauffage, pour rendre une visite surprise à Bob Winslow, mais la voix du pimp d'Anita, criant qu'on ne mettrait pas un chien dehors par un temps pareil, a résonné à mes oreilles. It's raining cats and dogs, avait-il vociféré, mais j'avais entendu pute, tart, it's raining tarts and dogs. Alors je me suis soûlé tout seul, avec Jeff, auquel j'ai ouvert une bouteille de bière, une autre fois n'est pas coutume, parce qu'il n'aime pas le bourbon, puis j'ai attendu que la tempête se calme.

Pour tuer le temps, ce qui est une façon de dire, car s'il est une chose qu'on ne peut pas tuer, c'est le temps – c'est increvable, le temps, immortel –, j'ai feuilleté les magazines oubliés par mon généreux prédécesseur, mais comme j'aurais préféré la présence vivante et chaude d'Anita, le cœur n'y était pas vraiment, pas plus que le reste de mon anatomie. Je me suis tout de même lancé dans une petite analyse sociologique, et ce qui m'a le plus secoué, c'est que plusieurs filles des années 50 ressemblaient à des ménagères, à des filles ordinaires dont les vêtements se seraient volatilisés alors qu'elles s'apprêtaient à aller au bureau de poste ou à mettre un poulet au four, et ça m'a déprimé, parce que je n'ai pas pu m'empêcher de penser à ma tante Jeanne, dont l'himalayenne poitrine m'avait toujours fasciné. Comme je suis davantage branché culpabilité qu'inceste, les magazines m'ont soudain paru sales, mais j'ai continué à feuilleter un peu, pour la forme. L'ennui ayant de la suite dans les idées, je suis tombé sur Anita Ekberg, la vraie, l'unique, qui se faisait bronzer dans un décor de studio au-dessus d'un encadré de Sophia Loren. La *dolce vita*, quoi. J'ai beau être un peu parano, je ne suis pas masochiste, alors j'ai mis ce magazine de côté, mais c'est allé de mal en pis. On aurait dit que toutes les stars des années 50 et 60, de Jane Mansfield à Kim Novak en passant par Gina Lollobrigida et Jane Russell, s'étaient liguées contre moi. Quand Marilyn Monroe s'est étalée sur une double page en chantonnant to-be-do, to-be-do, paw! j'ai dit wô, c'est assez! J'ai foutu tout ça dans le garde-robe et je me suis rhabillé.

Je n'avais pas réussi à tuer le temps, mais je l'avais un peu secoué. Dehors, le jour tombait, le ciel déversait toujours son trop-plein sur la nature assoiffée, mais l'ennui n'avait pas bougé d'un poil. De l'autre côté du lac, je pouvais toutefois déceler la lueur d'un fanal qui se déplaçait dans le brouillard, signe que Winslow arpentait le rivage, et ça m'a ramené à John Doolittle, que j'avais mis en veilleuse sous l'influence retorse de l'alcool et d'Anita Ekberg. Peut-être Bob Winslow avait-il lui aussi aperçu une forme sombre poindre au sommet d'une vague et tentait-il de retrouver le corps que la tempête avait été racler au fond de Mirror Lake? Sinon, que fabriquait-il sous la pluie, à balancer un fanal dans le brouillard? Il s'agissait peut-être d'un message, d'un signal de détresse? Je ne connaissais rien aux signaux lumineux, mais Bob Winslow l'ignorait, et il se pouvait qu'il cherche désespérément à entrer en contact avec moi en traduisant des rudiments de morse en un langage inconnu de moi.

C'était le prétexte que j'attendais depuis le matin pour lézarder la morosité qui recouvrait le paysage de sa pellicule grise et opaque. Je n'ai fait ni une ni deux, j'ai embarqué Jeff, une lampe de poche et deux gilets de sauvetage dans ma chaloupe aussi flamboyamment neuve que Marylin Monroe était flamboyamment belle, mais j'ai oublié le bourbon, ce qui n'était pas grave, puisque j'étais déjà soûl et que Winslow avait une réserve de De Kuyper et de Gritty McDuff's dans sa cave, puis je me suis élancé sur la crête des vagues, prêt à braver les flots hostiles.

J'ai eu un certain mal à m'arracher à la rive, car les vagues nous ramenaient sans cesse contre le quai, qui nous donnait pour sa part des coups en sens inverse. On a fait du surplace assez longtemps pour que j'épuise ma réserve de sacres, mais comme il n'était pas question que je reste coincé sur la rive nord, je suis descendu de la chaloupe et j'ai poussé jusqu'à avoir de l'eau au menton pendant que Jeff éclusait. J'ai ensuite reculé un peu pour pouvoir embarquer, me suis retrouvé en pleine face au fond de ma flambante chaloupe, que j'ai baptisée Jane, à cause de Jane Russell et de Jane Mansfield, sans même penser à ma tante Jeanne, retournée dans les limbes de mon enfance, et j'ai avalé une vague pendant que Jeff, ballotté d'un bord à l'autre de l'embarcation, aboyait à s'en massacrer les cordes vocales. Quand j'ai risqué un œil derrière nous, j'ai constaté qu'on était revenus près du quai. Un autre que moi aurait abandonné, mais j'étais moi, je ne pouvais rien contre ça. Sachant qu'il est inutile de lutter contre sa nature profonde, j'ai attrapé les rames, bandé mes muscles et donné un violent coup de biceps qui nous a propulsés à trois pieds du quai, puis un autre coup, accompagné d'un viril han !

Et voilà, nous étions partis, ne restait qu'à garder le rythme, que j'ai maintenu en écorchant *Po Lazarus*, interprété par James Carter & the Prisoners dans *O Brother, Where Art Thou?* des frères Coen, de loin le meilleur film que j'avais vu ces dernières années. J'aurais voulu m'identifier à George Clooney, le héros du film, même s'il n'y brille pas par la vivacité de son intelligence, mais les vagues nous poussaient invariablement sur le côté, si bien que je me sentais nul et me suis plutôt identifié au personnage de John Turturro, con comme la lune. Je m'interrogeais sur les motifs nous poussant à croire que la lune n'est pas très futée, quand cette chanson stupide où le soleil a rendez-vous avec la lune m'est revenue en mémoire, créant des interférences avec *Po Lazarus*, que j'ai dû massacrer davantage, puis j'ai remis le cap sur le fanal de Winslow, Turturro s'est évanoui dans la tempête, comme dans cette scène du film où une masse d'eau venue de nulle part l'emporte, et je me suis enfin glissé dans la peau de George Clooney, tout sourire sur des dents d'une blancheur à fendre n'importe quel brouillard.

Quand j'ai mis les pieds sur la terre ferme, qui a néanmoins tangué le temps que mon centre d'équilibre reprenne son souffle, Bob Winslow était encore dans tous ses états. What the hell are you doing on the lake in such a fucking goddam storm, Robert? It's raining tarts and dogs. Il n'a pas dit *tarts*, mais c'est ce que j'ai entendu, parce que j'étais heureux d'être là, dans une brèche de l'ennui, malgré l'évidente colère de Winslow. And why the hell are you screaming like a pig? Heard you from Alabama, a-t-il ajouté, ce qui était de circonstance, car le film des Coen se passe dans le Mississippi, l'État pourri d'à côté. Was not screaming, Bob, was singing, mais il ne m'écoutait pas, alors je lui ai dit que j'avais aperçu son fanal. J'ai vu ton fanal, Bob, I saw your lantern, et il est dommage que l'anglais ne comporte pas cette distinction entre le *tu* et le *vous*, car il aurait senti la chaleur de mon tutoiement. Jusque-là, je ne l'avais tutoyé dans mon esprit que de façon méprisante, va te faire voir, Winslow, tu me fais chier, Winslow, mais là, je mettais une réelle familiarité dans l'emploi du possessif, du genre, si ça n'avait pas été *ton* fanal, je dis bien le tien, je n'aurais pas bougé, j'aurais été condamné à me morfondre dans ma lassitude.

J'ai vu ton fanal, ai-je repris, et j'y ai perçu un signe, mais comme il ne comprenait pas, je lui ai décrit la forme sombre, les multiples ombres de John Doe dans la tempête, et ça l'a radouci, car il avait cru, lui aussi, voir émerger le corps de John Doe, raison pour laquelle, je ne m'étais pas trompé, il s'était mis à balayer le rivage avec son fanal, espérant y apercevoir les yeux exorbités de l'inconnu ayant troublé la paix de Mirror Lake, brillants dans la lueur du fanal comme ceux d'un loup dans un tas de sapins. Et c'est là qu'il m'a avoué qu'il guettait le mort, comme on dit chasser le chevreuil, depuis l'aube de ce jour gris, avec un tremblement dans la voix où je n'ai pas seulement perçu la peur toute normale de qui s'apprête à repêcher un macchabée, mais une réelle inquiétude, que ses yeux hagards, aux pupilles légèrement dilatées, ont rapidement confirmée.

En fait, Winslow se comportait comme s'il n'avait pas prévu le retour du mort, et j'en ai déduit qu'il m'avait menti, ainsi que je le soupçonnais, sur l'existence de l'hypothétique et de plus en plus hypothétique John Doe, alias John Doolittle. Si Winslow était à ce point bouleversé, c'est qu'il avait peur de se retrouver avec le cadavre d'un homme qui n'était pas mort ou, plus précisément, avec un cadavre n'ayant à son origine aucun être vivant. Son mensonge le rattrapait et il n'avait pas prévu, l'ordure, qu'une nuée de fantômes envahirait la rive sud pour lui faire payer sa mise en scène.

La colère l'emportant sur l'ennui, je m'apprêtais à le laisser mariner dans ses remords, pluie pas pluie, ivre pas ivre, quand il s'est effondré sur une souche en braillant qu'il n'arrivait pas à se souvenir de la couleur des vêtements de John Doe et que ça le hantait. I'm haunted, Robert, pleurnichait cet abruti, à tel point qu'il se demandait s'il n'avait pas inventé cette histoire, s'il avait bien vu un homme emprunter ma chaloupe, ma chaloupe quitter le quai, un homme ramer, ma chaloupe se renverser, puis un homme disparaître, c'est-à-dire se noyer, dans les eaux insondables de Mirror Lake. Alors il lui fallait un corps, a corpse, comme il m'aurait autrefois fallu celui d'Alfie pour me prouver que l'amour avait un sens. Et là, j'ai dit stop, Bobby, wô, on arrête, car je ne comprenais plus rien. C'est moi qui avais toutes les raisons de douter et voilà qu'il me volait mon rôle. Ou Winslow était un acteur-né, ou j'étais le roi des imbéciles. N'arrivant pas à trancher, j'ai entraîné Winslow dans le chalet, où nous avons pris l'une des plus mémorables cuites de toute l'histoire de Mirror Lake, lui continuant à brailler que s'il ne se souvenait pas de la couleur des vêtements de John Doe, c'était peut-être parce que celui-ci était nu, completely naked, Robert, moi lui répondant flamboyamment nu, comme Anita Ekberg, que j'avais déshabillée sans sa permission en effeuillant mes magazines.

Puis j'ai constaté que j'appelais Winslow Bobby, que l'alcool, conjugué avec la peur, l'ennui, la solitude, crée des liens insoupçonnés, mais surtout la peur, car je craignais de nouveau d'être tombé entre les mains d'un fou ou de devenir moi-même totalement cinglé, ce qui n'aurait eu aucun sens. Aussi ne me suis-je pas fait prier quand Winslow, après le De Kuyper, a sorti la crème de menthe, que j'ai baptisée crème d'ectoplasme, étant donné la présence du spectre de John Doe dans les parages et en hommage au sperme de flamant rose inventé par Boris Vian et Louis Barucq, un barman à l'imagination fertile, cocktail que nous ne pouvions mélanger à la crème d'ectoplasme, faute des ingrédients nécessaires.

Une vraie cuite. De celles qui vous laissent une absence de souvenirs aussi tenace que le mal de crâne dans lequel ont été engloutis les souvenirs.

Le lendemain matin, je n'étais pas plus avancé. Je pourrais même dire que j'avais reculé. Je me suis réveillé aux alentours de midi en bas de la galerie de Winslow, d'où j'avais apparemment dégringolé, parce que j'avais la fesse gauche aussi douloureuse que le crâne, et je me suis demandé pourquoi la lumière du jour sentait le besoin d'être aussi cruelle les lendemains de veille. Je me suis répondu que c'était pour nous punir, parce que nous étions trop cons. Quand j'ai tenté de me relever, le monde a fait un flip-flop parfait, dix sur dix, le lac a instantanément grimpé au ciel, et vice versa, et je n'ai plus su si c'était l'eau qui se mirait dans le firmament ou l'inverse, puis j'ai distingué un bras, qui dépassait de derrière le tas de roches érigé par Winslow près du lac – qui occupait maintenant la place du ciel –, et mon cœur a fait à son tour une pirouette du tonnerre : John Doolittle !

La tempête avait bel et bien fini par nous ramener John Doolittle, qui devait cuire à côté du tas de roches depuis les petites heures du jour. J'ai voulu crier à Winslow que Doolittle avait refait surface et qu'il portait un chandail gris, il ne s'était pas trompé, il n'était pas fou ni moi non plus, mais les répercussions de mon premier cri m'ont fait sauter un bout de cervelle en m'arrachant la luette au passage, alors je me suis contenté de gémir quelques sacres, tout doucement. J'ai douloureusement ravalé le peu de salive que j'ai réussi à extraire de la petite poche en creux située entre les gencives et l'arrière de la langue, puis, dans un geste de bravoure inégalé, je suis parvenu à crier. Quand je suis arrivé à l'étape des gémissements sacrilèges, j'ai vu le bras gris remuer dans le ciel bleu et j'ai perdu la carte, l'évanouissement étant la seule façon de fuir s'offrant à moi, on fait avec ce qu'on a.

Mon inconscience n'a cependant pas duré très longtemps car, au moment où j'ai rouvert les yeux, le bras n'avait avancé que de quelques pouces, ce qui était suffisant pour m'apprendre que ce bras était rattaché à l'épaule de Winslow, elle-même rattachée à sa tête, qui émergeait hirsute de derrière le tas de roches. Baptême, Winslow, qu'est-ce que tu fous là? ai-je pesté en prenant le soin de rester dans les bémols, tout ça en français, parce que me lamenter en anglais aurait été au-dessus de mes forces, puis je me suis rendormi sur l'image idyllique de Bob Winslow vomissant notre crème d'ectoplasme.

À mon troisième et dernier réveil, le soleil se couchait derrière les montagnes, une brise légère soulevait le pelage doré de Jeff, qui me léchait le visage avec un amour non feint, un amour éternel, de chien, le lac était retombé sur ses pattes, upside down, mais je n'étais pas plus avancé. Quant à Winslow, il était encore étendu près des roches, vêtu de ce chandail gris qui avait failli appartenir à John Doe, et s'extirpait lui aussi des vapeurs spectrales de la veille avec une monumentale bosse au front qui m'aurait fait éclater de rire si je n'avais craint les effets que pouvait avoir le rire sur la surface très fragile, d'environ un quart de pouce, couvrant entièrement mon crâne imbibé de funeste alcool. Fuck, l'ai-je entendu murmurer, et c'est la seule parole qu'il a prononcée, avec black, quand je lui ai demandé comment il voulait son café, puis j'ai repris le lac avec Jeff en flottant sur les derniers nuages roses qu'absorbait l'eau calme, tout en essayant de ne pas penser aux flamants roses ni à Boris Vian, à qui j'en voulais à mort, mais à la seule douceur des cirrostratus qu'effilochait la chaloupe.

Au cours des trois jours qui ont suivi, nous ne nous sommes pas revus, Winslow et moi, ce qui était préférable, car nous n'aurions pas manqué de déceler l'étendue de notre bêtise dans le regard bouffi de l'autre, où le bleu pervenche s'était strié de rouge. Il me fallait de plus, en ce qui me concerne, digérer le fait que Winslow me ressemblait davantage que je ne l'aurais voulu, qu'il me ressemblait comme un frère, tares congénitales incluses, et que je ne saurais jamais à qui, pour sa part, ressemblait John Doolittle.

J'ai tout de même eu un semblant d'espoir quand Tim Robbins et Indiana Jones, au terme de ces trois jours, se sont amenés avec deux photos d'un gars qui s'était évanoui dans la nature le jour de la noyade de John Doolittle. Ils sont arrivés un peu après le dîner dans un nuage de poussière, un crissement de pneus, un crouic de frein à main, et sont descendus de leur 4 x 4 en parfaite synchronie, figures imperturbables évoquant, dans la lente chute de la poussière, la redoutable physionomie d'Arnold Schwarzenegger ressortant intact des décombres de *Terminator*. I'll be back, ai-je entendu sous la musique en sourdine, puis Robbins s'est mis en marche, faisant couiner le gravier sous ses bottes à éperons, s'est dirigé vers moi et a sorti de sa poche les photographies qu'il a jetées sur les marches de l'escalier, d'où je n'avais pas cru bon de me lever, dans un geste pour le moins théâtral. Ever seen this man around here ? m'a-t-il demandé en mâchouillant son cure-dents, et j'ai vu Humphrey Bogart apparaître quelques instants sous ses traits, mais celui-ci s'est évanoui en même temps que Schwarzenegger quand j'ai constaté que les Ray-Ban attendaient une réponse.

Les photos montraient un type d'une cinquantaine d'années qui ne souriait pas et n'avait pas envie de le faire, de toute évidence, comme Robbins, chez qui cette fonction semblait s'être atrophiée en bas âge. Il avait le visage ravagé des hommes qui l'ont eue dure et qui en tirent une certaine fierté, ce qui était le cas d'à peu près tous les hommes que j'avais croisés dans le Maine, mais sa gueule ne me disait rien.

No, ai-je répondu à Robbins. Sure? a-t-il rétorqué en me toisant comme on toise une chose méprisable, un peu répugnante. Sure, ai-je rerépondu en lui laissant entendre qu'il s'agissait de mon dernier mot et qu'il me répugnait aussi. Il a remballé les photos et m'a appris que le lascar avait disparu le jour où John Doe s'était noyé avec ma chaloupe, en insistant sur le *your*, your launch, qu'il pouvait donc s'agir du noyé, ou pire, worst, qu'il pouvait y avoir un noyé et un disparu. C'est tout ce dont j'avais besoin en cette magnifique journée ensoleillée, de deux John Doe au lieu d'un, ou pire, worst, d'un vrai John Doe et d'un faux John Doe, rien ne certifiant qu'il y avait bel et bien un noyé. Partant de cette hypothèse, le joyeux luron qui fixait l'objectif avec l'air de vouloir égorger le photographe courait peut-être dans la nature. Épatant, me suis-je dit en crachant sur la roche de quatre cents millions d'années, qui ne m'avait rien fait et ne méritait pas ça, mais c'est à ces gestes de spontanée colère que servent les souffre-douleur.

Avant de partir, Robbins m'a tendu un bout de papier chiffonné sur lequel était noté le numéro où je pouvais le joindre si la mémoire me revenait. Ce n'est pas ce qu'il a dit, mais c'est ce qu'il a pensé, alors je l'ai mentalement envoyé se promener, va chier, Robbins, et je lui ai souri, parce que j'avais soudain une irrépressible envie de le narguer, mais aussi pour voir si l'effet mimétique de mon sourire pouvait faire se déverrouiller les muscles de son visage. Mais non, Robbins avait quelque chose de l'icône, de la statue ou, plus prosaïquement, des poupées de plastique qui clignent des yeux seulement lorsqu'on les incline, et sa mine patibulaire résistait vaillamment à mon charme, aussi ne me suis-je pas fatigué à sourire davantage.

Quand il est reparti avec Indiana Jones, qui avait miraculeusement été absent de la scène, j'ai su que je le reverrais. I'll be back, ai-je de nouveau entendu dans le nuage de poussière qui pouvait aussi évoquer John Wayne et le Far West, sinistre avertissement que les montagnes ont répété en écho au moment où je quittais l'escalier et où un oiseau, un seul, passait en se soulageant dans l'immensité bleue du ciel. Shit! me suis-je exclamé, interjection qui me paraissait de circonstance, puis je me suis déshabillé, suis descendu jusqu'à la grève flambant nu, orgueil au vent, et me suis immergé lentement dans l'eau froide pour laver la minuscule fiente de mésange ou de moineau qui luisait dans l'argent de ma chevelure en me disant que ce n'était rien, que la poussière redevient poussière comme le mauvais sort poursuit l'infortuné, et qu'il est d'incontournables vérités auxquelles vouloir se dérober est aussi inutile que de vouloir empêcher un oiseau de voler, un poisson de nager, une sauterelle de sauter ou un homme, tiens, de courir à sa perte. C'est d'ailleurs ce que j'avais la nette impression de faire depuis que j'étais à Mirror Lake, de me diriger lentement vers le précipice, mouvement contre lequel je ne pouvais rien, puisque l'engrenage s'était mis en branle le jour où j'avais pris la route en croyant laisser derrière moi ce qui me collait à la peau comme le caneton colle à l'arrière-train de sa mère.

Depuis l'hypothétique noyade de John Doe, je ne m'étais pas trop aventuré dans le lac. J'avais réduit mes baignades à de rapides immersions ou m'étais contenté de me tremper les fesses sur le bord de la grève, mais là, j'en avais assez. Puisque ce lac déborderait bientôt de John Doe, aussi bien faire comme si c'était normal, quitte à leur enfoncer la tête dans la vase s'ils me gênaient et entravaient mes mouvements. J'ai aspiré une grande bouffée d'air et j'ai plongé dans l'eau claire, les yeux grands ouverts sur les roches boueuses, de différentes tailles, tapissant le fond du lac, puis sur les petits morceaux de quartz scintillant au soleil à travers le sable, là où l'eau était moins profonde. Je respirais enfin, rien de moins, trois pieds sous la surface, porté par cette masse sombre et liquide que j'avais toujours considérée comme l'élément d'entre les éléments, libérateur et purificateur, qui assure votre joie autant que votre rédemption. Voilà que j'étais de nouveau libre, qu'importe tous les John Doe du monde, dans les frais espaces amniotiques qui me redonnaient vie en me lavant de la crasse qui m'obstruait les pores, des malpropretés qui me poussaient dans le cerveau comme des champignons pas assez vénéneux pour me tuer, mais suffisamment pourris pour me donner la nausée, bref, dans des eaux qui me débarrassaient des saletés m'empoisonnant la vie.

J'ai dû nager pendant une bonne demi-heure, alternant les petits coups de brasse avec les plongeons, faisant la planche, la grenouille, la cigogne, puis éloignant Jeff qui cherchait sans cesse à me ramener au bord et devenait hystérique quand je disparaissais quelques secondes, parce qu'il m'aimait, ce chien, inconditionnellement. Je ne m'étais pas senti aussi léger depuis le jour où je m'étais confessé de tous les péchés possibles pour avoir la paix durant quelques mois et ne voulais aucune entrave à ce bonheur, pas même celle de l'amour inconditionnel, qui ne cherche qu'à vous mettre en garde contre les innombrables menaces du monde. C'est ce que fait l'amour, c'est son rôle, ne va pas sur les rochers, ne cours pas sous l'orage, ne pleure pas dans le noir, ce type d'amour qui souffre à vous en arracher le cœur, comme dans la chanson de Ferré, « ne rentre pas trop tard, surtout ne prends pas froid ». Chaque fois que j'entends cette chanson, j'ai les sentiments qui se lézardent, alors je ne voulais surtout pas que Jeff se mette à fredonner les mots des pauvres gens de Ferré ce matin-là.

Pour le déstabiliser, j'ai entonné *Boo-Wah Boo-Wah*, de Cab Calloway, et suis allé m'affaler sur le sable, à bout de souffle mais comblé, purifié, neuf. C'était ça que j'étais venu chercher à Mirror Lake, rien d'autre, ces moments de pure symbiose avec soi, au cœur d'un silence d'où la pensée s'absente enfin.

Puis je me suis mis à réfléchir au bonheur, au fait que ça tenait à des choses si simples qu'on était trop cons pour s'en rendre compte, pour se pencher et les ramasser, les mettre dans sa poche et fermer sa grande gueule. Alors j'ai saisi Jeff à bras-le-corps et je me suis bagarré avec lui, comme au bon vieux temps. J'aurais été incapable de dire quand le bon vieux temps avait pris fin, il était trop vieux pour ça, ni où il fallait situer le point de rupture marquant la frontière entre une vie qui se tient debout et une existence qui bat de l'aile, mais en ce moment béni, j'ai été propulsé à une époque de ma vie où je ne savais de l'amertume que ce que j'en lisais sur le visage crispé de ceux qui raclaient le sol de leurs ailes rabattues.

Porté par une nostalgie où subsistaient quelques résidus d'innocence, j'ai promis à Jeff que nous allions nous baigner encore, même s'il avait peur, même si j'avais peur, parce que c'était trop bon après la peur. En fait, je tâchais ni plus ni moins de lui promettre le paradis, parce que je l'aimais aussi, inconditionnellement, comme aiment les hommes n'ayant plus que les chiens, quand je savais bien qu'une simple pluie empor-terait cette promesse dans une mare d'ennui et qu'il me faudrait attendre la sénilité pour me remettre à gambader dans les vertes et odorantes prairies du bon vieux temps.

En attendant la sénilité, que je ne souhaitais à personne, j'ai fait semblant d'être jeune. La jeunesse étant trop belle pour durer, la pluie s'est bientôt manifestée sous la forme du tandem Robbins-Jones, dont le 4 x 4 a vrombi de l'autre côté du lac. J'ai relevé la tête, parce que j'étais dans la position que prennent les hommes heureux qui viennent de se bagarrer avec leur chien, épaules rivées au sol, genoux écartés, poitrine haletante, et, quand Robbins a remonté son pantalon dans un geste qui lui était familier, pour qu'on voie bien qu'il avait des couilles et où elles se trouvaient, un voile est passé devant mes yeux, c'était plus fort que moi, ce mec me donnait des envies de tuer.

Je crois que c'est à ce moment que Jeff a commencé à détester Tim Robbins autant que je l'exécrais moi-même, lorsqu'il a compris que le jeu avait pris fin et que Robbins était la cause de cette fuite inopinée de la légèreté. Il s'est donc mis à grogner, j'ai renchéri en maugréant, et nous avons suivi la scène qui se déroulait de l'autre côté du lac, identique à celle dont nous avions été les protagonistes une heure plus tôt, mimant les répliques de Robbins, plutôt laconiques, de Bill, qui n'avait pas grand-chose à dire, puis celles de Winslow, dont le mouvement des lèvres ne correspondait pas au texte, même s'il est difficile de suivre le mouvement des lèvres à cette distance. Pour être clair, je me suis aperçu que Winslow gesticulait beaucoup trop longtemps pour se contenter de mots d'une ou deux syllabes. Après le départ de Robbins et le retour du calme, qui allaient de pair, même si Robbins laissait toujours derrière lui une légère odeur de compost en phase terminale, j'ai dû résister à l'envie de sauter dans ma chaloupe pour aller vérifier si Winslow connaissait le type des photographies, ce que pouvait laisser entendre la durée de ses gesticulations, mais je me suis retenu, mes visites sur la rive sud se soldant habituellement par de nouvelles contrariétés.

Puisque j'avais pris la résolution de me laisser aller à une saine ivresse, je me suis précipité au bout du quai en hurlant comme un Apache et me suis bruyamment jeté dans le lac, soulevant autour de moi l'une de ces gerbes d'eau que je dis atomiques, parce qu'elles ont la forme du champignon du même nom, bien sûr, pas celle d'une paisible truffe, puis j'ai nagé, suis revenu me sécher, ai renagé, me suis rebagarré avec Jeff et ainsi de suite, jusqu'à ce doux épuisement succédant au jeu. Quand nous sommes rentrés, une pluie fine tombait sur Mirror Lake. Nous avons donc mangé devant les petits personnages qui s'affolaient sur le lac, tous identiques, des milliers et des milliers de minuscules John Doe cherchant à se protéger de la pluie, ne sachant pas qu'ils étaient la pluie, puis s'enfon-çant, les uns après les autres, dans des profondeurs qui les effrayaient, ne sachant pas qu'ils étaient ces profondeurs ni que les noirceurs de Mirror Lake venaient de l'accumulation d'autant de minuscules John Doe, Doolittle, que peut en contenir un miroir sans fond.

Quand je me suis couché ce soir-là, j'étais à peu près certain que les petits John Doe me suivraient dans mon sommeil, et j'avais raison. Après une introduction que j'ai à peu près oubliée, mais où il était question de poissons volants, je me suis retrouvé au centre du lac, où des milliers et des milliers de John Doe se bousculaient sans ménagement, comme dans un film catas-trophe où la foule déchaînée fuit l'envahisseur en marchant sur les enfants, les vieillards à canne, les femmes enceintes et les aveugles, qui peuvent aussi être des vieillards mais n'en portent pas deux cannes pour autant, la blanche suffisant à signaler leur cécité et son tremblement à indiquer le reste.

Bref, j'étais au centre du lac, John Doe parmi les John Doe, quand j'ai aperçu Anita Ekberg, dont la tête s'enfonçait sous l'eau sous le piétinement des Doe. Help, vociférait-elle en suédois chaque fois qu'elle refaisait surface, cri en l'occurrence absolument inutile, puisque les Doe, ne la connaissant pas et s'en foutant, continuaient à lui piler méchamment sur le crâne. N'écoutant que mon courage et anticipant le baiser passionné auquel j'aurais droit quand nous échouerions à demi nus sur la plage, je me suis élancé vers elle, pour me rendre compte que je savais marcher sur les eaux, tel un Christ amphibie, c'est le côté pratique du rêve. En prévision du baiser anticipé, j'ai agrippé sa longue chevelure bouclée mais ne bouclant plus, parce que mouillée, donc, plus longue, une droite de douze pouces étant toujours plus longue qu'une torsade qui ne mesurerait douze pouces que si elle n'était plus torsade, et je l'ai halée jusqu'à la terre ferme, où nous sommes tombés dans la même posture que Burt Lancaster et Deborah Kerr dans la torride et inoubliable scène de *From Here to Eternity*.

Au moment où la rumeur des violons s'intensifiait et où je m'apprêtais à entrer dans l'éternité en passant ma langue dans la bouche d'Ekberg, qui s'offrait à moi dans le plus touchant abandon, Humpty Dumpty a été rejeté sur la plage par une vague imprévue, une vague de nausée, probablement, me projetant à trois ou quatre pieds d'Ekberg, près de laquelle il a pris ma place en collant son gros ventre rond contre la courbure du sien. Comment leurs lèvres sont-elles parvenues à se joindre dans de telles conditions ? Je n'en ai aucune idée car, à ce moment du rêve devenu cauchemar, j'étais de retour au centre du lac, où un troupeau de John Doe galvanisés par la peur cavalcadaient dans ma direction.

Marilyn Monroe, ai-je chuchoté, et Anita s'est approchée, un radieux sourire sur ses lèvres framboise, du ventilateur posé sur le sol de la chambre, qui a fait tournoyer sa jupe comme sur la célèbre photo de l'actrice, puis elle a pris la pose de Marilyn et a rabattu coquettement sa jupe sur ses genoux en arquant la croupe. C'est là que je l'ai arrêtée, que j'ai dit stop, Anita, wô, on arrête, on change de personnage. Décontenancée par la brusquerie de mon ton, Anita a décroché son sourire, désarqué la croupe, puis le ventilateur a de nouveau fait s'envoler sa jupe, dévoilant sa culotte imitation léopard et rompant totalement le charme que mon injonction avait déjà fait chanceler, car je ne pouvais imaginer Marilyn Monroe avec des dessous pareils, sinon dans l'un de ces rôles de fille de la jungle auxquels on ne l'avait heureusement jamais rabaissée.

Je m'excuse, ai-je ajouté, I'm sorry, mais ce sont tes culottes, ce après quoi elle a voulu savoir quel était le problème avec ses bobettes, what's wrong with my panties, ce qui nous a entraînés dans une discussion sans fin où je lui ai concédé qu'elles étaient parfaites, ses bobettes, même si je mentais, même si elle savait que je mentais, si bien que j'ai accepté que nous recommencions la scène de Marilyn, pour lui faire plaisir, mais le cœur n'y était plus et je me suis juré que plus jamais je ne ferais de commentaire à une femme, le commentaire en question fût-il mesuré, subtil, délicat et nuancé, à propos de quelque partie de son anatomie ou de quelque aspect de sa tenue vestimentaire que ce soit.

C'était pourtant l'une des premières choses que j'avais apprises quand j'avais commencé à me frotter à la fragilité de l'autre sexe, fermer ma gueule, ne pas faire remarquer à la fille qui attend avec impatience votre appréciation positive qu'elle a une mèche qui bat de l'aile ni que sa nouvelle robe est peut-être un peu, oh, rien qu'un tout petit peu voyante. Mais la fréquentation de Jeff et de Winslow, peu susceptibles quant à leur physique, m'avait fait oublier cette règle d'or. Bref, la séance de pose s'est terminée en queue de poisson, Marilyn a été avalée par la culotte de léopard d'Anita, et j'ai eu beau proposer d'autres imitations à Anita, elle s'était transformée en statue de cire, car elle adorait Marilyn, car elle adulait Marilyn et s'était longuement préparée pour interpréter cette scène, qu'elle avait reproduite avec un certain talent, je dois l'avouer. J'ai même essayé avec les plus grandes, Rita Hayworth dans *The Lady from Shanghai*, Grace Kelly dans *Dial M for Murder*, Gloria Swanson dans *Sunset Boulevard*, mais ne suis parvenu qu'à accroître sa rancœur. J'avais terni l'image qu'Anita avait de son sex-appeal et c'était la pire chose, à l'entendre se taire, que l'on pouvait infliger à une femme.

C'était la quatrième fois que nous nous voyions, Anita et moi, et nous avions inventé ce jeu dès notre deuxième rencontre, quand nous avions découvert notre goût commun pour le cinéma, qui avait rapidement transformé notre lien pute-client en quelque chose d'un peu moins rébarbatif. Bien sûr, elle me demandait toujours une légère rétribution, bien sûr, je faisais toujours ce pour quoi je la payais, mais nous avions ajouté à notre relation cet aspect ludique grâce auquel nous étions devenus des camarades de jeu, en quelque sorte, car Anita s'ennuyait ferme dans son bled entre un pimp aussi salaud que peut l'être un pimp et un petit ami, si l'on peut parler de petit ami, qui avait trouvé le moyen de la battre sans laisser de marques, craignant les représailles des adjoints de l'impresario, lequel souffrait d'une arthrite qui l'empêchait de cogner et ne se salissait les mains que sur ses filles.

Ce jour-là, cependant, le jeu avait quelque peu perdu sa saveur, et nous avions laissé dans la chambre torride un petit vent frais que les pales du ventilateur, longtemps après notre départ, avaient dû souffler sur le dessus-de-lit où nous n'avions pas fait un pli.

Dans la cour asphaltée, j'ai quand même voulu dérider Anita en faisant le singe sous le palmier en plastique qui ombrageait chichement la piscine pleine de saletés, mais elle s'est mise à pleurer, son rimmel a coulé, et je me suis demandé ce que j'avais dit pour provoquer une telle débâcle. Tu n'aimes pas les singes, ai-je imprudemment ajouté pour me rendre intéressant et parce que j'étais stupide, complètement démuni devant ces larmes inexplicables dont seule la bêtise d'un homme, paraît-il, peut provoquer le jaillissement. Puis, avant qu'elle m'arrache les tripes, je me suis excusé, I'm sorry, Anita, I'm stupid, I monkey about your time, ce qui lui a arraché un faible sourire, sourire qui, en l'occurrence, a eu l'effet d'une charge de TNT sur un barrage de castors, car son hésitant rictus s'est aussitôt transformé en une horrible vallée de larmes et là, je n'ai plus su, j'ai baissé les bras.

Dix minutes plus tard, j'étais assis avec elle sur le bord de la piscine, mon bras autour de son épaule, sa tête sur la mienne, nos pieds dans l'eau sale, et je me demandais comment il était possible que je sois en train d'essuyer les dégâts de ce qu'il fallait bien appeler une querelle amoureuse alors que je n'étais pas plus amoureux d'Anita que de Winslow, et que, bon sang, cette fille n'était pas Juliette Lewis. En attendant que les derniers reniflements d'Anita se taisent, je regardais les cadavres d'insectes qui voguaient à la dérive, poussés par les vaguelettes que faisaient naître les pieds d'Anita, qui donnaient des petits coups rythmés contre le bord gluant de la piscine. Quand Anita m'a enfin annoncé qu'elle devait rentrer, j'ai décollé le restant de bombyx accroché à mon mollet gauche, que j'examinais depuis un certain temps en me disant que les papillons étaient des bestioles dégueulasses, et nous sommes partis chacun de notre côté, moi vers le lac, elle vers son bled, son pimp, son petit ami. En voyant disparaître sa Ford Taurus au bout de le route, j'ai pensé que de nous deux, c'était quand même moi qui avais le sort le plus enviable, ce qui n'était pas difficile, vu la vie merdique qu'elle menait. Quoi qu'il en soit, la comparaison m'aiderait sûrement à prendre la chose plus à la légère quand Winslow voguerait allègrement « sur les flots bleus de l'été » en direction de mon chalet.

De retour chez moi, je suis allé m'asseoir devant ma fenêtre, un peu sonné par cette journée où j'avais espéré butiner, tel le faux bourdon excité par la promesse de quelque nectar, sous l'invitante corolle des jupes de Marylin Monroe. Dans l'état où j'étais, je me serais bien tapé un film, de préférence un film d'action, où les femmes ne pleurent pas et où la seule partie de votre cerveau qui doit travailler est celle qui fait des calculs en vue d'anticiper l'ampleur des dégâts, mais je n'avais rien emporté de ce qui meublait jadis mes veilles, télé, magnétoscope, lecteur DVD, rien, croyant que la majesté du silence me suffirait.

Je me suis donc rabattu sur *The Maine Attraction*, que j'avais abandonné à la page 94, au beau milieu d'un passage où Jack Picard, la brute à laquelle Morgan a donné le rôle du héros, parle des femmes qui ont traversé sa vie, à commencer par sa mère, qui se prenait pour Marilyn Monroe et qu'il avait assassinée un soir qu'elle faisait le trottoir. Sordide. J'ai refermé le livre, entraîné Jeff dehors et attrapé un bout de bois que je lui ai lancé, pour faire semblant d'être heureux, me comporter comme si j'étais libéré des servitudes de l'humanité. Mais c'était une journée pourrie, ainsi qu'il y en a tant dans une existence, et mes efforts pour lutter contre les lois de la nature étaient inutiles. Quand c'est pourri, c'est pourri, le processus est irréversible, quand c'est tombé de l'arbre, ça n'y remonte pas, quand c'est fendu, ça le reste, quand c'est bouilli, *idem*, ça ne retrouve pas sa fermeté, ça ne peut que s'avachir, et quand c'est né taré, le temps n'y peut rien, ce qu'a confirmé l'arrivée de Winslow, que je n'avais pas vu venir, trop occupé à essayer d'égayer de touches colorées une fin de journée qui sombrait dans les cumulus.

Alors que Tim Robbins se présentait toujours sous la forme d'un désagréable crachin, j'aurais plutôt rangé Winslow dans la catégorie des *diabolus ex machina*, dont le surgissement soudain ne parvenait qu'à empirer une situation qui ne demandait pas à l'être. Il venait discuter de l'homme des deux photos, que je n'avais pas oublié, mais auquel je m'efforçais de ne pas penser. Il était certain de connaître cet homme, mais il n'arrivait pas à se rappeler où ni quand il l'avait rencontré. Je lui ai répondu qu'il n'avait qu'à interroger Robbins, que j'ai appelé par son vrai nom, Paquette, qui ne lui allait pas du tout, parce que si Paquette avait des photos, c'est que quelqu'un les lui avait données. Mais Paquette ne revenait pas à Winslow non plus, semble-t-il, et il préférait se débrouiller sans lui.

Puis, comme ça, mine de rien, de but en blanc, il m'a demandé si j'avais remarqué que Paquette ressemblait à s'y méprendre au flic corrompu interprété par Tim Robbins dans un film dont il ne se souvenait pas du titre. Did you notice that, Robert? They're like two peas in a pod. Oui, ils se ressemblent comme deux gouttes d'eau dans une mare, ai-je répondu, une mare d'ennui, deux John Doe, puis j'ai ajouté *Short Cuts*, le film s'intitule *Short Cuts*, réponse de laquelle Winslow a déduit que j'avais aussi noté la ressemblance. Amazing, a-t-il conclu en se tapant les cuisses, sans préciser s'il considérait comme amazing le fait que Paquette ressemble à Robbins ou celui que nous ayons eu recours à la même référence pour établir cette parenté et je m'en foutais, car Winslow commençait à me pomper les fluides vitaux avec sa manie de tout faire comme moi, y compris penser.

Ça nous avance à quoi? ai-je quand même poursuivi. À rien, it's just funny, mais je ne voyais pas non plus ce qu'il y avait de drôle là-dedans. Pour ma part, ça me semblait plutôt déprimant et je serais rentré me coucher si je n'avais remarqué que Winslow se balançait près de la roche de quatre cents millions d'années en attendant que je manifeste un peu de savoir-vivre. Je l'ai donc invité à monter sur la galerie et je suis allé chercher deux bières, en insistant sur le fait qu'il s'agissait malheureusement de mes dernières, ce qui était faux, mais je ne voulais pas que Winslow s'attarde. Il s'est quand même attardé, si bien que j'ai eu l'air d'un con quand, après avoir partagé une cafetière entière avec un Winslow déterminé à s'incruster, j'ai miraculeusement trouvé deux autres bières, puis deux autres encore. There's a god for drunkards, s'est esclaffé ce bouffon, ou quelque chose du genre, mais j'ai ri jaune, du même jaune, en fait, que celui qui disparaissait derrière les montagnes entre deux cumulonimbus, signe que nous aurions encore du mauvais temps le lendemain.

Bref, la soirée a été interminable, mais Winslow m'a appris deux ou trois détails à propos de l'homme de la photo, qui n'était pas le même que le noyé, il en aurait mis sa main au feu, certitude de laquelle j'ai déduit qu'il y avait donc deux John Doe, à moins que Winslow ait menti à propos du premier, le noyé, et que sa certitude lui vienne de là. En effet, si Winslow n'avait vu personne se noyer, l'homme de la photo ne pouvait logiquement être le noyé, à moins qu'il se soit noyé aussi, c'est-à-dire quand même.

En clair, il y avait donc soit un noyé et un disparu, soit deux noyés, soit un noyé disparu, soit un disparu qui ne s'était pas noyé, pas encore, du moins, ce qui ne m'avançait pas. Par contre, j'ai appris que l'homme des photos était dangereux, puisque Robbins – c'est le nom que Winslow et moi lui donnerions désormais entre nous, Paquette ne lui allant pas du tout –, puisque Robbins avait recommandé à Winslow d'être prudent. Be careful, Bobby, avait proféré Robbins avant de quitter Winslow, parole énigmatique à propos de laquelle conjecturait Winslow pendant que, de mon côté, je prenais conscience du fait que Robbins ne m'avait pas mis en garde, ce qui ne m'étonnait pas, puisqu'il était évident que cet arrière-arrière-petit-descendant de Canadien français était plus raciste que le fondateur du Ku Klux Klan et s'était juré de me faire payer l'héritage de misère que lui rappelaient ma gueule et mon accent. Qu'à cela ne tienne. En ce qui le concernait, j'étais raciste aussi, preuve qu'on peut détester les résidus de sa propre race. Ça doit porter un nom, ce type de racisme, me suis-je dit pendant que Winslow pissait sa troisième bière derrière le grand chêne et que j'avais un peu de temps à moi, tout porte un nom, si ça existe, ça se nomme, ainsi que l'avait à peu près formulé Wittgenstein, mais je n'ai pas trouvé.

Après, nous avons repris notre conversation là où nous l'avions laissée en nous demandant de quoi nous devions nous méfier, mais ça, l'histoire ne le disait pas encore, et il nous faudrait attendre la prochaine visite de Robbins pour l'apprendre. Puis, comme un petit vent frais se levait, Winslow s'est levé aussi, sitôt suivi par Bill, qui dormait à ses pieds, et Jeff et moi avons pu terminer la soirée tranquilles en regardant chuter quelques étoiles derrière les montagnes.

Que l'univers n'ait ni commencement ni fin me dépasse, comme à peu près tout le monde, et puisque l'inverse paraît tout aussi inconcevable, chaque fois que je lève les yeux vers un ciel étoilé, je me prends à espérer que Dieu existe pour qu'il m'explique tout ça de long en large quand je serai au paradis. Enfin, c'est ce que j'espérais autrefois, quand je prétendais avoir une petite chance d'entrer au ciel. Aujourd'hui, je sais que c'est foutu, que si Dieu existe, c'est en enfer qu'il m'expédiera, et que ça ne devrait pas être très différent d'ici. C'est la chose qui me désole le plus, de croire que l'enfer est ni plus ni moins une reproduction de la terre, avec un peu plus de volcans, peut-être, de déserts, de cracheurs de feu et d'incendies de forêt, mais surtout, avec une plus forte proportion d'abrutis. Un autre type de compagnie serait le bienvenu. Enfin, après le départ de Winslow, ce soir-là, j'estimais avoir ma place au paradis, à côté de Gandhi, Malcolm X, Jeff et Martin Luther King.

Regarde, ai-je dit à Jeff en désignant une étoile au hasard, c'est là qu'on ira bientôt, toi et moi, et Jeff a fixé le bout de mon doigt comme s'il s'agissait effectivement du paradis. Les chiens sont ainsi, ils connaissent l'immensité des microcosmes, le pouvoir inépuisable des petits tas d'atomes, alors que nous cherchons à nous confronter à l'univers, pas même conscients du fait que nous sommes l'univers et que nous ne sommes rien, comme les milliers et les milliards de John Doe des rivières et des océans, des montagnes et des galaxies. Puis, alors que disparaissait derrière les nuages l'étoile que j'avais nommée John Doe A-01, A pour le mois d'août, pour l'alpha, le commencement, et 01 pour marquer ma première et peut-être dernière tentative de nomenclature des cieux de Mirror Lake, j'ai caressé la grosse tête de Jeff, qui était aussi le centre de mon univers et de tous les univers gravitant dans mon esprit au seuil du point de saturation, et je me suis mis à pleurer, je ne sais pas pourquoi, probablement parce que je n'étais pas heureux, c'est une bonne raison, état dont la beauté du ciel me faisait prendre la mesure; probablement parce que je me sentais nul et que c'était trop grand, tout ça, la nuit, les étoiles, la grosse tête de Jeff; probablement, enfin, parce que je n'étais pas assez crétin pour ne pas me rendre compte que ma vie foutait le camp et que ça ne changeait rien, absolument rien à l'ordre de l'univers.

Qu'est-ce qu'on fout là, Jeff? ai-je pleurniché pendant que le lac se brouillait des scintillements de ma peine et qu'un ruisseau, une rivière, un fleuve d'eau saumâtre inondait les dizaines de minuscules cratères affleurant à la surface de ma peau chaude. Qu'est-ce qu'on fout là? Mais Jeff n'a pas répondu, il s'est contenté d'être là, ce qui était la seule réponse valable qu'on puisse donner à une telle question, et je l'ai pris dans mes bras, et il s'est laissé prendre, et on s'est dit je t'aime dans l'eau de la nuit triste et le foisonnement des étoiles, pendant que Bob Winslow faisait peut-être la même chose de son côté, réfugié derrière l'invisible brouillard où s'enferment les âmes pudiques quand le ciel est bien noir, pour qu'il n'y ait pas de témoin de leur détresse.

Je n'avais aucune certitude quant à la possible affliction de Winslow, mais puisque nous avions apparemment quelques points en commun, il y avait toutes les chances qu'un homme, sur l'autre rive de cet insondable lac, soit assis sur le sable, son chien dans les bras, de l'eau dans les yeux, à se demander à quoi rimait sa vie d'homme.

Il y avait des chances, oui, et je me suis dit que Winslow n'était pas un mauvais bougre, au fond, que je devrais peut-être tâcher de m'accommoder de sa présence, puisque je n'avais pas le choix. Quand j'y repense, aujourd'hui, je constate que ce sont les étoiles qui ont scellé notre lien, à Winslow et à moi, puis l'amour de deux chiens, celui qu'on avait pour eux, celui qu'ils avaient pour nous, et qui ont poussé nos ombres à se mêler sur le rivage quand le temps nous portait à la lenteur. C'était il y a longtemps, si longtemps que quelques étoiles ont dû rendre l'âme depuis, d'autres s'allumer, d'autres exploser sous les yeux d'hommes tristes ne croyant qu'en l'amour des chiens. Quant au monde, il n'a pas dû changer, on doit toujours s'y entretuer en invoquant l'un des noms de Dieu qui, dans ces conditions, doit regretter qu'on l'ait inventé.

Pour préparer le sperme de flamant rose, il faut de la crème fraîche ou du lait concentré Nestlé, de la crème de fraise l'Héritier-Guyot et du cognac Rémy Martin, de préférence. C'est le petit cadeau que j'avais décidé d'offrir à Winslow pour lui montrer ma bonne volonté et donner un nouvel élan à une relation dans laquelle je ne m'étais investi que sous l'effet d'une insistance ne voulant pas démordre. Après avoir pleuré sous les étoiles, j'avais dormi comme un bébé, ce qui est toujours mon cas après les pleurs, et, au matin, je me sentais d'une générosité sans bornes pour celui qui avait silencieusement reniflé de concert avec moi de l'autre côté du lac.

J'avais eu l'idée du sperme en déjeunant, alors qu'apparaissaient dans le ciel de frêles vapeurs roses et blanches que la chaleur du soleil poussait à se rassembler et que l'image pâlichonne d'Anita Ekberg flottait à l'horizon. Au bout de quelques instants, Ekberg s'était volatilisée, mais les vapeurs, ainsi que cela arrive toujours quand on est de bonne humeur, s'étaient mises à dessiner toutes sortes d'animaux au-delà des montagnes, des lions, des moutons, des girafes, enfin, des classiques du genre, un vol de canards avait traversé le lac dans l'apogée des roses, et j'avais halluciné des flamants, un vol de flamants du levant, qui s'en allaient boire le nectar des dieux. Dix minutes plus tard, je chantais *La vie en rose* avec l'accent de Julia Migenes au volant de ma Volvo 2000, Jeff se faisait flotter les oreilles au vent par la vitre du passager, et nous roulions heureux vers le State Liquor Store et la célébration de l'amitié.

Il n'y avait pas de crème de fraise l'Héritier-Guyot au Liquor Store, alors je me suis rabattu sur une crème de cassis un peu dégueulasse et un peu trop rouge, que je diluerais à l'aide d'une ou deux cuillerées de crème supplémentaires. Pour compenser, j'ai acheté de la fine champagne, rien de moins, puis je suis ressorti en gazouillant *Summertime* avec la voix rauque de Louis Armstrong, gazouillement que j'ai accompagné de quelques pas de danse à la Gene Kelly. Et voilà, le monde était beau. « Summertime, and the livin' is easy », ai-je fredonné à l'intention de Jeff en montant dans la Volvo. « Fish are jumpin', and the cotton is high », m'a répondu celui-ci en prenant soin de ne pas faire apparaître de poissons crieurs devant le pare-brise, juste des petits poissons frétillants de joie. Les paroles de *Summertime* ont cependant cédé la place à celles de *Lady Sings the Blues* quand, après avoir tourné au coin d'une rue, j'ai aperçu Anita sur un banc de parc, l'autre Anita, la vraie, pas la Ekberg, l'air totalement amoché et dépité, qui regardait dans le vide en fumant ce qui m'a paru être un joint.

J'ai freiné brutalement, me suis stationné en double file et j'ai couru vers elle. Je ne l'avais jamais vue dans cet état et, si je l'avais connue comme ça avant, je n'aurais pas eu envie de la revoir. Elle portait l'un de ces affreux pantalons de sport flottants avec une large rayure de chaque côté que j'appelais et appelle toujours pantalons de pendu, parce qu'ils pochent macabrement et qu'il faut être au bord de l'irréparable pour s'affubler d'une telle horreur. Elle était par ailleurs dissimulée derrière de non moins hideuses lunettes de soleil en forme de queue de canard dont la taille démesurée ne parvenait pas à cacher le cercle mauve et vert agrémentant son œil gauche, preuve que son petit ami avait oublié comment on cogne sans laisser de marques. Si ce salaud avait été devant moi, j'aurais inventé rien que pour lui une technique de torture d'une finesse à faire pâlir tous les tortionnaires de cette foutue planète, mais les salauds ne sont jamais là quand on veut les massacrer, et je n'espérais qu'une chose, qu'il agonise en ce moment au fond d'une ruelle, qu'il baigne dans son dernier litre de sang grâce aux soins attentifs des acolytes de l'impresario d'Anita, qui avait au moins ça de bon.

The fucking bastard, ai-je commencé, mais Anita m'a interrompu d'un geste mou de la main, a ajusté ses lunettes pour être sûre qu'elle reconnaissait bien celui qu'elle croyait reconnaître, puis, quand elle a été certaine que j'étais bien moi, elle s'est jetée dans mes bras et s'est mise à pleurer. L'histoire se répétait et devenait lourde, ce qui n'est pas le propre de toute histoire se répétant, mais de toute lourdeur s'ancrant dans la répétition, et je me disais qu'il y avait de quoi faire un syllogisme avec ça pendant qu'Anita épongeait son œil vert et mauve dans ma chemise d'été à rayures et que je l'entraînais vers la voiture, où un agent de police s'apprêtait à rédiger une contravention que je lui ai laissé rédiger en bifurquant discrètement derrière un arbre, parce qu'Anita avait toujours son joint, que j'ai écrasé dans la merde de chien, où j'avais déjà les pieds.

Mes rares expériences avec la drogue remontaient à loin, mais je me le serais bien fumé, ce joint. Le premier que j'avais fumé avait d'ailleurs été consommé dans des circonstances identiques, sauf que c'était l'hiver, que j'avais quinze ans, et que la personne que je tenais dans mes bras n'était pas une femme, mais Gilles Gauthier, le bellâtre qui m'avait ravi Rosie Bolduc et qu'elle venait de plaquer en lui envoyant un dictionnaire dans l'œil. Je n'aurais jamais cru avoir la générosité nécessaire pour tenir Gauthier dans mes bras, fût-il sur le point de rendre l'âme, mais vu l'exploit que venait d'accomplir Rosie, la chaleur de son haleine empestant la bière me procurait un plaisir proche de la jouissance, si bien que je l'avais serré très fort et lui avais servi deux ou trois paroles d'encouragement en lui expliquant que les livres pouvaient parfois rendre moins idiot et qu'un bon coup de Larousse sur la gueule n'allait pas lui faire de tort. Je lui avais ensuite piqué le joint qu'il tentait d'allumer et étais allé m'étendre au sommet de la petite colline qui s'élevait derrière l'école, où j'avais dessiné des hiboux dans la neige en comptant les étoiles, qui me fascinaient déjà à l'époque, à travers la fumée de la marijuana.

Je ne me rappelle plus combien d'étoiles j'avais comptées, mais je me souviens que le ciel était pur, la nuit magnifique, et que l'avenir, maintenant que Gilles Gauthier ne constituait plus un obstacle à mon désir, semblait s'ouvrir à moi. Tout était parfait, la neige n'était pas froide, le silence était presque total, si l'on oubliait le grincement des chaînes rouillées de la vieille balançoire qui émergeait à demi de la neige, dans la cour de l'école, et évoquait pour moi tant de souvenirs heureux que ce grincement était comme une petite musique issue du rire et de l'insouciance, quand nous nous envolions plus haut que les étoiles, plus haut que le soleil, à bout de souffle mais non de rêves. Dans mon esprit, tout se mélangeait dans un ballet d'une douceur que les années transformeraient en mélancolie, mais ayant à cet instant la légèreté des jupes de Rosie Bolduc, qui tournoyaient à travers les étoiles avec les gamins que nous avions été. J'avais même eu droit à une étoile filante, qui était allée s'éteindre au centre de la Grande Ourse, seule constellation que j'arrivais à identifier clairement, et j'y avais vu un signe, que j'avais doublé d'un vœu, celui que Rosie Bolduc devienne un jour mon épouse, devant les hommes et devant Dieu, qui semblait enfin m'avoir adopté. Puis Rosie s'était matérialisée, toute de voiles vêtue, les voiles s'étaient envolés, m'avaient caressé le visage au passage, et j'étais tombé dans un rêve aussi duveteux que ce que j'imaginais sous les voiles.

C'est Ginette Rousseau qui m'avait réveillé en mettant sa grosse main potelée sur ma joue. Robert, tu vas mourir gelé, avait-elle chuchoté, comme s'il s'agissait d'un secret, et moi, dans la langueur du rêve où j'avais sombré, je l'avais prise pour Rosie et dans mes bras, ce qui avait ajouté à la confusion que cette pauvre fille entretenait quant aux sentiments que j'éprouvais pour elle, même si je l'avais brutalement repoussée quand je m'étais rendu compte que les lèvres descendant doucement du ciel pour se poser sur les miennes n'étaient pas celles de Rosie. T'es complètement gelé, Robert Moreau, avait-elle chuchoté un peu plus fort en époussetant la neige agrippée à son manteau de laine, paroles qui se superposèrent, dans le temps et dans l'espace, à celles également chuchotées par Anita, you look completely stoned, Bob, ce qui était vrai, car j'avais joui pour quelques instants des pouvoirs quasi magiques de la réminiscence, mais je venais de retomber sur terre et dans la merde, ce que ne manqua pas de me faire remarquer Anita, and you have shit on your shoes.

Je sais, je fais exprès de marcher dans le merde, j'aime ça, lui ai-je répondu en essuyant mes Doc Martens dans l'herbe verte et en l'entraînant pour de vrai vers la voiture. You have a ticket, a-t-elle ajouté en dirigeant ses grosses lunettes vers le petit bout de papier coincé sous les essuie-glace, not your day. Ce n'était effectivement pas ma journée, enfin, ça ne l'était plus, parce que ça l'avait été quelques heures plus tôt, quand j'avais avalé mon café dans les brumes de flamant rose. J'ai eu envie de lui dire que tout allait bien jusqu'à ce qu'elle apparaisse dans mon champ de vision, mais je me suis retenu, parce que ça n'aurait pas été gentil, d'une part, et que je ne voulais pas être à l'origine de nouvelles larmes, d'autre part. Je me suis tu et je l'ai raccompagnée chez elle, où je l'ai attendue le temps qu'elle fasse son baluchon, en vue de la ramener au chalet avec moi, le temps qu'on trouve une solution.

Elle vivait dans un trois-pièces qui aurait pu être attrayant, n'eût été les innombrables coussins de peluche imitation léopard qui jonchaient le sol et les meubles, et je me suis demandé quelle sorte de culte vouait Anita à cet animal qui devenait kitsch dès qu'on le sortait de sa savane natale. J'appris plus tard, c'est-à-dire le lendemain, que ça lui venait de son enfance, d'une visite au zoo avec son père. Vers le milieu de la visite, il était allé lui acheter un cornet de barbe à papa et ils s'étaient tous deux installés sur un banc, devant la cage des léopards, où il lui avait raconté d'abracadabrantes histoires se déroulant en Afrique, dans lesquelles deux bébés léopards nommés Bambi et Bamboo tenaient les rôles principaux. Puis son père avait fait la gaffe de lui promettre qu'ils iraient un jour rendre visite à Bambi et Bamboo, qui vivaient quelque part au Mozambique, et elle l'avait cru, et le croyait toujours, même si son paternel avait pris la clé des champs et l'avait jetée derrière son épaule depuis belle lurette.

Ç'avait été le plus beau moment de sa vie, the most beautiful day of my life, cette petite heure devant la cage puante des léopards, m'avait-elle avoué avant de plisser les lèvres, de se les mordre, puis d'éclater en sanglots, et j'en avais voulu à mort à son père ainsi qu'à tous les parents qui mettent des idées pareilles dans la tête de leurs enfants, qui leur font croire que le monde est beau, que les carnassiers s'appellent Bambi, les clowns Adolf, les requins Pistache. Ça donne des Anita, toutes ces conneries, des filles qui vivent dans la fiction, qui attendent le retour d'un père qui ne se manifestera jamais et qui s'enterrent dans les coussins pour ne pas se mettre à hurler. J'avais tort, bien entendu, le cas d'Anita était spécial, et ce n'était pas parce que son père l'avait fait rêver dans un zoo empestant l'urine que je devais lui en vouloir, mais parce qu'il l'avait fait rêver une fois, une seule fois dans sa putain de vie, et qu'elle l'idolâtrait, ce père, c'était clair !

Mais là, pendant qu'Anita préparait son baluchon, je ne connaissais pas encore cette histoire et me suis dit qu'il devait s'agir d'une forme de fétichisme, si l'on tenait compte des sous-vêtements, et je préférais ne pas me lancer là-dedans. Je lui ai simplement demandé si elle pouvait s'habiller autrement, enlever son pantalon de pendu et l'oublier sur son lit ou, mieux, dans la chute à ordures, mais je n'ai rien dit pour les sous-vêtements. J'avais déjà eu ma leçon à ce sujet et c'était de toute évidence sérieux, cet attrait pour les tissus tachetés. Je lui ai aussi demandé si elle avait de la crème, pour le sperme de flamant rose, dont je lui ai fait un bref historique, et nous sommes repartis en refermant la porte sur les dizaines de Bambi et de Bamboo qui dormaient dans sa chambre, mais auxquels je n'avais pas eu le privilège d'être présenté.

Dix minutes plus tard, après un crochet par le supermarché, nous roulions vers Mirror Lake en ne sifflotant pas, elle parce qu'elle n'avait aucune raison de déborder de joie, moi parce que je venais d'ouvrir une brèche entre le monde et Mirror Lake, parce que je tissais de nouveau des liens avec les hommes, dont j'avais espéré m'éloigner assez pour ne plus avoir à endurer cette souffrance surgissant d'un simple affleurement avec toute créature à deux jambes. Seul Jeff sifflotait, les oreilles au vent et se régalant des odeurs mêlées des forêts du Maine, urine de lièvre, fèces de renard, bourgeons d'épinette, qui lui racontaient des histoires dont ni moi ni aucun homme ne comprendrions jamais le sens, ce qui était mieux comme ça pour les chiens de même que pour tout animal, quel qu'il soit. Puis, alors que nous nous engagions dans un virage en U, Anita a dit it's not John, it's Jack. Ce n'est pas John quoi? ai-je distraitement marmonné. You think it's John, but it's Jack, a-t-elle ajouté, et moi, ne connaissant d'autre John que le disparu, le noyé, le Doe, j'ai évidemment pensé à lui et au fait qu'Anita, contre toute attente, devait avoir eu vent de son identité.

Ce n'est pas John QUOI ? ai-je repris moins négligemment, en insistant sur l'aspect interrogatif de la phrase et en faisant montre d'une anxiété qui a failli transformer le virage en U en un virage en lettre grecque : Ω. What the fuck are you doing ? a-t-elle crié en agrippant le tableau de bord, John or Jack, it's the same, the same fucking result. It's absolutely not the same, ai-je crié à mon tour, étonné de découvrir chez Anita une forme de nihilisme que j'aurais dû soupçonner, étant donné son métier. This man is dead, Anita ! Il mérite tout de même qu'on le sorte de l'anonymat si on n'arrive pas à le sortir du lac, ai-je ajouté en anglais, ce qui ne l'a pas fait crier, mais hurler, et j'ai été obligé d'arrêter la voiture, parce que j'avais déjà envoyé Jeff valser deux fois contre la portière et qu'Anita risquait un autre œil au beurre noir. Quant à moi, ça ne comptait pas. Tout ce que je voulais, c'est que la vérité montre au jour sa grande face blême et qu'elle ne dégueule pas dans ma Volvo, car il va de soi que la vérité a toujours envie de vomir.

J'ai donc stoppé la voiture dans un crissement de pneus témoignant de mon exaspération et, dans le silence seulement traversé du chant des grillons, mais où l'on aurait entendu voler une mouche si une mouche était passée par là, j'ai répété this man is dead, Anita, ce qu'elle a farouchement nié en me traitant d'assassin, puis le tout a dégénéré en une engueulade sur le sens de la vie et le respect que nous devons aux trépassés, engueulade dont Jeff a fini par se mêler, et il a fallu que je foute tout le monde dehors, avec la vérité, pour qu'Anita m'écoute et comprenne que je n'avais encore tué personne, ni John ni Jack, ce après quoi elle m'a menacé de se remettre à pleurer pour que je l'écoute à mon tour et me rende enfin compte qu'elle ne parlait ni du noyé ni du disparu, mais de son petit ami, John, et de son pimp, Jack, pour que je saisisse, bref, que c'est Jack qui l'avait frappée, pas John, était-ce clair ?

J'ai accueilli cette nouvelle par un long, très long silence, parce que, dans mon esprit, John Doe venait de se renoyer, puis j'ai dit the fucking bastard, insulte qu'Anita a cru adressée à Jack le pimp et qu'elle a repoussée d'un nouveau geste mou de la main gauche, it's not John, it's Jack, pendant que je rembarquais tout le monde à bord, laissais la vérité dans le fossé, puisqu'elle saurait bien nous rattraper, et redémarrais.

Lorsque nous sommes arrivés au chalet, j'ai envoyé Anita se coucher, parce que j'étais fatigué, et j'ai attendu que Winslow s'en vienne ; il était clair que ce connard allait se pointer, vu que tout allait mal. Une demi-heure plus tard, il sortait en effet de son chalet et montait dans sa chaloupe avec Bill. Si on avait été dans un film, on aurait entendu la petite musique qui jouait dans ma tête chaque fois que je voyais Winslow se diriger vers la rive nord, composée des quelques accords qui accompagnent l'arrivée du requin dans le film de Spielberg, mais on n'était pas dans un film, on n'était dans rien, on était dans la vie, dont l'enchaînement pourtant prévisible des scènes ne déclenchait aucune musique. Alors, pour pallier l'insuffisance du quotidien, je me suis mis à fredonner la musique du film de Spielberg, wa-hum, wa-hum, wa-hum, puis le wa-hum est devenu une espèce de mantra cosmique et j'ai perdu contact avec le réel, j'ai été propulsé dans un voyage astral empestant le patchouli, j'ai quitté le sol en me démembrant et me suis mis à flotter sereinement au-dessus du lac et de Winslow, qui fredonnait aussi wa-hum, wa-hum, wa-hum, pendant que sa chaloupe se transformait en un énorme aileron de requin, autour duquel se formait une nuée vaporeuse et rougeâtre qu'un coup de rame a fait disparaître tout en me ramenant sur terre.

Quelques minutes plus tard, Jaws débarquait sur le rivage en me demandant ce qui n'allait pas. Tout, lui ai-je répondu, l'écœurante prédictibilité de la vie, puis je lui ai dit de chuchoter, parce que quelqu'un dont il n'avait pas à connaître l'identité dormait en dedans. Je suis néanmoins allé nous préparer sur la pointe des pieds deux doses de sperme de flamant rose que nous avons bues en admirant le coucher de soleil, même si la mixture avec laquelle nous tentions d'étancher notre soif était franchement dégueulasse. Au bout du troisième verre, on commençait toutefois à en oublier le goût et à voir la vie en rose, ce qui n'était pas négligeable, et j'ai repris la chanson de Piaf là où je l'avais laissée le matin, signe que les boucles finissent toujours par se boucler et que sourire du matin n'est pas ami du chagrin. Puis, comme Winslow ne connaissait pas trop bien les paroles de la chanson mais qu'il flottait avec ravissement dans l'écume du couchant, il a inventé un jeu où il s'agissait d'énumérer tout ce que la vie avait de rose, de la peau de bébé au sexe des femmes, puis tout ce qu'on avait nommé à l'aide du rose, de Rrose Sélavy à Rose Ouellette dite La Poune, dont j'ai dû tracer le portrait à Winslow, qui en est sur-le-champ tombé amoureux, parce que je dessinais bien. De fil en aiguille, ce petit jeu nous a permis de découvrir que le rose était omniprésent dans l'univers, qu'il partait du fond des mers coralliennes pour grimper sur les dunes de sable fin, puis de là dans les arbres et dans le ciel, d'où il redescendait au creux des océans.

Fuck, Robert, we're surrounded by pink, a fini par dire Winslow un peu plus prosaïquement, alors que c'était plutôt le vert et le bleu qui dominaient à Mirror Lake, mais on s'en foutait, on était dans notre période rose, comme Picasso, et on traçait de délicates lignes magenta, fuchsia, framboise, sur tout ce qui pouvait nous affecter. J'ai même parlé de Rosie Bolduc à Winslow, qui en est également tombé amoureux sur-le-champ, ce qui ne m'a pas dérangé, puisqu'il était dans son heure tendre et se pâmait devant la moindre allusion aux grâces de la féminité. Le sperme de flamant rose avait beau être imbuvable, il avait de grandes vertus, et nous en étions à Peter Sellers et à *La panthère rose* quand Anita a fait irruption.

« You'll pardon me, gentleman », l'avons-nous entendue
proférer, « but I must get ready for my scene ». « Tell Mr. DeMille
I'll get on the set at once », puis nous nous sommes retournés
pour voir une Anita plus grande que nature descendre l'escalier
de la galerie drapée dans la couette qui recouvrait habituellement mon lit. Ce n'était pas l'escalier idéal pour jouer la scène
finale de Gloria Swanson dans *Sunset Boulevard*, mais Anita
était crédible dans ce rôle de star déchue et totalement paumée,
avec ses grands yeux exorbités, ses grands bras nus et sa grosse
voix éraillée par toutes les saletés qu'elle avalait quotidiennement, baffes, alcool et autres cochonneries n'ayant que l'onc-
tuosité du sperme de flamant rose.

Elle me faisait un beau cadeau, Anita, car je lui avais dit à
quel point cette scène où Gloria Swanson avait complètement
perdu la boule me remuait. D'entre toutes les scènes que je
retiens du cinéma, je place celle-ci parmi les plus troublantes,
parmi celles qui vous font déglutir bruyamment pendant que
vos yeux s'embuent devant la tragique beauté de la folie, que
Gloria Swanson incarne avec un tel talent qu'on y croit pour
vrai, qu'on se dit qu'elle a dû péter les plombs pendant le
tournage et rester coincée dans cet escalier où les flashs des
journaux à potins sont venus croquer la déchéance sur le vif,
histoire de servir à leurs lecteurs les images bien saignantes
des revers de la gloire et de la fortune. J'ai toujours cru, d'ailleurs,
que les journaux à potins avaient à peu près le même rôle que
les curés, maintenir le petit peuple dans sa petitesse en lui
montrant que le désir engendre la mort, comme si les pauvres
mouraient tous en état de sainteté.

Tout ça pour dire qu'Anita était crédible dans la semi-
obscurité, avec ces ombres sur son visage, dessinées à grands
traits par l'ampoule de 40 watts qui pendouillait au-dessus de
l'escalier. J'ai dit à Winslow de se la fermer et je suis allé
filmer Anita Gloria dans toute sa splendeur en me mettant

dans la peau d'Erich von Stroheim. J'ai braqué sur elle le projecteur de ma lampe de poche, qui n'en a rendu son visage que plus tragique, et j'ai crié «Cameras! Action!» Puis Anita m'a gratifié d'un regard halluciné, a levé le menton et a prononcé de sa voix la plus suave, «all right, Mr. DeMille, I'm ready for my close-up». Je me suis donc fourré la lampe de poche entre les dents et me suis lentement avancé vers elle en plaçant mes mains en forme d'objectif, la musique de Franz Waxman a enveloppé le visage en gros plan d'Anita et elle est devenue, par la magie du cinéma, Gloria Salomé, Anita Salomé, Salomé Salomé faisant valser ses grands bras de pieuvre en vue de soudoyer Hérode Antipas et de le rendre fou.

On a repris la scène trois fois, sans vraiment se concerter, tellement on était dans nos personnages. À la fin, Winslow ne savait plus s'il devait pleurer ou applaudir, Bill et Jeff hésitaient entre les aboiements et les hurlements, si bien qu'ils ont fait les quatre, pleurer, aboyer, hurler, applaudir, dans un déploiement d'admiratif enthousiasme, et Anita et moi avons savouré les brefs fruits de la gloire en tombant dans les bras l'un de l'autre, telles deux vieilles stars fatiguées.

Bob Winslow, Anita Swanson, ai-je fait en guise de présentations, me rendant compte que je ne connaissais pas le vrai nom d'Anita, puis nous avons poursuivi la soirée autour d'un feu de camp, enveloppés, Anita et moi, dans ma couette multiusages. Winslow, curieux de savoir qui était cette Anita tombée de cieux prodigues, nous bombardait pour sa part de questions sur notre rencontre et nos origines, évitant subtilement de mentionner l'œil mauve et vert d'Anita, sur lequel elle l'a néanmoins renseigné en lui disant it's not Robert nor John, it's Jack, ce qui a exigé deux ou trois explications dont je ne me suis pas mêlé.

Nous formions un beau trio, ainsi rassemblés dans la chaleur de nos voix feutrées sous un ciel d'août nous jetant le passé de l'univers en pleine figure à grands coups de naines blanches, de géantes rouges, de Voie lactée et de galaxies, dans une symbiose où l'on pouvait deviner notre bien-être à la tranquillité de nos regards. Quant aux chiens, ils reposaient paisiblement à nos pieds, pas même dérangés par les crépitements du feu où nous faisions dorer des petits pains que notre mémoire rangerait dans la catégorie des choses insurpassables, à côté des tartes et des pâtés de nos mères, tarte au sucre pour moi, aux pommes pour Winslow, et pâté aux patates douces pour Anita.

Je me rapprochais des miens comme jamais auparavant, et cette proximité me grisait, m'étourdissait et m'effrayait à la fois, car je savais bien que la compagnie des hommes, femmes incluses, n'amenait jamais rien de bon à la longue, raison pour laquelle je les avais fuis, je l'ai assez répété. Et voilà que le lieu de ma fuite devenait celui d'un rassemblement d'âmes tristes, désireuses d'oublier la douleur passée, présente et à venir en se gavant de petits pains et de bière, le sperme de flamant rose ayant été banni de notre menu alcoolique pour la soirée. Mais je n'allais pas bousiller ça, non, je n'allais pas leur dire que c'était de la merde, ils le savaient déjà, et la vie, quoi qu'il en soit, s'en chargerait rapidement à ma place. Je me suis comporté comme si la planète ne courait pas à la catastrophe, comme si Winslow, Anita, Bill et Jeff n'allaient pas mourir. J'ai mangé des petits pains grillés en poursuivant le jeu que nous avons nommé jeu de la Pink Lady, en l'honneur d'Anita et pour rester dans le champ des cocktails. J'ai toutefois suggéré que nous abandonnions le rose pour le jaune, puisque Winslow et moi avions à peu près fait le tour du rose.

Fire! s'est d'abord exclamé Anita en remuant les tisons rougeoyants. Étincelles, a enchaîné Winslow en mettant le mot au pluriel, pour évoquer les dizaines de flammèches qui dansaient sous nos yeux. Étoiles, ai-je rajouté pour ne pas briser la chaîne que nous tissions du centre embrasé de la terre vers la froide lumière des astres, et ça a duré comme ça jusqu'aux petites heures, jusqu'au soleil derrière les montagnes, apothéose de la Pink Lady en jaune qui a incité Winslow et Bill à grimper dans leur chaloupe, frêles silhouettes que le levant a auréolées de jaune, la couleur de la folie, pendant qu'elles glissaient vers le sommeil.

Près du feu mourant, Anita et moi avons attendu que Bill et Bob soient en sécurité sur la terre ferme. Nous n'aurions pas admis qu'un faux mouvement, et le malheur s'ensuivant, altère la perfection de cette aube jaune, puis nous avons envoyé la main aux deux personnages fantomatiques qui accostaient dans un bruit de bois s'écorchant sur le sable et nous sommes rentrés faire l'amour, sans dollars ni petit sac imitation léopard, dénouement logique à cette nuit fraternelle, après quoi Anita m'a présenté Bambi et Bamboo, deux léopards de peluche dont les petites têtes sales émergeaient de son sac de voyage. Et c'est là qu'elle m'a raconté l'histoire du zoo, pour ensuite me décrire la collection de Bambi et de Bamboo qui s'accumulaient dans sa chambre, en insistant sur le fait qu'il n'y avait que quatre véritables Bambi et Bamboo dans le monde entier, les deux qui les attendaient, son père et elle, dans la brousse du Mozambique, puis ceux que son père lui avait offerts en ce jour illuminé de juillet 80, le salaud, et qu'elle traînait partout, comme une relique de l'innocence perdue.

Au moment où elle terminait son histoire, la pluie s'est mise à tomber doucement sur le toit de tôle, pour accompagner sa pâle tristesse d'enfant devenue fille de joie, et, dans un élan de tendresse, elle a saisi mon sexe à demi bandé. Alors j'ai fermé les yeux, j'ai écouté la pluie, et j'ai pensé à ces vers de e. e. cummings, « nobody, not even the rain, has such small hands ». Les petites mains de la pluie de cummings, ai-je pensé en goûtant la délicatesse des doigts d'Anita sur mon sexe, même si elle n'avait pas les mains particulièrement petites, persuadé d'avoir enfin compris comment cette image était venue à cummings et comment on écrit des vers inoubliables. Un peu plus tard, après un sommeil agité de rêves, Anita m'a pris de nouveau, mais la pluie avait cessé, le charme n'opérait plus, et je me suis demandé d'où venait cette expression, *prendre un homme*, cette assimilation de la totalité de l'être à un bout de chair bandé. Un profond dégoût de moi m'a alors poussé à saisir les mains d'Anita, de la pluie, pour les forcer à la brusquerie, pour que cesse le mensonge et que la seule vérité qui vaille entre deux êtres unis pas les liens de l'alcool et du sexe éclate dans mon cri de jouissance. Mais je n'ai pas joui. Trois fois en quelques heures, c'était beaucoup trop pour un homme encore ivre, un homme ivre de mon âge, à la prostate un peu lente.

Après ça, Anita m'a fait la gueule, pas parce que je n'avais pas joui, elle s'en foutait, mais parce que je l'avais brusquée. I'm not a who…, a-t-elle commencé, s'arrêtant sur les trois premières lettres du mot *pute*, consciente du fait que cette dénégation, dans sa bouche, était plus ou moins crédible. Elle avait pourtant raison, en dehors des heures de travail, elle n'était pas une pute. Il y a des gens dont l'occupation déborde sur la vie privée, qui continuent à évaluer la hausse des taux hypothécaires en regardant la télé, à chercher la solution à un problème de tuyauterie ou de syntaxe une fois la dernière lampe éteinte, et qui ramènent ça dans leurs rêves, puis dans leur bol de céréales, puis sous la douche, mais Anita n'était pas comme ça, je le voyais bien. Dès qu'elle avait comme qui dirait fermé boutique, elle était une femme, tout simplement, ni plus ni moins emmerdante que les autres femmes, mais un peu moins heureuse, car elle avait beau se comporter de la même façon que toutes les femmes après ses heures d'ouverture, c'est dans la tête des hommes que son métier continuait à trotter, à écrire des mots sales, jusque sous la douche, qui ne servait à rien, qui n'effaçait pas les mots.

J'étais un parfait idiot et je n'avais pas le droit de bousculer Anita, pas ici, pas maintenant, jamais, pute pas pute, et ça m'a pris un petit bout de temps à me faire pardonner, mais j'y suis parvenu un peu traîtreusement en me servant de Bambi et Bamboo, en demandant lequel était lequel, parce que rien ne ressemble plus à un Bambi qu'un Bamboo, en m'intéressant à eux et à leur histoire, quelle région du Mozambique tu m'as dit, déjà? Quand je lui ai demandé leur nom, elle m'a toutefois regardé avec des yeux ronds, l'air de dire Bambi et Bamboo, pauvre con, et j'ai précisé leur nom de famille, Anita, j'aimerais bien connaître ton nom de famille, et ton vrai prénom, si c'est possible. Un petit signal indiquant danger! danger! danger! s'est alors mis à clignoter dans ses yeux moins ronds, où le froncement de la paupière enflée indiquait plutôt la crainte, celle de trop s'engager, d'aller trop loin sur le terrain miné de l'intimité. Elle était prête à me confier son corps, à me montrer un pan de son passé par l'entremise de Bambi et Bamboo, mais me révéler la fille ordinaire, la Rose Bolduc ou la Ginette Rousseau qui se cachait sous le pseudonyme, ça lui semblait plus difficile, plus compromettant, alors je l'ai laissée tranquille.

Une bonne demi-heure plus tard, elle a murmuré Jeanne, avec son accent du Maine, en enroulant machinalement une mèche de cheveux autour de son index, Jeanne Picard, alors que je pensais à autre chose, à la solitude des grands espaces, je crois, aux troupeaux de caribous broutant dans la toundra du Labrador, aux ours polaires, étendus sur des banquises où ils se faisaient chauffer la couenne, pour plus très longtemps, d'accord, puisque les banquises fondaient à vue d'œil, que les ouragans se déchaînaient, que la couche d'ozone avait décidé d'aller se faire voir ailleurs. Mais enfin, je les enviais dou-loureusement, les ours. J'aurais voulu être comme eux, effrayer tout le monde et qu'on me fiche la paix, qu'on me laisse manger mon putain de poisson sans m'interrompre ni me parler des concentrations de mercure et autres saloperies remontant la chaîne alimentaire pour mieux nous empoisonner l'existence. Mais ça la travaillait, Anita, et j'ai entendu Jeanne, un tout petit Jeanne, discret, alors que je regardais un ours faire gambader sa graisse dans le plat silence d'une blancheur que nous avions crue éternelle, Jeanne Picard, a-t-elle poursuivi, et l'ours a disparu dans une brèche de la glace arctique.

Jeanne Picard, a shitty name, que personne n'arrivait à prononcer correctement et qu'elle devait à sa mère, ou plutôt à sa grand-mère, qui avait quitté le Québec à quatre ans, quand son père, celui de la grand-mère, avait mis le poing sur la table et décrété on s'en va aux États, où il croyait que l'enfer serait moins sombre.

A shitty name, a-t-elle répété en fixant son gros orteil, que je fixais aussi en me disant que les gros orteils, avec les petits orteils, sont ce qu'il y a de plus raté dans le corps des femmes. Ça m'a rappelé le gros orteil de Viv, ma troisième sœur. D'après Lou, ma deuxième sœur selon un ordre chronologique décroissant, le gros orteil de Viv ressemblait à Céline Dion. Elle avait constaté cette ressemblance peu de temps avant que je quitte le Québec et, depuis, je n'étais plus capable de penser à Céline sans voir un gros orteil, ce qui me donnait le cafard, ainsi que ses chansons, car elle avait effectivement une tête de gros orteil. Mais ce qui me préoccupait le plus, sous le ciel de Mirror Lake, c'était l'accumulation des coïncidences, à propos desquelles je m'étais récemment interrogé, me semblait-il, sans trouver de réponse. Il était quand même étrange qu'Anita porte le même nom de famille que Jack Picard, le principal personnage du roman de Morgan, *The Maine Attraction*, que j'avais presque oublié. Peut-être s'agissait-il d'un grand-oncle ou d'un lointain cousin, me suis-je dit avant de me traiter d'épais.

Comment Jeanne aurait-elle pu avoir un quelconque lien de parenté avec un personnage de roman ? N'empêche, je n'appréciais pas ce genre de coïncidence, pas ici, à Mirror Lake. Jeanne Picard, ai-je repris en la regardant cette fois dans les yeux, même si j'avais mal rien qu'à voir l'enflure qui agrémentait son œil un peu moins mauve, mais un peu plus vert que la veille, et elle a acquiescé, en ajoutant tout bas qu'elle préférait que je continue de l'appeler Anita, Anita Swanson, et que ça serait désormais le nom de Bambi et Bamboo, Bambi et Bamboo Swanson.

Ça tombait bien. Je n'avais rien contre les Picard en général, mais Swanson me paraissait plus attrayant, plus poétique, et j'aimais la filiation que ce nom établissait entre tous les Swanson du monde et les grands oiseaux blancs chantant la mort sur les étangs embrumés. Anita Swanson, ai-je murmuré en imaginant le lourd froissement d'ailes d'un cygne fuyant les eaux du crépuscule, puis je suis sorti marcher, poursuivi par l'écho de tous les noms réels ou fantasmés foisonnant sur les rives surpeuplées de Mirror Lake : Jeanne, John, Bob, Bill, Jeff, Jack ; Jeanne, John, Bob, Bill, Bobby, Jeff, Jack...

Il a fallu l'intervention de Winslow, s'amenant allègrement dans sa chaloupe verte, pour que je conclue que Picard devait être un nom plus courant que je ne le croyais au sud du 45e parallèle. Il n'y avait pas d'autre explication, c'était soit l'émigration, soit le putain de hasard. Je préférais l'émigration, parce que le hasard, quand ça se manifeste trop souvent, c'est que ça parle au diable, et je n'avais pas envie que le diable soit là-dessous, pas du tout. Je n'avais pas envie de parler à Lucifer, Belzébuth ou à l'un de leurs quelconques descendants, j'aimais mieux parler à Bob Winslow, qui extirpait sa grosse carcasse de sa chaloupe en me demandant, clin d'œil à l'appui, si j'avais passé une bonne nuit. Ce n'était pas une nuit, ai-je rétorqué un peu sèchement, c'était une journée, on s'est couchés à l'aube, went to bed at dawn, and it was fucking good, thank you. Puis je me suis aperçu qu'une autre nuit allait déjà tomber, qu'un autre ciel tacheté d'inconnu allait nous envahir et que nous n'y pouvions rien, que nous ne pouvions rien à rien, ce que m'a une autre fois prouvé Winslow à la puissance dix en m'annonçant qu'il avait découvert l'identité du disparu dans un quotidien, l'homme des photos, you know, et qu'il s'agissait d'un évadé de prison du nom de Jack Picard, puis il a brandi devant moi l'article de journal.

Je ne sais pas pourquoi, mais ça m'a à peine surpris. J'observais sans le lire l'article de journal, le nom de Jack Picard en lettres capitales, sa joviale gueule de tueur soulignée d'un numéro de matricule, et tout ça paraissait normal, dans l'ordre des choses. C'est que Winslow ne soit pas autrement étonné qui m'a déconcerté.

Don't you realize this man, this missing person, this Jack Picard, has the same fucking name as one of Morgan's character? lui ai-je fait remarquer. Yes, m'a laconiquement répondu cet abruti. Don't you realize either, ai-je repris avec un peu plus de vigueur, this man is also a fucking prisoner, Bob, a fucking criminal, like Morgan's Jack Picard? Yes, what's the matter? m'a-t-il renvoyé avec une ahurissante ingénuité. Coincidence, such is life. Coincidence? ai-je ajouté en haussant le ton d'au moins seize octaves. Yes, m'a laconiquement rerépondu ce moron qui considérait comme tout à fait normal que le sanguinaire et matricide Jack Picard soit sorti du roman de Morgan pour venir se balader à Mirror Lake.

Coincidence, you said? ai-je cette fois ajouté en hurlant. And don't answer yes again, it's not a question, post hoc, ergo propter hoc. Je commençais à m'énerver, s'il faut le mentionner, et quand je m'énerve, je ne sais pas pourquoi, probablement une histoire de traumatisme à l'adolescence, les rudiments de latin que m'ont enseigné les frères du Sacré-Cœur ont parfois tendance à refaire surface. Contrairement aux personnes normales, je ne perds pas mon latin, je le retrouve, mais à l'envers, dans le désordre, sans le moindre respect pour la syntaxe, la ponctuation ou la logique du propos, et je dis n'importe quoi. Sapiens nihil affirmat quod non probet, ai-je donc lancé à Winslow pour le mettre au défi de me prouver ce qu'il affirmait, puis quis, quid, ubi, quomodo, quando, eh? ce qui l'a laissé coi pendant que j'y allais d'un sincère audi alteram partem auquel Winslow a rétorqué que j'avais beau gueuler en langue morte, il savait bien, lui, qu'il avait déjà vu cet homme.

Mais tu ne peux pas avoir vu cet homme, Bob! Jack Picard est un personnage de roman, et un personnage de roman, ça n'a pas de visage, c'est immatériel, comme un fantôme. How would you know about it? m'a-t-il renvoyé. How should I know? How should I know? Je n'avais jamais écrit de roman, mais j'en avais suffisamment lu pour savoir qu'une formule du genre « le noir profond de ses yeux bridés dans l'ovale de son juvénile visage » ne signifiait pas que l'écrivain s'était servi d'un modèle vivant. How should I know? Parce qu'il n'y a pas d'images dans un roman, Bob, pas une putain d'image, ce à quoi ce sans-génie a répondu so what, pour ensuite me donner un cours sur les métaphores. Selon lui, Morgan était a fucking good writer, assez bon pour faire pénétrer dans l'esprit du lecteur attentif des visages et des paysages, des atmosphères et des stratosphères, des fleuves, des océans, des éruptions volcaniques, des secousses telluriques, des peines d'amour et autres états d'âme avec de simples mots. Cela étant, il avait très bien pu exécuter un portrait tout à fait ressemblant de Picard. N'est-ce pas le propre de la littérature? a-t-il définitivement conclu en me regardant avec son petit air baveux. Et là j'ai dit stop, Bob, wô, on arrête. Cet échange ridicule reposait sur une argumentation qui ne tenait pas debout, ce que je me suis efforcé de lui démontrer. Victor Morgan est mort il y a plus de cinquante ans, Bob, il n'a pas pu connaître le Jack Picard des photos. Et puis les personnages, c'est dans les livres, ça n'en sort pas. Ça peut y entrer, mais ça ne peut pas en sortir, baptême !

J'ai dû crier un peu trop fort ou offenser ses croyances, car Anita est alors sortie sur la galerie, Bambi dans un bras, Bamboo dans l'autre, ou l'inverse, pour savoir ce qui se passait. Nous lui avons brièvement expliqué, Winslow avec sa candeur, moi avec mon récent mal de tête, que nous discutions à propos d'un homme disparu dans la région, un fuyard. Quelqu'un qui avait peut-être un vague lien de parenté avec elle, ai-je précisé, mais elle nous a arrêtés d'un geste mou de la main, une habitude, chez elle, en retenant Bambi ou Bamboo contre son sein gauche, pour nous annoncer qu'elle était au courant de tout ça, que son petit ami était flic et lui donnait parfois quelques détails à propos des enquêtes en cours…

Flic ?!… J'ai arrondi les yeux et me suis tourné vers Winslow pour lui faire comprendre qu'il me fallait une bûche, là, ou une roche, vite, que je n'étais pas certain d'être en état de rester debout, et il m'a entraîné vers la roche de quatre cents millions d'années, avec laquelle j'allais sur-le-champ me réconcilier, en espérant que sa dévonienne sagesse me permette de garder mon calme. So your boyfriend is a cop ? ai-je lentement articulé après m'être assuré que la roche tiendrait le coup et en avalant le peu de salive qui subsistait dans ma cavité buccale, c'est-à-dire dans la petite poche entre la gencive et la joue. Yes, a-t-elle répondu, what's the matter ? Il n'y avait pas de problème, en effet, pas de matter, pas de quoi en faire un plat ni matière à ratiociner, je m'énervais pour rien, mais le prochain ou la prochaine qui me sortait what's the matter, je le ou la sciais en deux, avec mes dents. Quoi qu'il en soit, je m'énervais pour rien, les flics pourris, c'est connu, ont toujours une pute à portée de la main, histoire de se faire payer en nature les petites illégalités qu'ils passent sous silence. Les flics, c'est connu, particulièrement les flics pourris, apprennent à frapper sans laisser de marques, it's not John, it's Jack, c'est connu, c'est archi-connu, je m'énervais pour rien.

À ce point de mes profondes réflexions, je ne savais cependant toujours pas si le petit ami d'Anita était un flic de l'Arkansas ou s'il s'agissait de Robbins ou de l'impayable Jones. Si j'avais eu le choix, j'aurais préféré continuer à ne pas savoir, mais je ne l'avais pas : il fallait que je sache. Don't tell me your friend is Tim Robbins? ai-je soufflé entre deux profondes inspirations, question qui a fait s'esclaffer Anita, car elle trouvait aussi que son petit ami avait quelque chose de Tim Robbins. Tiens donc. Eh bien, on était maintenant trois à le croire, que le monde tissé d'inusités entrecroisements où nous évoluons est merveilleux. Cela confirmait par ailleurs le fait que John Paquette, puisque tel était son nom, ressemblait bel et bien à Tim Robbins, ou que ce dernier était un sacré bon acteur, ce dont je me souciais comme d'une guigne, même si j'ignorais ce qu'était une guigne et ne voulais pas le savoir.

Je suis allé me coucher là-dessus, accompagné de mon mal de tête, qui s'incrustait, et de Jeff, qui n'avait pas prononcé un mot de la journée, laissant les ombres de Winslow et d'Anita s'évanouir dans la nuit, avec celle de Jack Picard, qui rôdait dans l'épaisseur des bois de Mirror Lake, et de John Doe, qui s'appelait peut-être Jack Picard et ne rôdait plus. Fuck et turlututu.

La différence est parfois mince, aussi mince qu'une feuille de papier translucide, noircie ou non de caractères d'imprimerie, entre le rêve et le cauchemar, le cauchemar et la réalité, la réalité et la fiction, si bien que nous ne savons plus comment nommer cet espace-temps où nous nous démenons pendant que la grande machine cosmique continue de respirer au rythme des expansions et contractions de l'univers, big-bang, bang-big, sans se soucier le moindrement de nos interrogations, puisqu'il n'a pas de souci, l'univers, qu'il ne se pose pas de questions et se contente d'être là, comme les roches, les nuages, la pluie, toutes choses qui ne réfléchissent heureusement pas, auquel cas on aurait des petits problèmes, je crois.

De quoi on aurait l'air si les roches décidaient un jour qu'elles en ont assez et se mettaient en tête de nous infliger les mauvais traitements que nous leur faisons subir depuis des millénaires, comme dans ces films où la nature décrète qu'elle en a plein le casque et où un ouragan, une colonie de fourmis, une armada de reptiles, pour ne prendre que ces exemples, détruisent tout sur leur passage, à l'exception des héros, des purs, c'est-à-dire ceux qui ne boivent pas, ne fument pas, ne prennent pas de drogue, ne sont pas pédés, ne trompent pas leur femme et ne s'adonnent pas à tous ces petits plaisirs de la vie pourtant si brève. Dans le cas des roches, ça pourrait s'intituler *La grande lapidation* ou *The Revenge of the Stones*, et je serais l'un des premiers à mourir si l'on m'offrait un rôle, frappé de plein fouet par une nuée de garnottes aussi démentes qu'enragées. Peut-être que la roche de quatre cents millions d'années essaierait de me protéger, parce qu'on était devenus copains, elle et moi, une fois passés les premiers malentendus de toute relation normale, mais je mourrais quand même à court terme, je fais partie de ce genre de personnage qu'il faut sacrifier sur l'autel de la vraisemblance et de la morale pour que l'une et l'autre soient sauves.

Mais là, je n'étais pas dans un film, j'étais dans la vie, le rien, qui commençait à ressembler drôlement à un récit d'horreur ou de science-fiction, preuve qu'il n'y pas de différence, que réalité et fiction, c'est pareil, que tout s'entrecroise, s'interpénètre et s'entredétruit dans un grand magma informe. D'ailleurs, dès que Jack Picard est sorti du roman de Victor Morgan pour venir gambader dans les bois de Mirror Lake, j'ai banni ces mots de mon vocabulaire et j'ai cessé de me demander si ce qui m'arrivait était vrai ou si tout cela appartenait à un interminable cauchemar dont je m'extirperais les membres ankylosés un matin de printemps, couché sur le bord du lac, dans la plainte déchirante des huards et le mol entrechoquement des chimes de Winslow, que je ne connaîtrais pas encore, sinon pour l'avoir aperçu ou inventé dans mes rêves, d'où il surgirait avec sa constante jovialité pour permettre au cauchemar de recommencer et à la spirale du temps de se mordre la queue en avalant tout rond nos petites existences merdiques et en les recrachant dans le néant avant qu'on ait pu se demander ce qu'était la réalité, question au demeurant totalement inutile, parce que ça n'existe pas, la réalité, pas plus que la fiction. Point. Il n'y a qu'un enchevêtrement de hasards, de causes probables et improbables, et il faut s'organiser pour se faire une vie avec ça. En attendant, j'avais quelques petits problèmes à résoudre, à commencer par celui que me posait Anita.

Quand j'ai ouvert les yeux, le lendemain du soir où j'avais appris que nous nagions tous dans le même océan libidineux, la première chose que j'ai vue, c'est Bambi ou Bamboo, qui reposait sur mon oreiller à côté d'Anita, dont le grand œil noir et le petit œil tricolore m'observaient tendrement, autre argument en faveur de l'interpénétration du cauchemar et de la réalité, car s'il y a une chose que je déteste entre toutes, c'est de m'éveiller à côté de quelqu'un qui me fixe de ses yeux mouillés, l'air de se dire plein de choses muettes à propos de l'homme qui se dissimulait quelques instants plus tôt derrière mes paupières en bavant sur l'oreiller.

Une vague d'exaspération matinale est alors montée en moi, que j'ai réfrénée en me mordant les joues, car ce qui aurait pu être une nuit de sommeil réparateur ne m'avait pas soulagé de mon mal de tête, et qu'il n'y a rien de plus dévastateur pour un mal de tête que l'irritation du matin. Je connaissais d'autre part l'hypersensibilité d'Anita, hautement susceptible d'accroître les maux de tête. Je me suis donc enfoncé les molaires dans la peau des joues, j'ai gentiment déposé Bambi ou Bamboo au-dessus de la tête d'Anita en esquissant un semblant de sourire, sourire franchement en mastiquant sa propre chair étant impossible, et j'ai tâché d'imaginer une manière de sortir du lit sans avoir à toucher à Anita.

Maintenant que je savais qu'elle couchait avec Robbins, j'avais plus ou moins envie de me frotter à elle et, pour être franc, je n'en avais pas envie du tout. N'étant toutefois pas des plus rapides après une nuit de sommeil qui aurait pu être réparateur mais ne l'a pas été, j'ai eu un moment de distraction et Anita m'a pris de court en dirigeant sa bouche pulpeuse vers la mienne effrayée. Là, je n'ai pas eu le choix, je l'ai repoussée alors que sa langue essayait de se frayer un chemin entre mes lèvres scellées et me suis levé en prétextant une haleine de chien, me demandant par la même occasion où était passé Jeff, qui avait été chassé du lit par Bambi et Bamboo, ce qui ne se reproduirait plus. La nouvelle des ébats d'Anita et de Robbins étant encore fraîche, je ne me voyais pas embrasser Anita mine de rien. Ça aurait équivalu à embrasser Robbins, dont quelques-unes des bactéries buccales devaient subsister dans la bouche d'Anita, puisque ces bestioles ont la vie plus dure que les roches, les coquerelles, les préjugés, les papes et autres indestructibles créatures, et il n'était pas question que je me farcisse la flore microbienne de cet enfoiré, même si ça m'était arrivé plus d'une fois sans que je le sache. Cette réalité étant aussi horrifiante que les scènes les plus sanglantes de mes pires cauchemars, je me suis rué vers la salle de bain et j'ai vidé une demi-bouteille de Scope menthe fraîche, ce après quoi j'ai pris une interminable douche, pour les raisons mêmes qui m'avaient fait me décaper l'intérieur de la bouche.

Lorsque je suis enfin sorti de la salle de bain, ça sentait bon le café frais et j'ai constaté qu'Anita nous avait préparé avec les moyens du bord un déjeuner comme on n'en prépare que quand on se sent bien et que flottent autour de soi les premières notes de ces chansons immortelles où il est question d'un amour que l'on voudrait également sans fin, situation m'indiquant que ça allait mal, très mal, et qu'il fallait que je réagisse avant de me retrouver avec une femme à demeure, une kyrielle de joyeux Bambi et Bamboo et, qui sait, un ou deux mômes que je m'emploierais à éduquer correctement pendant qu'Anita laverait les couches et que Winslow ferait sauter le plus petit des deux morveux sur ses genoux en essayant de lui apprendre les paroles de _Yankee Doodle_.

Pendant que cette autre vision d'horreur se dessinait sur les murs beiges et verts du chalet, dont je n'avais jamais remarqué à quel point ils étaient hideux, c'est Anita qui fredonnait,

La vie en rose, en l'occurrence, fredonnement duquel ne surgissaient ici et là qu'un ou deux mots, personne n'ayant pris la peine d'asseoir Anita sur ses genoux pour lui en apprendre les paroles, ce que je n'allais pas faire non plus, puisque ça n'avait rien de triste. J'ai même poussé dans le sens contraire en me mettant à beugler «bleu, bleu, l'amour est bleu», rien que pour la contrarier, «bleu comme le ciel qui luit dans tes yeux», ce qui était complètement stupide, parce que je déteste cette chanson autant que celle où il est question du rendez-vous de la lune et qu'en suintait ce genre de misérable radotage susceptible de faire croire à Anita que l'amour avait foré une brèche dans mon cœur de pierre, même si je ne comprends pas comment on peut espérer convaincre quelqu'un qu'on l'aime en lui débitant des insignifiances pareilles. Pourquoi pas bleu comme la mer qui clapote à tes pieds, tant qu'à y être, comme l'hirondelle t'enveloppant de ses ailes et autres figures de style à ce point désespérantes qu'on se demande quand celui ou celle qui les a écrites a enfin décidé de se suicider.

Cette chanson a cependant eu l'avantage de me mettre en rogne, c'est-à-dire dans les dispositions nécessaires pour dire à Anita ce que j'avais à lui dire. Anita, ai-je commencé en mordant dans une tartine amoureusement tartinée que j'ai aussitôt déposée dans mon assiette, parce que le sourire d'Anita me regardant croquer sa tartine amoureusement tartinée m'est resté en travers de la gorge. Mais je n'allais pas me laisser intimider ni me laisser distraire par un sentimentalisme qui n'avait pas sa place dans ma vie, je n'allais pas sacrifier ma liberté à un amour non partagé ni me mettre la corde au cou pour empêcher Anita de se pendre avec, éventuellement, il y avait quand même des limites, que je ne dépasserais pas. Anita, ai-je donc repris, tu ne penses pas que, puisque tu as déjà un petit ami, on serait mieux de cesser de se voir? J'avais choisi le bon angle, car Anita pensait exactement la même chose que moi et ne considérait pas comme très moral d'avoir deux petits amis à la fois, puisque j'étais bel et bien en train de devenir son petit ami. Isn't it? a-t-elle ajouté sur un ton mi-interrogatif mi-coquin en me regardant du coin de son œil coloré, semi-question à laquelle je n'ai pas répondu, ayant toujours son sourire coincé au fond de la gorge. Quoi qu'il en soit, pour résoudre ce problème de moralité, elle avait décidé de quitter Robbins, ce qu'elle allait lui annoncer dès qu'elle le verrait… Finalement, je n'avais pas choisi le bon angle.

Le ciel a dû l'entendre ou estimer que son désir de renoncer à ses errements adultères méritait un petit coup de pouce, car c'est le moment qu'a choisi le 4 x 4 de Robbins pour déboucher à bride abattue entre les verdoyants sapins et venir s'encadrer dans la fenêtre de la cuisine dans un nuage de poussière aussi menaçante que déterminée. Fuck, avons-nous bafouillé de concert en agrippant la table. Fucking shit, avons-nous poursuivi pendant qu'Anita ramassait Bambi, Bamboo, son sac à main, la culotte qui traînait depuis deux jours sur le divan de cuirette, un soulier orphelin et un tube de rouge à lèvres Cheeta, de L'Oréal, j'ignore comment j'ai pu remarquer ça, l'énervement, et se ruait dans la chambre pendant que, de mon côté, je ramassais son assiette, sa tasse, sa tartine tartinée avec amour, que je foutais tout ça à la poubelle, au diable les dépenses, et tentais de me composer un visage impassible.

On formait quand même un beau couple, tous les deux, en parfaite synchronie, me suis-je dit en me précipitant dehors sans avoir l'air pressé, parce qu'il me fallait à tout prix empêcher Robbins de mettre les pieds dans le chalet imprégné de toutes les odeurs de femme d'Anita. Il était temps, car Robbins arrivait en haut de l'escalier de la galerie en faisant claquer ses bottes à éperons, comme Clint Eastwood chaque fois qu'il s'apprête à trouer la peau d'une ordure dans un film de Leone. What's going on? ai-je dit pour dire quelque chose et pour paraître calme, tout en m'appuyant de façon décontractée à la rampe de la galerie. Avant de répondre, Robbins m'a regardé droit dans les yeux, c'est du moins l'impression que j'ai eue, parce qu'il avait encore ses foutus Ray-Ban, a tourné son cure-dents sept fois dans sa bouche, où j'ai imaginé les milliers de bactéries jumelles dont Anita m'avait refilé des clones qui sont sur-le-champ descendus dans ma gorge, là où naissent et meurent les haut-le-cœur, ce qui faisait pas mal de monde, le sourire d'Anita y étant encore coincé, puis il a enfin remonté son pantalon, pour que je voie bien qu'il avait des couilles et où elles se trouvaient.

Ça allait mal, ça allait très mal, mais j'ai essayé de ne pas le montrer en bombant le torse et en crachant de façon désinvolte sur la roche de quatre cents millions d'années, auprès de laquelle je me suis mentalement excusé en lui expliquant que les circonstances exigeaient de ma part un geste viril. Après s'être raclé la gorge et avoir amplifié du même coup une nausée que j'ai eu du mal à ne pas laisser s'exprimer, Robbins a ouvert sa bouche pleine de petits trucs courant dans tous les sens pour m'apprendre que quelqu'un d'autre avait disparu dans la région et que ça avait peut-être un lien avec le noyé ou le disparu, selon que l'on soutenait la thèse du simple ou du double John Doe; la deuxième d'entre ces thèses ne valait plus depuis que Winslow m'avait annoncé que l'éventuel deuxième John Doe s'appelait Jack Picard, mais Robbins ignorait que j'étais au courant et tentait d'entretenir ce qu'il croyait être ma naïveté en jouant sur la possible dualité des Doe. Quoi qu'il en soit, s'il y avait bel et bien un autre disparu, on se ramassait avec deux John Doe et un Jack Picard, et ça, ça me semblait un peu trop. Il devait y avoir dans les environs de Mirror Lake une faille, un vortex spatiotemporel ou une zone nébuleuse, a twilight zone, pour que le nombre des disparus s'y multiplie au point que même Robbins avait envie de parler d'épidémie, je le voyais dans le déhanchement nerveux de son cure-dents.

Si Winslow avait été là, je lui aurais demandé de me soutenir jusqu'à ma roche, car j'imaginais déjà ce que seraient mes nuits maintenant qu'il y avait potentiellement un mort et deux rôdeurs autour du lac, ou un mort et deux autres morts, les disparus ayant statistiquement tendance à devenir des morts, ou un John Doe vivant, un John Doe mort et un Jack Picard aux abois, capable dans son féroce désarroi de faire grimper en flèche le taux de mortalité de Mirror Lake. Winslow n'étant jamais là quand on avait besoin de lui, je me suis agrippé plus fermement à la rampe et j'ai demandé à quoi jouait la police, bordel, en plus de quelques éclaircissements. C'est là que Robbins m'a appris que le disparu était en fait *une* disparue, une femme dans la jeune trentaine répondant au signalement d'Anita Ekberg et se nommant Jeanne Picard...

Picard... Quel joli nom. Picard... Connais pas, ai-je répondu en me limant le bout d'un ongle sur un poteau de galerie. Puis j'ai cousu mes lèvres avec le sourire niais de la nervosité, dans le seul but de retenir le rire hystérique qui se répandait en petits tremblements dans mon ventre, en soubresauts gélatineux pareils à des chatouillements, et qu'un tressautement naissait dans le coin supérieur gauche de ma paupière droite, que j'ai cachée en mettant une main sur mon visage, dans la pause du gars qui réfléchit. Je n'avais pas envie de rire, mais quand l'hystérie s'en mêle, on ne contrôle pas tout. Je me demandais comment j'allais m'en sortir quand le jeune Jones, d'un pas lent et décontracté, est venu à ma rescousse. Found nothin', boss, a-t-il nasillé à l'adresse de Robbins, et j'ai compris qu'il avait fait le tour du chalet en vue de recueillir d'éventuels indices du passage d'Anita pendant que Robbins m'entretenait, et qu'il n'avait rien trouvé. Pour une fois, j'étais content de le voir, celui-là, et incommensurablement heureux d'apprendre que Robbins était assez stupide pour lui confier l'inspection des lieux, car des traces d'Anita, il devait y en avoir des dizaines rien que devant le feu de camp éteint, mais Jones n'avait rien vu, preuve que l'imbécillité n'a pas été inventée inutilement et que la terre doit porter son poids d'idiots pour assurer l'équilibre social et la survie des justes.

Ce n'est toutefois pas sur la bêtise du jeune Jones que mon attention s'est focalisée à ce moment, mais sur le sac de crous-tilles qu'il tenait à la main, un sac bleu et jaune, de la marque Humpty Dumpty, devant lequel mes yeux se sont promptement arrêtés. Sur le coup, je me suis dit qu'il ne s'était pas mani-festé depuis longtemps, celui-là, puis j'ai constaté que je n'avais jamais fait le lien entre le personnage du conte et celui qui souriait depuis au moins cinquante ans sur les milliers et les milliers de sacs de chips qui se baladaient quotidiennement à travers le Canada et les États-Unis d'Amérique, envahissant insidieusement le territoire en faisant pénétrer cette tête de con dans l'inconscient collectif. Mais ce qui m'a le plus secoué, et mis en rogne par la même occasion, c'est qu'il y avait ici usurpation, détournement d'identité, fausse représentation, parce que cette face d'abruti n'était pas une patate, que je sache, mais un œuf, un putain d'œuf pourri, ma mère me l'avait assez répété, et voilà que, sans que personne proteste, il était devenu la mascotte des dizaines de milliers de livres de patates tranchées nourrissant chaque année l'obésité de quelques malheureux vissés devant l'écran de leur téléviseur.

Comme je n'arrivais pas à détourner les yeux de la bouille d'ahuri chiffonnée sur le sac de chips, Jones a dû penser que j'avais faim, car il m'a tendu le sac, que Robbins a attrapé au passage, ce qui ne m'a pas surpris, Robbins aurait vendu sa mère pour avoir le plaisir de me pomper l'air, et pas dérangé non plus, car je n'avais pas faim. J'étais seulement secoué par l'omniprésence de Humpty Dumpty, qui allait sûrement se glisser dans mon prochain cauchemar, à moins que j'aie déjà été dedans, puisqu'il n'y a pas de différence entre cauchemar et réalité. Je ne tremblais cependant plus, ce qui était ça de pris, si bien que j'ai pu répondre à la lointaine question de Robbins : no, never saw this woman around here. Il a tout de même sorti une photo d'Anita de son portefeuille, une jolie photo où elle souriait et avait ce petit air léger que je lui avais vu quelques minutes plus tôt, l'air léger de l'amour, qui vous laisse un voile ténu dans le regard, rempli de promesses, et j'en ai conclu que cette photo datait, ce qui n'a pas empêché le sourire d'Anita d'imprimer sa communicative empreinte sur mon visage. No, never saw her, ai-je de nouveau répondu à Robbins, qui s'est tout de même enquis de la raison pour laquelle je souriais comme un imbécile. 'Cause she's pretty, ai-je dit en poussant mon sourire au fond de ma gorge, avec celui d'Anita, où ils se tiendraient chaud en attendant que Robbins décolle.

J'ai ensuite eu droit à quelques menaces à peine voilées, du genre si tu touches cette fille, je te refroidis, ce qui aurait potentiellement donné deux morts et un disparu autour du lac, ou un mort et deux disparus, puisqu'il fallait soustraire Anita de la liste des disparus, mais je ne l'écoutais plus que d'une oreille, parce que tout en me promettant une fin atroce, Robbins brandissait devant moi, telle une autre menace, la face écrasée de Humpty Dumpty qui souriait comme un débile, mais un débile qui pense ce qu'il dit, et j'ai su que je n'en avais pas fini avec Robbins. I'll be back, a-t-il pour la première fois proféré à haute voix, confirmant mes appréhensions et faisant renaître ma nausée, car il avait trois ou quatre miettes de chips ramollis sur la langue, sur lesquelles devaient se ruer les innombrables et minuscules choses affamées qui habitaient dans sa bouche, puis il est reparti, suivi du jeune Jones, sans apercevoir le soulier orphelin d'Anita, camouflé tel un léopard du Maine dans un bosquet de fougères.

J'ai attendu que le 4 x 4 soit disparu derrière les sapins verdoyants, j'ai dit ouf, j'ai ajouté Humpty Dumpty is not a fucking potato, he's an egg, puis j'ai laissé libre cours à tous les influx nerveux qui me parcouraient le corps. Quand je me suis enfin calmé, le ventre douloureux à force d'avoir ri d'un rire qui n'en était pas un, j'ai pensé à Winslow, chez qui Robbins et Jones allaient sûrement débarquer sous peu pour lui montrer la photo d'Anita, et j'ai crié à Anita de ne pas bouger de la chambre, que le péril nous guettait toujours. Il fallait absolument que j'empêche Winslow d'ouvrir sa grande gueule, mais je ne voyais pas comment. Je ne pouvais sauter dans ma chaloupe pour aller l'avertir, car Robbins verrait tout de suite que j'étais là pour l'avertir. J'aurais pu tenter de faire des signaux avec mes bras, avec des tambours, avec de la fumée, mais comme je n'avais pas de tambour à portée de la main et ne connaissais rien aux signaux, ce n'était pas une bonne idée. C'est à ce moment que le téléphone a sonné.

Tiens! le téléphone, aurait dit le cocu dans une pièce de boulevard, mais comme ce n'était pas moi le cocu et que j'entendais pour la première fois les impassibles montagnes de Mirror Lake répercuter l'écho d'une sonnerie appartenant à une autre époque de mon existence, j'ai pensé que je rêvais peut-être, puisque rêve et réalité… La sonnerie insistant néanmoins, aidée en cela par les impassibles montagnes de Mirror Lake, j'ai bien dû me rendre à l'évidence : le téléphone, baptême… Il n'y avait que trois possibilités, ou c'était un sondage s'adressant à la ménagère de la maison, c'est-à-dire à celui ou celle qui lavait le plancher et achetait ce qu'il fallait pour polluer proprement son environnement, ou on voulait m'offrir une carte de crédit qui ferait de moi un homme riche et heureux, ou c'était le destin qui venait m'annoncer un malheur. Je suis rentré en courant, j'ai attrapé la main d'Anita avant qu'elle n'attrape le combiné, que j'ai soulevé et raccroché.

Si c'était le destin, il rappellerait. Si c'était le quotidien dans ce qu'il avait de plus moche, congratulations, you have won a million dollars, il rappellerait aussi, mais dans quelques heures, ce qui me donnait le temps de changer de numéro ou de trouver une parade.

C'était le destin, car l'insistant tourou-ut-tut-tut a remis ça de plus belle. You're not answering? a demandé Anita. C'est le destin, lui ai-je répondu, destiny, faut que je me prépare. J'ai donc pris une grande respiration, fermé les yeux, décroché le combiné et dit allô, en français, parce que si c'était le destin que je redoutais, il venait droit du Québec, avec sa voix entre-coupée de sanglots, m'annoncer la mort d'un proche. J'avais déjà entendu la voix triste du destin, qui vous engourdit des pieds à la tête dès son premier soupir, je savais que je l'enten-drais encore, c'était inéluctable, à moins de mourir avant tout le monde, c'est-à-dire tout de suite, pour ne pas prendre de chance, mais je ne voulais pas l'entendre ce matin-là et, pendant que je prononçais le mot *allô*, je crois que j'ai prié. Je ne le crois pas, je le sais. Sous mes paupières humblement closes, j'ai dit je vous en prie, mon Dieu, avec une réelle sincérité, c'est ce que font les agnostiques de mon genre, élevés dans la foi chrétienne, la nostalgie de Dieu leur revient quand ils se sentent infiniment petits.

Fuck, Robert, ai-je entendu à l'autre bout du fil, you don't answer your phone, et Dieu, ses anges, le destin et le malheur se sont volatilisés par l'enchantement de la voix de Winslow. Quand j'y repense aujourd'hui, je me dis que c'était tout de même le destin qui m'appelait, que Winslow était la voix de mon destin, le corps que celui-ci avait choisi pour s'incarner, mais, sur le coup, ça ne m'est pas venu à l'esprit. Le soulage-ment a pris le dessus, sitôt suivi de l'étonnement : ignorant que Winslow avait le téléphone, je ne lui avais pas donné mon numéro, qui ne servait que pour les urgences. L'avoir su, je ne le lui aurais pas donné non plus, mais là, j'étais bien content qu'il l'ait, ça éviterait à la voix désespérée du destin de voyager de Mirror Lake jusqu'au Québec en dématérialisant puis rematérialisant sa peine à travers les fibres optiques pour annoncer à mes proches que j'avais pris avant eux l'incontournable chemin du néant en me faisant rectifier par un flic enragé.

De toute façon, mes proches devaient ni plus ni moins me croire mort, puisque j'étais parti sans un mot, comme un foutu salaud, en laissant derrière moi l'image d'un homme pas même capable d'affronter la réalité, parce que quand je fais allusion à la douleur de vivre, j'y crois, à la réalité, c'est trop douloureux pour ne pas être vrai. Tout ça pour dire que la nouvelle ne les surprendrait pas, qu'elle leur permettrait seulement d'entamer leur deuil avec un cadavre sur lequel se pencher, laisser couler les pleurs, une bière à mettre en terre, une épitaphe à rédiger. Dans mon cas, je ne voyais cependant pas trop ce qu'ils pourraient écrire. Robert Moreau, 1951-2005, mort dans un roman, peut-être, puisque c'est toujours là qu'ils m'avaient vu me réfugier, fuir l'amour ou la bêtise, dans un roman, dans un film, dans la fiction, qu'ils croyaient différente de la réalité, qui me beuglait pour l'instant dans l'oreille par le truchement de la voix de Winslow, auquel je n'ai pas eu le loisir de faire part de ma surprise, car il était dans tous ses états, le Bobby.

En deux mots, il avait vu Tim Robbins venir chez moi, en avait déduit qu'il irait ensuite chez lui, il arrivait déjà, d'ailleurs, ce que j'ai pu constater *de visu* en m'approchant de ma fenêtre, devant laquelle le chalet de Winslow disparaissait dans un nuage de virile poussière, et Winslow voulait savoir si cette visite avait un rapport avec Anita. Yes, I said, aussi énervé que Winslow, you shut your mouth, you've never seen her, you've never seen a woman your entire fucking life, puis j'ai raccroché, pour lui laisser le temps de se composer un visage et d'essuyer la sueur née de son excitation qui devait lui dégouliner sur le front. Quant à la façon dont il s'était procuré mon numéro, on réglerait ça plus tard.

Nous l'avions échappé belle et, en m'assoyant dans mon fauteuil pour voir comment se déroulerait la scène de l'autre côté du lac, j'ai pensé à cette vieille publicité d'une compagnie de téléphone ou de télégraphe où l'on vantait les avantages de la technologie en les opposant à la relative efficacité des signaux de fumée. C'était un souvenir si lointain que je n'arrivais pas à déterminer si j'avais vu cette pub dans un film, dans un magazine, à la télé, ou si je l'avais simplement inventée. Comme elle était drôlement bien conçue et qu'elle disait la vérité, j'en ai conclu que je l'avais inventée. Sans téléphone, j'étais cuit, et c'est avec ma carcasse embrochée que Tim Robbins aurait fait des signaux de fumée, alors j'ai eu une petite pensée pour Alexander Graham Bell, qui m'avait sauvé la vie. J'aurais pu avoir une pensée pour Dieu, que j'avais mêlé à cet imbroglio en lui adressant quelques instants plus tôt une sincère prière, mais les agnostiques de mon espèce, c'est connu, oublient Dieu dès qu'ils n'en ont plus besoin. Si j'avais cru en Dieu, j'aurais pu craindre qu'il se venge, ça lui arrive, mais puisque je n'y croyais pas vraiment, que mes liens avec lui étaient des liens de circonstance, j'ai choisi l'option qui m'arrangeait en décrétant que s'il existait, sa bonté miséricordieuse se souviendrait de la sincérité de ma prière et passerait l'éponge sur mon ingratitude.

Pendant ce temps-là, de l'autre côté du lac, Winslow jurait devant un Robbins dubitatif qu'il n'avait jamais vu une femme de sa vie, Jones faisait le tour du chalet de Winslow en mâchouillant des tranches de Humpty Dumpty nature, venait dire à Robbins qu'il n'avait rien trouvé, ce qui était normal, il n'y avait rien à trouver de ce côté, tous deux rembarquaient dans le 4 x 4 de Robbins enveloppés d'un silence promettant leur retour, Winslow s'esclaffait du rire niais et incontrôlable de la nervosité, et je pouvais enfin respirer, ce qui m'a donné l'occasion de constater à quel point la journée aurait pu être belle si j'avais été seul et n'avais pas été aspiré dans une faille du temps où venaient s'engouffrer tous les paumés de la région. J'ai crié à Anita que je sortais faire un tour de reconnaissance, lui ai conseillé de rester planquée jusqu'à mon retour, puis j'ai appelé Jeff, qui boudait dans un coin, sa grosse tête lourdement écrasée sur le plancher, parce que je ne lui avais encore réservé aucune place dans cette journée. Come on, Jeff, on va dehors, ai-je lancé sur un ton enjoué, mots magiques qui ont instantanément effacé la tristesse de ses grands yeux mouillés et mis en marche la mécanique sentimentale réglant les battements de sa queue, dont le martèlement aussi rythmé qu'un métronome m'a une autre fois montré le sens de la joie pure.

C'était une journée d'août comme je les aime, dominée par le poudroiement des herbes jaunissantes autour du lac, une journée calme, sans le moindre soupçon de vent, où le ciel dédoublait ses cumulus dans Mirror Lake, dont les eaux ne frémissaient que sous le glissement des patineurs et l'indolent ploc des truites qui venaient s'attraper une mouche narcissique ayant eu la téméraire idée de s'attarder à la surface. J'ai respiré un grand coup, fermé les yeux sur cette beauté qui avait cessé de me déchirer le jour où je m'étais dit qu'il était inutile d'essayer de la comprendre, qu'il fallait seulement la prendre, telle qu'elle était, sans chercher à en pénétrer le mystère, puis, lorsque j'ai rouvert les yeux, j'ai vu un orignal, un vieux buck au pelage râpé, sortir du bois à une cinquantaine de pieds de nous. J'ai saisi le collier de Jeff, ce qui signifiait on ne bouge pas, on n'aboie pas, on ne songe même pas à grogner, et on a regardé l'orignal boire quelques lampées, s'avancer dans le lac, puis s'élancer à la nage vers la rive est, la rive du soleil levant, le panache fier, en harmonie parfaite avec ce décor où ni Winslow, ni Anita, ni moi n'aurions dû figurer, parce qu'il appartenait aux orignaux, aux coyotes, aux renards, à toutes ces bêtes sur le territoire desquelles nous empiétions, trop cons pour arrêter de nous reproduire, de faire grimper la courbe démographique de façon exponentielle, trop idiots pour songer à la préservation de la beauté.

Quand l'orignal a atteint l'autre rive, j'avais les yeux pleins de cette belle eau propre dont il restait encore en moi quelques réserves, les joues mouillées, les lèvres salées, mais je l'ai quand même vu se tourner vers Jeff et moi et nous regarder quelques instants pour nous faire comprendre qu'il nous avait aperçus bien avant que nous ne l'apercevions et que c'était parfois beau, un homme, un chien, un orignal, réunis dans le même tableau, parfaitement silencieux dans la limpidité d'une journée d'août où somnolaient les herbes jaunes. Devant cette sagesse ancestrale, dont je ne posséderais jamais le centième du quart, j'ai reniflé de plus belle, alors que l'orignal disparaissait dans les sapins et que je bredouillais une prière, une autre, pour que personne n'abatte cet animal lorsque viendrait la saison des armes et qu'une insidieuse odeur de poudre et de sang se répandrait d'est en ouest du Maine.

Après cette scène d'un bucolique à fendre l'âme, je n'avais plus envie de rien. J'aurais voulu qu'Anita soit partie, que le chalet de Winslow se volatilise et Winslow avec, pour qu'il ne reste sur le bord du lac que Jeff et moi, un chien et son homme, assis dans la lumière poudrée de l'été à guetter le passage tranquille des cervidés. Ce désir étant trop simple pour que les personnes en cause m'aident à le réaliser, j'ai donné un grand coup de pied dans le vide et j'ai lâché le collier de Jeff, qui s'est mis à aboyer comme un malade et à courir de gauche à droite avec ces mouvements de cheval fou qu'on voit parfois aux chiens heureux. C'était ce que je voulais également, être heureux, comme si ce mot avait du sens dans la bouche d'un homme, et qu'on me fiche la paix, qu'on me laisse regarder les orignaux, sculpter des animaux dans le sable, des châteaux dans lesquels je pourrais me réfugier, comme dans les romans, avec un fossé et un pont-levis, pareil à celui que mes vieux orteils étaient en train de construire et autour duquel l'eau s'infiltrait, pour que je puisse y mettre des crocodiles, des requins et autres bestioles de nature à repousser l'envahisseur, qui s'amenait en la personne d'Anita, pas capable de me laisser seul deux putains de minutes dans mon château, dont elle voudrait devenir la princesse, c'est classique. Or je ne lui donnais pas trois jours dans le donjon avant qu'on l'entende hurler jusqu'au fin fond du Maine pour que Tim Robbins vienne la délivrer et bousille ma bretèche, mon merlon, ma barbacane et mon échauguette avec son imbécile de 4 x 4.

Attention, l'ai-je avertie alors qu'elle s'approchait, watch out, tu vas te faire bouffer le gros orteil par un crocodile, puis, au moment où je lançais cet avertissement, Céline Dion, qui ressemblait toujours à un gros orteil, est apparue dans le donjon, a entonné *My Heart Will Go On* pendant que Leonardo DiCaprio et Kate Winslett sombraient avec le *Titanic*, que James Cameron proclamait « I'm the king of the world » et que le monde en question s'écroulait, tel un château de sable, sur les rives d'un lac pas foutu de tenir ses promesses. Je t'avais demandé de rester cachée, lui ai-je reproché sans détacher mon regard du monde effondré, et elle a répondu qu'elle en avait marre, qu'il faisait trop beau pour être enfermée, trop beau pour être seule, mot sur lequel elle a ingénument insisté, to be *alone*. J'étais d'accord avec le début de sa phrase, mais pas avec la proposition finale, trop finale à mon goût, du genre finale avec violons, où les deux héros sont à jamais réunis, à jamais deux, plus jamais seuls, et un grand frisson m'a parcouru le corps, de l'occipital à l'astragale, mais je n'ai pas pensé au mot *astragale*. Si je l'avais fait, le roman du même titre d'Albertine Sarrazin m'aurait à coup sûr traversé l'esprit et j'aurais déliré

là-dessus, mais ça ne s'est pas produit, je n'ai pas pensé à astragale, pas plus qu'à occipital. Je me suis philosophiquement
dit que la solitude était une chose qui se gagnait de haute lutte,
qu'il fallait pour l'obtenir accepter les tourments orageux de
la chair, puis j'ai ajouté : Qu'est-ce… non mais qu'est-ce que
je vais faire avec Anita ?

Là-dessus, un gros nuage est passé, le lac s'est rembruni, puis
j'ai tourné la page du roman que j'aurais tant voulu lire, sans
songer à demander à Anita si elle n'avait pas un cousin, un
oncle ou un frère prénommé Jack.

La nuit ayant suivi la troisième visite de Robbins, j'ai fait un rêve HD, ainsi que je m'y attendais, HD pour Humpty Dumpty, mais aussi pour hard drug, high definition, haute densité, et je me suis réveillé dans un sale état, en plein milieu d'une scène où Humpty Dumpty, qui avait pris la double apparence d'un œuf et d'une patate, se trouvait à la fois en haut et en bas de son mur. Lorsque les coups frappés contre la porte se sont immiscés dans mon rêve, à moins qu'ils n'en aient été à l'origine, le Humpty Dumpty d'en bas, auquel je me suis identifié – je ne m'étais quand même pas farci Freud pour rien –, tapait à coups de masse dans le mur, tandis que le Humpty Dumpty d'en haut agitait ses petits bras de patate dans tous les sens en glapissant des insultes du genre *rustre, malotru, malappris,* l'andouille. Nullement impressionné, je continuais à varger dans le mur dont l'éboulement ne me rendrait qu'une semi-liberté, une liberté surveillée, disons, puisqu'on n'échappe pas plus à ses hantises qu'à soi-même.

Bref, mon impatience n'a pas été récompensée, car j'ai été tiré de ce rêve par les insistants martèlements provenant de la pièce d'à côté, où quelqu'un essayait visiblement d'enfoncer la porte. J'ai immédiatement pensé à Tim Robbins, qui devait avoir découvert qu'Anita se terrait chez moi et venait nous occire, puis, par ricochet, à Anita, qui s'était apparemment et prestement cachée en entendant ces rageurs toc-toc, car elle avait disparu avec Bambi, Bamboo, ses chaussures à talons aiguilles, son baluchon, sa crème solaire antirides et son parfum, *Shania*, pour Shania Twain, de Stetson, qui allait un jour me hanter, pas Shania, le parfum. Elle avait dû se cacher dans le garde-robe, je ne voyais pas d'autre issue. J'ai enfilé un pantalon en beuglant qu'il n'y avait pas le feu et, avant d'ouvrir la porte de la chambre, j'ai chuchoté en direction du garde-robe que je m'occupais de tout, puis je suis sorti en me composant un visage de gars en colère, pas nerveux pour deux sous, en pure perte, c'était cet abruti de Winslow qui s'acharnait ainsi contre ma porte.

Baptême, Winslow, tu sais pas vivre, ai-je vociféré en ouvrant la porte qui n'était pas verrouillée, détail dont je lui ai fait part en tirant une chaise pour qu'il y pose son gros cul, puisqu'il était évident qu'il n'allait pas repartir tout de suite, et en lui demandant d'attendre deux minutes avant de me détailler la catastrophe qu'il était venu m'annoncer, puisqu'il était également clair qu'un autre séisme allait secouer le territoire si paisible de Mirror Lake. Il s'est donc installé à la table de la cuisine pendant que je préparais du café et remplissais de moulée le bol de Jeff, qui n'avait même pas aboyé quand Winslow s'était mis à taper contre la porte. Il se ramollissait, ce chien, il faudrait que je lui parle, que je lui explique que l'ennemi n'était pas nécessairement l'étranger et que, Winslow pas Winslow, on avait droit à notre intimité. Ce ne serait pas facile, il aimait tout le monde, Jeff, sauf la sale gueule de Robbins, contre laquelle il n'avait pas aboyé non plus la veille, je m'en rendais compte maintenant que j'y réfléchissais. Il y avait un trou dans mon histoire, là, à moins que Jeff souffre d'un problème de cordes vocales.

Pour me rassurer quant à son état de santé, j'ai fait un truc qui le met chaque fois hors de lui, je me suis roulé en boule sur le plancher en gémissant, déclenchant immédiatement ses aboiements, de même que ceux de Bill, qui accompagnait

Winslow, et répétait tout ce que disait Jeff. Quant à Winslow, il s'est levé d'un bond pour me dire que je ne devais pas le prendre ainsi. It's not a disaster, Robert, you'll find another one. Another one what, je l'ignorais, ce que je savais, par contre, ce que j'avais deviné, c'est qu'il s'était produit un désastre, malgré les dénégations de Winslow, à qui j'ai de nouveau intimé de fermer sa gueule jusqu'à ce que j'aie fini d'avaler mon premier café. You shut your mouth till I drink this coffee, Bob, is that clear?

Le problème, c'est qu'il était obéissant, Winslow, et qu'il m'a regardé boire mon café en silence avec ses grands yeux bleus, ce que je déteste autant que de m'éveiller devant une paire de grands yeux noirs qui me fixe de l'oreiller d'à côté, mais je n'ai pas cédé, j'ai bu mon café jusqu'à la dernière goutte en écoutant les mouches bourdonner autour de la table, les coups de langue de Jeff, qui essayait d'attraper les mouches, de Bill, qui les attrapait et les mâchouillait, ajoutant au bruit ambiant, dans lequel se glissait une légère gêne. Afin de dissiper le malaise, je me suis servi un autre café, j'en ai offert un à Winslow, pour l'occuper un peu, j'ai donné de l'eau aux chiens, pour faire passer les mouches, et j'ai dit go, mot qui a eu l'effet d'un hallali bien sonné dans une chasse à courre, car Winslow s'est aussitôt lancé dans un époustouflant récit auquel je n'ai rien saisi, mais où revenait un peu trop souvent le nom d'Anita.

Après un troisième café, j'ai fini par comprendre que Winslow avait cru voir Anita en ville, quelques heures plus tôt, en compagnie d'un Robbins qui n'avait pas l'air content. Cela étant, Winslow était inquiet pour l'autre œil d'Anita. It was not John, it was Jack, ai-je dit pour le calmer, en ajoutant que, de toute façon, il se trompait, puisque Anita était dans le garde-robe de la chambre. Don't panic, Bob, you hallucinated, Anita is in the wardrobe, ce qui l'a néanmoins alarmé. Depuis quand, dammit, est-ce que j'enfermais les femmes dans les garde-robes? We're not in the Middle Ages! Je lui ai fait remarquer qu'il n'y avait pas de garde-robes au Moyen Âge et suis allé chercher Anita, qui se chargerait de lui donner des éclaircissements, c'était son tour.

En entrant dans la chambre, j'ai crié à Anita qu'elle pouvait sortir, qu'il n'y avait pas de danger, que c'était seulement ce brave Winslow venu m'avertir qu'il l'avait vue en ville. Comme je n'obtenais pas de réponse, j'ai crié un peu plus fort. You can get out, Anita, it's just Winslow. Devant l'imperturbable silence du garde-robe, je me suis affolé en me rappelant toutes ces histoires d'enfants asphyxiés retrouvés parmi les chaussures puantes, toutes ces horreurs que nous racontaient nos mères pour nous empêcher d'aller nous cacher dans l'obscurité où foisonnaient les péchés, et j'ai ouvert la porte à toute volée, pour constater qu'il n'y avait pas d'Anita dans le garde-robe, ni sur ni sous les chaussures, que le garde-robe était vide de toute Anita... Il n'y avait pas d'Anita non plus derrière les rideaux, ni sous le lit, ni dans les tiroirs, ni dans le grand coffre de cèdre empestant la boule à mites, comme si le cèdre avait besoin de naphtaline pour repousser les bestioles. Je n'ai jamais compris l'entêtement des gens à conjuguer cèdre et naphtaline, comportement qui me semble aussi aberrant que celui des criminels qui achèvent à coups de balles des types qu'ils ont déjà poignardé vingt fois, j'avais vu ça dans un film, on voit tout dans les films, ainsi que dans les romans, mais le problème, là, c'est qu'il n'y avait d'Anita nulle part. Effrayé à l'idée qu'elle avait pu se volatiliser ou être enlevée, je me suis précipité dans la cuisine, où j'ai agrippé Winslow par les carreaux de sa chemise en lui proposant gentiment de recommencer son histoire.

J'aurais dû être content, le cas d'Anita était réglé, mais là, dans l'énervement, je ne l'étais pas, et je n'ai pas vu le petit mot parfumé que tenait Winslow dans sa main droite. Quand enfin je l'ai lâché, après qu'il m'eut menacé de se faire aussi muet que la carpe – remarque que je n'ai pas relevée en lui objectant le cri muet des carpes –, il m'a brandi la missive embaumant le *Shania* sous le nez et, secoué par l'odeur familière autant que tonifiante, j'ai recouvré une partie de mes esprits.

Where dit you find that, Winslow ? ai-je demandé sur un ton suspicieux. On Victor Morgan's book, m'a-t-il répondu, lequel livre reposait sur la table basse du coin salon en me lorgnant. D'apprendre qu'Anita avait choisi cet endroit entre mille autres possibles pour me laisser un message m'a achevé, parce qu'il y avait peut-être là un sous-message à propos des liens l'unissant à un certain Jack Picard, que je mettrais des jours à déchiffrer, sans jamais avoir la confirmation que j'avais mis dans le mille. À ce moment, j'ai songé à rendre immédiatement ce livre maléfique à Winslow, mais je me suis ravisé, j'avais encore deux ou trois trucs à vérifier au sujet de Picard, puis un potentiel message à décoder. Je me suis donc rassis à la table de la cuisine sous le regard avide de Winslow, dont les grands yeux bleus, dégoulinant de la convoitise baveuse des êtres se nourrissant de la fortune ou de la déconfiture des autres, allaient encore être témoins d'une scène que j'aurais voulu vivre dans l'intimité, et j'ai délicatement déplié le petit bout de papier bleu pendant que la voix tonitruante de Vicky Leandros, que j'avais toujours confondue avec Mireille Mathieu, envahissait le chalet pour m'annoncer que bleu, bleu, l'amour était bleu. Je n'ai pas essayé de la repousser, ça n'aurait servi à rien, et j'ai laissé les mots d'Anita, déchirants de naïveté, s'immiscer dans la chanson.

En gros, Anita m'annonçait qu'elle était partie pour me protéger. Elle avait bien réfléchi et, tant que Robbins était vivant, elle représentait un danger pour moi, alors elle avait préféré se pousser. Si c'était pas de l'amour, ça, me suis-je dit en laissant Winslow mariner dans sa curiosité, je me demandais bien ce que c'était. Pendant quelques instants, j'ai envisagé d'assassiner Robbins, pour donner à mon tour à Anita une preuve de mon amour, ce qui n'aurait pas été honnête et m'aurait mis dans de beaux draps, puisque je n'étais pas amoureux, même si je présentais quelques-uns des symptômes associés à cet état, qui étaient en réalité des symptômes atypiques, apparus par simple contact avec la personne infectée. Ça peut paraître contagieux, l'amour, surtout quand l'autre insiste beaucoup, mais ça ne l'est pas. L'apparente contagion n'indique qu'une forme de tendresse, de sympathie ou de compassion pour l'heureuse souffrance de celui ou de celle qui vous voit dans sa soupe. J'avais déjà connu ça, la plupart du temps dans le rôle de celui qui contemple béatement sa soupe, et je ne savais pas lequel des deux rôles était le plus enviable. Savoir qu'on miroite dans le bouillon de légumes, qu'on se matérialise à tous les coins de rue et qu'on devient l'unique et banal sujet de conversation de quelqu'un pour qui on a par ailleurs de l'estime n'est pas toujours réjouissant, d'autant plus que ça confère des responsabilités.

Tout compte fait, il valait mieux que je repousse mon projet d'assassinat, puis, comme Winslow s'énervait, je lui ait dit qu'il avait raison, qu'Anita avait foutu le camp. She's gone, I said, étonné de n'avoir pas envie de faire la fête, puis j'ai mis le petit papier bleu dans la poche arrière de mon pantalon, qui allait empester le *Shania*, ce qui ne me plaisait qu'à demi, car, pour être franc, je détestais ce parfum, mais je devais bien ça à Anita.

Et maintenant, qu'est-ce qu'on fait? And now, what are we doing? ai-je demandé à Winslow, qui, preux chevalier, s'est aussitôt levé pour dire qu'on allait la chercher, l'arracher des griffes de ce macho de Robbins. Es-tu fou? ai-je rétorqué en me levant également d'un bond. Are you crazy, Winslow? (Et arrête de te répéter, me suis-je semoncé.) Robbins is a cop, not us. Robbins has a gun, not us. Robbins is crazy, really crazy, not me. And, last but not least, Robbins has Ray-Bans, not us! Là, je l'ai un peu déçu, Winslow, il me croyait plus courageux et, surtout, plus amoureux. You already have all the symptoms, s'est-il écrié pour essayer de me convaincre de mon amour, mais ce qui le chicotait le plus, c'était les Ray-Ban. En quoi les Ray-Ban de Robbins, voulait-il savoir, lui donnaient-elles ou t-ils, selon que l'on pense des lunettes ou des verres Ray-Ban, un avantage sur nous? J'ai alors dû me fendre d'une longue explication sur l'invulnérabilité que conféraient ses Ray-Ban à Robbins. Il n'avait pas remarqué, cet abruti, que ses Ray-Ban rendaient Robbins insaisissable, aussi insaisissable qu'une flopée de couleuvres, le protégeaient des prédateurs et remplissaient la double fonction de camou-flage et de carapace? C'est un peu comme Marcel, ai-je ajouté, mais puisqu'il ne connaissait pas Marcel, je lui ai donné un cours en accéléré sur le théâtre de Michel Tremblay et sur le personnage de Marcel, que personne ne pouvait voir quand il mettait ses lunettes noires. Pour le tester, je lui ai ensuite demandé s'il connaissait la couleur des yeux de Robbins. No, il ne savait pas de quelle couleur étaient les yeux de Robbins, personne ne le savait, même Anita devait l'ignorer, car j'aurais mis ma main au feu que ce cloporte baisait avec ses lunettes. C'est ce qui lui donne un avantage sur nous, Winslow, ce à quoi il a répondu qu'on n'avait qu'à s'acheter aussi des Ray-Ban. Alors j'ai abandonné. J'ai dit à Winslow de laisser tomber et je suis sorti avec Jeff, suivi de Bill, pour aller marcher près du lac.

C'était une autre magnifique journée d'août, comme je les aime, avec ce brin de lourdeur qui vous fait ressentir jusqu'au creux du ventre la plénitude de l'été, et je me suis encore demandé pourquoi on ne pouvait pas se contenter de ça, pourquoi il nous fallait toujours autre chose, alors que rien ne pouvait égaler la beauté d'un ciel d'août, la beauté d'un orage, la beauté d'une étoile, d'une tempête, d'un orignal traversant un lac, d'un chien courant après un autre chien, d'un érable rougissant, d'un monarque voltigeant de fleurs en branches. Parce qu'on est cons, me suis-je rerépondu, c'est la réponse universelle, parce que le bonheur réside dans l'acceptation de l'immobilité. Pendant que le bonheur me passait hardiment sous le nez, j'ai relevé le bas de mon pantalon, je me suis assis sur le quai et je me suis fait tremper les pieds dans l'eau froide, ce qui m'a rappelé la fois où Anita et moi on avait barboté dans l'eau immonde de la piscine de notre motel.

On avait déjà des souvenirs communs, elle et moi, des lieux qui nous appartenaient, comme les couples normaux, et j'ai ressenti un pincement au cœur à l'idée qu'on ne se reverrait probablement pas, que notre histoire était de celles qui n'ont pas d'issue parce que fondée sur l'anormalité des deux protagonistes. D'accord, je n'avais jamais voulu me fondre dans la masse. D'accord, j'avais toujours tenté de m'écarter des sentiers battus, de porter du rouge quand la mode était au noir, de manger de la viande quand toute une génération broutait de la luzerne, de me mettre à la cigarette quand la police du tabac avait entrepris de matraquer les fumeurs pour donner bonne conscience aux conducteurs de VUS, mais j'étais forcé d'avouer qu'un minimum de normalité, qu'un petit effort pour admettre qu'il est plus facile de grimper de face qu'à reculons et de redescendre à reculons plutôt que de face ne pouvait pas nuire, surtout quand on tombe amoureux, c'est-à-dire sur la tête.

Ça y est, je l'avais dit, ça devait être l'effet de la magnificence de cette journée d'août. Je n'étais pas amoureux, je tenais à cette affirmation, mais je le devenais, malgré tous mes beaux discours, et j'ai silencieusement remercié Anita pour sa grandeur d'âme, qui interrompait ma chute en son plein milieu. Je ne voulais pas être amoureux, je ne voulais pas être deux, ce qui me serait fatalement arrivé si Anita n'avait pas eu la riche idée de me protéger. Désormais, je ne prendrais pas de risque, ce serait Jeff et moi, exclusivement, l'orignal et moi, le lac et moi, la roche de quatre cents millions d'années et moi, sur laquelle je ferais une petite place à Winslow, parce qu'essayer de se débarrasser de Winslow était comme de vouloir effacer une verrue ou empêcher un lapin de se reproduire. Pour marquer ma résolution d'un geste symbolique, j'ai pris la missive d'Anita dans ma poche et l'ai déchirée en mille morceaux, plus ou moins, que j'ai envoyés valser au-dessus du lac, où ils sont mollement retombés, comme une petite pluie bleue, pas pressée, dont certaines gouttes, désireuses de sentir encore la chaleur du soleil d'août, sont demeurées à la surface, où les lettres qu'elles contenaient, *Ti*, pour Tim, *ov*, pour love, *miss*, pour tu vas me manquer, se sont peu à peu diluées. Puis l'amour et l'ennui ont sombré, avec la tristesse, dans les eaux de Mirror Lake auxquelles rien ne résiste, une ombre s'est penchée sur moi, l'ombre d'un ami, une main s'est posée sur mon épaule, la main d'un ami, et Winslow a assis sa grosse carcasse près de la mienne, a fait hum-hum, puis m'a tendu le sac de Humpty Dumpty au vinaigre balsamique qu'il tenait à la main.

Dans un film en cinémascope, la scène aurait été presque touchante. La caméra nous aurait d'abord cadrés assez serré, deux hommes assis côte à côte sur un quai de bois, dans un lieu enchanteur que certains auraient associé au Québec, d'autres au Vermont, avec en arrière-plan un grand chien jaune et un moyen chien jaune – Bill ayant grandi – qui se couraient après, puis, un peu plus loin, sous les arbres, un chalet que tous les amoureux de la solitude auraient envié. Peter, aurait chuchoté une fille au gars qui se gavait de pop-corn près d'elle, dans la dernière rangée de la salle de cinéma, c'est un chalet comme ça que je veux, sans se douter, la pauvre, que le contrat d'achat comportait des options inscrites en caractères microscopiques. Puis la caméra aurait lentement reculé jusqu'au centre du lac tout en s'élevant doucement, mouvement qui aurait demandé qu'on plante une grue dans les profondeurs abyssales de Mirror Lake, le soleil couchant serait venu raser la tête dégarnie des deux hommes, illuminer le poil soyeux des deux chiens, dessiner des reflets étoilés dans les fenêtres du chalet, et tous les spectateurs, particulièrement la fille assise dans la dernière rangée, dont les yeux se seraient emplis de larmes sincères, auraient pensé au bonheur qui surgit naturellement de la combinaison d'éléments aussi simples qu'un lac, deux chiens, une talle d'épinettes, un soleil et, enfin, une amitié, visible dans la silencieuse harmonie des deux hommes.

Ce que le spectateur n'aurait pas compris, cependant, c'est que le silence du premier homme venait de ce qu'il était pétrifié, alors que celui du second tenait à ce qu'il n'avait rien à dire. Ce que le spectateur n'aurait pu voir, le cadrage n'étant pas demeuré serré assez longtemps, c'est la pâleur du premier homme, et ce qu'il n'aurait pu entendre, la salle en dolby stéréo étant envahie par la voix de Barbra Streisand interprétant *People* – « People/People who need people/Are the luckiest people in the world » –, c'est la voix étranglée du premier homme demandant à l'autre : Where did you find those fucking potato chips, Bob ? Puis l'autre lui répondre : In your fucking camp, Bob !

Mais on n'était pas dans un film, on était dans un putain de cauchemar, je venais de le décréter en réintégrant ce mot dans mon vocabulaire, même si Winslow tendait ostensiblement son sac de chips vers l'endroit où se serait trouvé l'objectif de la caméra s'il y en avait eu une, comme dans ces publicités à peine camouflées servant à augmenter les budgets de production des films où l'art est prêt à coucher avec le diable pour ne pas être réduit au silence auquel le diable le confinera de toute façon.

Impossible, lui ai-je répondu en anglais, je ne mange pas de ça. Il a pourtant insisté, en disant qu'elles traînaient dans le salon, à côté de la table basse, que c'est Anita qui avait dû les laisser là. Maybe a gift, a ajouté cet enfoiré sur un ton mi-dubitatif mi-romantique. Et là, tout à coup, j'ai revu l'air innocent du jeune Jones débouchant au coin du chalet avec son sac bleu et jaune tendu devant lui, le sourire rapace de Robbins m'empêchant d'attraper le sac que Jones m'agitait sous le nez, les miettes pas tout à fait mâchées reposant sur sa langue répugnante, et la conspiration, dans toute sa nudité, m'a sauté aux yeux, car il était patent qu'il y avait eu cons-piration, collusion, complot, et qu'ils s'étaient tous ligués contre moi, Robbins, Anita, Jones, jusqu'à ce crétin de Winslow, pour faire passer Humpty Dumpty de mes cauchemars noc-turnes à ma vie cauchemardesque. Comment avaient-ils su ? Je ne savais pas. Comment mon obsession était-elle venue à leurs oreilles ? Je m'en doutais, je parlais depuis toujours dans mon sommeil, ce qui m'avait d'ailleurs mis à quelques reprises dans des situations plutôt embarrassantes où l'on m'avait sommé de m'expliquer sur les fantasmes que mon subconscient n'était plus capable de retenir, comme si j'étais responsable des cris lubriques lancés par une partie de moi qui n'avait jamais été foutue de me parler en pleine face.

Quoi qu'il en soit, j'avais été victime d'une gigantesque machination où Anita avait tenu le premier rôle et où j'avais joué celui de la dinde, du bon samaritain ramassant la fille amochée qui déambule par hasard sur son chemin avec un œil au beurre noir. Mise en scène, que tout ça ! Anita n'avait pas plus d'œil au beurre noir que je n'avais de troisième œil, et c'est pour ça qu'elle passait des heures dans la salle de bain à se pomponner, se maquiller, se parfumer au *Shania*, pas pour cacher son œil honteux, non monsieur, mais pour se le pocher bien proprement! J'avais d'ailleurs remarqué, maintenant que j'y réfléchissais, qu'il n'avait pas l'air trop naturel, cet œil, pas l'air naturel d'un véritable œil au beurre noir, un peu trop attendrissant à mon goût, un peu trop larmoyant, alors qu'un véridique œil au beurre noir vous regarde avec hargne et mépris, comme s'il allait vous sauter dessus et écrabouiller votre sale petite gueule si seulement vous osez prononcer les mots *œil, douleur, peroxyde* ou *vert tendre*. Perfide, c'était le seul qualificatif valable pour exprimer la profonde nature de la femme que je découvrais soudain. Elle m'avait bien eu, l'ignoble, et moi qui avais été assez idiot pour la croire amoureuse, moi qui avais même été jusqu'à éprouver envers elle quelque chose qui était en train de devenir un sentiment, moi qui…

Je pensais avoir aligné tout ça dans ma tête, mais il faut croire que je gueulais depuis un bout de temps, car Winslow m'a saisi le bras en me disant wô, Bobby, stop, that's enough, you stop, et en me tendant un verre de whisky rempli à ras bord apparu durant l'ellipse temporelle qui m'avait échappé. Je devais avoir l'air assez dément, car les deux chiens m'observaient à une distance respectueuse en se demandant ce qui ne tournait pas rond chez moi, surtout Bill, qui n'avait pas l'habitude de me fréquenter au quotidien et semblait plaindre Jeff. Jeff is a happy dog, ai-je lancé à son intention, parce que j'en avais assez d'avoir tout le monde sur le dos, et j'ai saisi l'occasion pour dire à Winslow qu'il pouvait laisser tomber ses grands airs, que je savais pertinemment qu'il avait participé à la fomentation ourdie contre moi et que je n'allais pas boire son putain de whisky empoisonné. Bien entendu, il m'a dit que je déraillais, you're completely crazy, Robert, et autres formules du genre, mais je le travaillerais au corps et finirais bien par lui arracher des aveux, dussé-je avoir recours à la torture.

How do you know about Humpty Dumpty? ai-je demandé sur un ton qui se voulait calme, en me disant que les tons veulent parfois des choses diamétralement opposées à ce qu'on ressent, mais, pour toute réponse, je n'ai eu droit qu'au regard innocent de Winslow, innocent dans le sens de je ne sais pas de quoi tu parles, puis dans le sens de maudit innocent – perle séman- tique du répertoire d'injures québécois, qu'il faut probablement associer à la béatitude de l'innocent –, mais pas dans le sens de non coupable. J'ai donc reformulé ma question en avalant une gorgée de whisky, pour que mon ton qui se voulait calme continue à se vouloir tel, et ç'a été une erreur, monumentale, colossale, fatale, parce que ce whisky, comme tout whisky qui se respecte, était bel et bien empoisonné, et que, une gorgée en appelant une autre, la première fut le déclencheur de ce qui allait devenir la deuxième des cuites les plus mémorables de l'histoire de Mirror Lake.

Je raconte. Au bout d'une heure d'un interrogatoire serré, c'est-à-dire costaud, du genre inquisitorial, je n'avais rien pu tirer de Winslow, qui continuait à prétendre qu'il ne com- prenait rien à mon histoire de fou et devenait agressif. Je suis donc allé remplir mon verre et lui en ai apporté un, avec la bouteille, ce qui nous éviterait d'inutiles déplacements et radoucirait peut-être Winslow, que les chiens observaient à son tour à une distance respectueuse, pas trop contents de constater que cette journée qui aurait pu être belle, qui était belle en soi, si l'on nous rayait du décor, Winslow et moi, allait dégénérer. Après un premier verre, il se portait effec- tivement un peu mieux, ce qui a rassuré les chiens, et j'en ai profité pour reprendre mon interrogatoire, mais, comme j'en étais moi-même à la fin de mon deuxième verre, il y avait du mou dans mes questions, ramollissement qui a permis à

Winslow de détourner la conversation pour revenir à ce qui lui semblait l'élément central et négligé de cette journée : le départ précipité d'Anita. La promptitude de ce départ l'intriguait, alors que, pour ma part, je considérais qu'elle faisait naturellement partie de la logique du conspirateur, qui veut laisser croire que la précipitation de sa fuite a un sens, alors qu'elle n'a d'autre but que d'amener les témoins du départ en question à s'interroger quant à l'origine, la nature, la finalité et le pourquoi de la hâte ayant inopinément fait basculer le cours des événements.

Me suis-tu, Winslow? lui ai-je demandé après lui avoir exposé ma théorie de la traîtrise. No, il ne me suivait pas, m'ont répondu ses grands yeux innocents, dans le sens d'innocent. Quand j'ai voulu reprendre mon explication, faisant montre de l'entêtement de celui qui a un peu trop bu, Winslow a redétourné nos propos dans la direction où sa propre obsti-nation voulait aller, et lui avec, pour dire que si j'étais trop borné pour admettre que je présentais tous les symptômes du gars qui cherche à s'extirper des rets de l'amour, c'est ce qu'il a dit, snares of love, il avait le courage, lui, d'avouer qu'Anita allait lui manquer, I will miss her, he said. Pendant quelques douces en même temps qu'amères secondes, j'ai revu les petits morceaux de papier bleu de la traîtresse missive d'Anita flotter sur les eaux concurremment bleues de Mirror Lake, particulièrement celui où se diluait le verbe *manquer*, conjugué au futur de l'indicatif, seul temps qui vaille quand on s'apprête à souffrir, mais auquel manquait la marque du futur, ce qui donnait *miss*, comme mademoiselle. I'll miss you, miss… Il n'en fallait pas plus pour que l'image d'Anita se superpose aux petits papiers bleus où glissait délicatement sa main gauche, ornée d'une bague à cabochon, et que l'air de *La dame en bleu*, interprétée avec force trémolos par un Michel Louvain conscient de s'imprimer à jamais dans les mémoires malheureuses, anéantisse les efforts de Mireille Mathieu pour chanter plus fort que Vicky Leandros.

Pas moyen d'avoir une pensée tendre, me suis-je pleurniché, sans que la quétainerie ambiante de la fin du XXᵉ siècle
vous colle à la peau comme une vieille gomme chaude à une
semelle rétive. Pour tenter de m'en sortir, j'ai supplié Winslow
de me parler du bleu, de n'importe quel bleu et de sa beauté,
parce que j'avais besoin de me réconcilier avec cette couleur qui
n'aspirait qu'à retrouver sa pureté originelle, ce qui nous a
entraînés dans le jeu de la Pink Lady en bleu, que nous avons
sauvée du sort atroce de la dame en bleu pour l'imaginer assise
dans des buissons foisonnant de bleuets, avec des petits oiseaux
bleus sur les épaules, des hirondelles, comme Blanche-Neige
ou la Belle au Bois dormant, ni Winslow ni moi n'arrivions à
nous rappeler laquelle des deux était ainsi représentée, avec des
oiseaux tressant sa longue et soyeuse chevelure. Puis Winslow
a prétendu que ce n'était ni l'une ni l'autre, mais la Sainte Vierge,
ce qui était impossible, ai-je rétorqué, aimpossibeul, parce que
la Sainte Vierge n'avait pas de cheveux, mais un voile, un grand
voile tissé d'étoiles, ce qui nous a fait lever les yeux au firmament, où n'est pas apparue la Vierge Marie, on n'était pas assez
soûls pour ça, mais une petite étoile, une seule, dans le ciel de
ce début de soirée s'annonçant pour être frisquette et nous
apprenant du même coup que nous avions été victimes d'une
autre ellipse temporelle, ce dont nous ne nous sommes pas
souciés. Si on n'était pas assez soûls pour avoir des apparitions,
on l'était suffisamment pour ne pas s'inquiéter de la disparition de quelques petites heures qui ne signifiaient rien à l'aune
de l'éternité se déployant au-dessus de nos têtes.

Non, on a continué notre jeu, mais en déviant un peu, à
cause du mot *frisquette*, qui a fait rire Winslow, qui s'amusait de
tous les mots en *ette*. C'est comme les sœurs Arquette, m'a-t-il
confié, Patricia et Rosanna. Il ne pouvait voir leur nom au
générique d'un film sans se mettre à sourire, mais avant de le
laisser poursuivre, j'ai voulu savoir d'où il tenait qu'elles

étaient sœurs, parce que, pour ma part, je m'étais toujours posé la question. Il ne savait pas, pour lui ça allait de soi, avec un nom pareil, qu'il prononçait Arcouette, l'épais, elles ne pouvaient qu'être sœurs. Ah bon. Puis on s'est mis à énumérer tous les films dans lesquels elles avaient joué, pour se rendre compte, émerveillés, que Rosanna faisait partie de la distribution du *Grand bleu*, de Luc Besson, que la vie était une suite d'étonnements sans fin, un tissu d'inexpliquées interactions où chaque atome s'inscrivait dans la logique universelle du Grand Tout. Le seul lien qu'on a pu établir entre Patricia et le bleu, à part le fait qu'elle a les yeux de cette couleur, a été David Lynch, à cause de *Blue Velvet*, dans lequel Patricia ne tenait aucun rôle, soit, mais ça ne comptait pas, puisqu'elle avait joué dans un autre film de Lynch, *Lost Highway*, où il devait bien y avoir un peu de bleu et auquel Winslow n'avait rien compris. Je n'ai pas osé avouer que, moi non plus, je n'avais pas saisi toutes les subtilités de ce film, je suis un peu chiant, là-dessus. On a donc mis *Lost Highway* de côté pour se concentrer sur *Blue Velvet* et Isabella Rossellini, particulièrement sur la scène où elle se déshabille sous les étoiles en braillant. L'alcool bousillant la mémoire, ni l'un ni l'autre on ne se souvenait de ce qui expliquait le titre. Peut-être que la robe d'Isabella était en velours bleu, ai-je osé, mais Winslow m'a répondu que je mélangeais tout, que c'était la cape de la Sainte Vierge qui était en velours bleu, bleu nuit, bleu ciel, bleu ciel de nuit, et on a levé les yeux de concert vers le firmament étoilé où on a failli voir Marie, parce qu'on avait fini la bouteille de whisky, motif que nous avons saisi pour rentrer dans le chalet, ce à quoi Winslow a ajouté en s'esclaffant que ça commençait aussi à être friscouette. Friscouette, fucking french people !

Et la nuit s'est poursuivie comme ça, entre le whisky, Isabella Rossellini et la Vierge Marie. Il a également été question d'Anita, bien entendu, la blessure étant encore trop jeune pour que l'alcool n'en éveille pas la cuisante douleur. L'ébriété aidant, Winslow a presque réussi à me convaincre qu'il n'y avait pas eu conspiration et que, si complot il y avait eu, ni Anita ni lui n'y étaient mêlés. Ce n'est pas une conspiration, ai-je répliqué, si la moitié du monde n'est pas dans le coup, argument dont il s'est servi pour me dire qu'il avait raison, qu'il n'y avait pas eu fomentation, no fucking plot, Robert. Ça s'appelle une pétition de principe, je crois, ce type de raisonnement, mais j'étais trop ivre pour me lancer dans une analyse de discours. J'ai plutôt tenté d'expliquer à Winslow que l'omniprésence de Humpty Dumpty dans mon existence était on ne peut plus louche. Coincidence, m'a-t-il répondu, pure coincidence, don't let this fucking potato ruin your life, et ç'a été son dernier mot, car il s'est mis à ronfler là-dessus, assis bien carré sur sa chaise. Je lui ai quand même répondu Humpty Dumpty is not a fucking potato, Bob, he's an egg, puis je me suis endormi aussi.

Ce sont les coups frappés contre la porte qui m'ont tiré du sommeil au petit matin, dans la même position qu'une heure ou deux plus tôt, assis bien carré sur ma chaise, le menton sur la poitrine. Dans mon rêve, c'était Winslow qui frappait à la porte, déguisé en Humpty Dumpty, mais quand j'ai ouvert les yeux, je l'ai vu qui ronflait devant moi, le menton sur la poitrine, filet de bave en prime, si bien qu'il ne pouvait être dehors à faire le pitre ou l'épouvantail. Un grand frisson m'a parcouru quand j'ai pensé que ça pouvait être Humpty Dumpty en personne qui attendait de l'autre côté de la vitre noire, puis je me suis ressaisi en me traitant de tous les noms qui s'apparentent à poivrot et idiot, parce que j'avais honte d'avoir un peu trop bu et que ma peur était stupide, s'il faut le préciser. Ça ne pouvait être que deux personnes : Anita ou Robbins. J'ai donné un coup de pied à Winslow, qui est tombé de sa chaise en gémissant no! no! Humpty Dumpty is not a potato, he's an egg, ce qui m'a procuré un deuxième

frisson, car je n'aimais pas savoir que mes angoisses commençaient à pénétrer le paysage onirique de Winslow. N'ayant
pas le temps de m'attarder là-dessus, j'ai donné un deuxième
coup de pied dans les chairs molles de cette andouille et lui ai
annoncé qu'on avait de la visite. Empêtré dans les brumes du
sommeil, il m'a d'abord supplié de ne pas aller ouvrir, que c'était
Humpty Dumpty, puis, suivant le raisonnement que j'avais
moi-même ébauché quelques instants auparavant, il a conclu
avec une certaine gêne, hum-hum, tout en lissant le semblant
de chevelure qui lui collait au crâne, que ça ne pouvait qu'être
Anita ou Robbins. N'empêche, j'étais un peu nerveux quand
j'ai titubé jusqu'à la porte, on ne sait jamais ce que la vie nous
réserve. J'avais raison, j'avais cent fois raison, la vie est un tissu
de déroutantes et macabres surprises. C'était Jack Picard.

Je n'ai pas eu besoin de le reconnaître. D'entrée de jeu, il s'est présenté. Jack Picard, a-t-il prononcé de sa voix d'assassin, rauque, caverneuse, forgée à même l'atmosphère cryptique et brumeuse du monde interlope, semblable à ce qu'on s'imagine être, avec raison, la voix d'un assassin. La stricte civilité aurait voulu que je me présente à mon tour, mais c'était un peu trop exiger de moi, compte tenu de la situation. Je suis demeuré pétrifié, ainsi que ça m'arrivait souvent depuis une semaine ou deux, et, le temps qu'a duré ma pétrification, quelques questions, fort pertinentes dans les circonstances, m'ont traversé l'esprit.

Est-ce que je dors encore ou est-ce que je suis en pleine crise de *delirium tremens* ? me suis-je d'abord demandé, ce qui m'a bien entendu jeté dans une spiroïdale réflexion sur le vrai et le faux, le vraisemblable et le burlesque, le rêve, le cauchemar, l'antimatière et les bosons, toutes notions auxquelles j'étais entraîné. Puis, comme je n'arrivais pas à résoudre cette première question, qui contenait de nombreuses et épineuses sous-questions, mon esprit en alerte a bifurqué pour s'interroger à propos des mœurs de l'assassin. Depuis quand les assassins frappaient-ils avant d'entrer, ou, autrement dit, depuis quand les assassins frappaient-ils avant de frapper, comportement qui n'était pas à leur avantage, parce que si on annonce qu'on va frapper en frappant, le futur frappé a le temps de riposter et de subrepticement frapper le premier, d'où j'en ai déduit que Jack Picard n'avait pas l'intention de nous liquider, du moins pas tout de suite, sinon, il n'aurait pas frappé avant de frapper ou se serait contenté de frapper sans frapper, ce qui revient au même.

C'est délirant ce qui nous passe par la tête quand on est pétrifié. Pendant que Picard attendait dans l'encadrement de la porte, je me suis trituré les méninges quant à la possibilité qu'a un être immatériel de migrer d'une dimension à une autre ou, plus simplement, sur les chances qu'a une abstraction de se matérialiser. Depuis quand, en effet, les personnages de roman sortaient-ils prendre l'air vicié et instable d'une réalité dont rien n'authentifiait l'existence, prenant ainsi le risque de disparaître à tout jamais ? Depuis que j'étais entré dans le champ de gravitation de Mirror Lake, je ne voyais pas d'autre explication, ce qui m'a ramené à ma première question et à ses corollaires, de même qu'à l'une de mes récentes conversations avec Winslow. Qu'est-ce que je fais dans cette galère, ai-je soupiré, ce à quoi j'ai ajouté est-ce que je dors encore, est-ce que je suis soûl, ou les deux, soit : est-ce que je dors en état d'ivresse ?

C'est seulement quand la spirale s'est mordu la queue et que mes questions ont commencé à se marcher sur les pieds que je suis sorti de ma phase minérale pour réintégrer le monde des vivants, ce qui est une façon de parler, parce que plus on avance en âge et en sagesse, moins on sait ce que ça signifie. La seule personne qui semblait vivante, dans cette pièce, c'était Picard. Quant à Winslow, il avait la même gueule que la roche de quatre cents millions d'années, ce qui a entraîné mon esprit dans une autre série de questions où je me suis demandé si cette roche, ainsi que toute roche, avait des sentiments, si le sort de l'univers l'oppressait et si elle avait envie de se cogner la tête dans du mou quand tout allait mal, me basant pour formuler cette hypothèse sur le fait que les roches, nullement effrayées par le dur, doivent éprouver une certaine répugnance pour les choses molles, ce qui répondait à mes précédentes questions : oui, les roches avaient des états d'âme.

Pendant ce temps-là, Picard attendait, ce qui m'a incité à revoir ma position par rapport à certains préjugés voulant que les assassins soient impatients. En fait, en tant qu'assassin, Picard se positionnait assez bien dans l'échelle des valeurs régissant les rapports sociaux, aussi l'ai-je invité à entrer, avais-je le choix, faisant s'écarquiller les yeux de Winslow, pris dans le magma de matière inorganique où s'étaient figés ses traits.

La suite est un peu confuse, car je n'avais pas encore absorbé les contrecoups de la seconde des deux cuites les plus mémorables de l'histoire de Mirror Lake. Quand Picard s'est pointé, je pataugeais dans ces eaux fangeuses où le décor essaie de vous mettre en garde contre son déséquilibre et où la vue de la moindre miette de pain, tache de confiture ou parcelle de patate oubliée sur une nappe de plastique par un torchon négligent vous incite à prendre la résolution de ne plus jamais manger. Bref, je ne me sentais pas très bien et, pour tout dire, j'avais besoin d'un verre, ce qui, de toute évidence, était aussi le cas de Winslow, dont le regard était en voie de fossilisation, et de Picard, qui était un peu pâle.

J'ai sorti un verre propre pour Picard, ai rassis Winslow sur sa chaise, ai fait signe à Picard de prendre place et ai attendu stoïquement qu'il sorte son arme et nous dise qu'on était pris en otages. En fait, il n'avait pas d'arme et il n'avait pas soif, plutôt faim, d'où son petit air pâlot, alors je lui ai dit de se servir, que je n'étais pas sa bonne ; c'est fou ce que la nausée rend audacieux. Si j'avais été un héros, j'aurais pu l'attaquer par-derrière pendant qu'il fouillait dans le frigo, le ligoter à sa chaise et téléphoner à Robbins, ce qui m'a fait penser que je n'avais pas encore demandé à Winslow où il s'était procuré mon numéro de téléphone, il se passait trop de choses, je n'avais pas le temps de m'occuper de l'essentiel. Mais je n'étais pas un héros, je n'avais pas envie de faire plaisir à Robbins et, plus important encore, je ne savais pas comment on fait une clé anglaise, une prise de l'ours ou toute autre prise relevant d'une technique de combat servant à maîtriser l'adversaire.

J'avais été un adepte de la lutte, dans mon jeune âge, c'est-à-dire vers neuf ou dix ans. Après, j'étais devenu vieux, mais c'est une autre histoire. Tous les dimanches après la messe, beau temps, mauvais temps, je m'installais devant la télé avec mon frère pour écouter *Les étoiles de la lutte*, mettant en vedette les frères Rougeau, Little Beaver, Tarzan la bottine Tyler, Édouard Carpentier, Sky Low Low et toute cette bande de joyeux débiles qui se tapaient dessus à coups de chaise pendant que le public hurlait pour que l'arbitre sévisse contre ce qui aurait bêtement ruiné le spectacle. Je les entends encore, ces hurlements, quand le commentateur prenait la parole : « Dans le coin droit, ladies and gentlemen, Jâââques Rrrrougeau ! » Et la foule se déchaînait, pendant que mon frère et moi on y allait de quelques sifflements, de quelques yé, fesse, manque-lé pas, indifférents aux soupirs découragés de notre mère, occupée à préparer le dîner dans la pièce à côté. Après l'émission, on commençait à se bagarrer, ce que n'aimait pas non plus notre mère, même si ça faisait partie d'un rituel sans lequel l'harmonie des dimanches matin aurait été rompue. Comme j'étais déjà trop con pour m'affirmer, mon frère tenait le rôle du bon et personnifiait trois fois sur quatre Jacques Rougeau, dit Jack, ce qui faisait plus viril, comme dans ces westerns où les vrais hommes sont tous identifiés par des vocables brefs et secs, Bill, Bob, Will, Jeff, Jack, Joe.

Mes amis et moi, on était aussi des cow-boys, des vrais, droit sortis des studios hollywoodiens, raison pour laquelle on s'était donné des noms de mecs, qui surgissaient plus naturellement quand on brandissait nos revolvers en plastique ou qu'on jouait à la guerre – c'était permis, dans le temps, nos parents reconnaissant inconsciemment les vertus de la catharsis. Moi, je m'appelais Bob, évidemment, Raynald Bolduc, le cousin de Rosie, Ron, qu'il préférait à Ray, Denis Bélanger, Bill, à cause de l'admiration douteuse qu'avait son père pour Billy the Kid, et Yvan Lapierre, Jim, en l'honneur de Jim Bradley, alias Jim la Jungle, dont il était le fan le plus fidèle après Ginette Rousseau, qui se prenait pour la Déesse des lions. Pour les autres, j'ai oublié, mais une chose est certaine, on était déjà influencés par la culture états-unienne. Autrement, on se serait appelés Ti-Bob, Ti-Ron, Ti-Bill, Ti-Jim, selon la tendance qu'on avait au Québec à diminuer les diminutifs. Un gouvernement fier de son patrimoine linguistique pourrait subventionner une étude sur le sujet, mais ça a dû être fait, tout a été fait, y compris la bombe atomique et les pantoufles en phentex. Ça nous arrivait quand même, mes copains et moi, de nous donner du *Ti*, particulièrement quand on quittait nos habits de gangsters ou de héros du Far West et qu'on devenait des amis, tout simplement, preuve que, malgré l'influence du cinéma américain, on avait été fabriqués au Québec, avec des restants de courtepointe ou sur des airs de violoneux.

Tout ça pour dire qu'après la messe et la lutte du dimanche, je me bagarrais avec mon frère dans un combat inégal où j'étais invariablement le méchant, Abdullah the Butcher, Killer Khan, Zarinoff Lebœuf ou autre. Bien entendu, c'est mon frère qui gagnait, parce que c'était lui le bon, parce que j'étais plus grand et devais pour cette excellente raison me laisser massacrer, on appelle ça la justice, et parce que j'étais complètement nul dans ces jeux constituant à se prendre sereinement des coups sur la gueule. Je n'avais jamais été foutu d'apprendre à faire correctement une jambette, alors je n'étais pas très chaud à l'idée de m'attaquer à Jack Picard ce matin-là. Tout ce que je voulais, c'était connaître l'histoire de Picard pour résoudre quelques-unes des apories contenues dans les questions qui me travaillaient.

Pour revenir à Picard, celui-ci avait pris place de l'autre côté de la table pendant que j'émergeais du passé, et mangeait le reste de poulet rôti qu'il avait trouvé dans le frigo. Quand j'ai vu ça, je me suis prestement retourné, pour n'avoir pas à supporter le spectacle dégoûtant qu'offre toute forme de nourriture pour qui a abusé d'aliments liquides la veille, et j'ai constaté que Winslow, une main devant la bouche, cherchait également une surface propre où poser son regard, signe qu'il se défossilisait et n'allait pas bien non plus. Le problème, cependant, c'est que l'être humain, comme à peu près tous les animaux de cette planète, a cinq sens, et qu'on avait beau ne plus voir Picard, on l'entendait. L'odeur insistante du poulet froid devait par ailleurs se répandre jusqu'à Bangor, capitale du Maine, et il m'a fallu tout mon petit change pour retenir la marée qui me brûlait l'œsophage.

Le tout était de demeurer calme et immobile, surtout immobile, et de penser à autre chose. Je me suis donc rapidement cherché un sujet de réflexion, en pure perte. En général, il me suffit d'un rien, une petite fleur à la mine triste, une tache sur la tapisserie, un mot à consonance nostalgique, et voilà, c'est parti, je suis propulsé à des lieues de la scène qui se déroule devant moi. C'est une sorte de mécanisme d'autodéfense, mais qui ne fonctionne que spontanément, en vertu d'un système de déclenchement automatique interne. Si on essaie de l'actionner soi-même, ça ne marche pas. Je me suis donc rabattu sur mon absence de sujet de réflexion et j'ai réfléchi à ça, au fait qu'on peut penser pour ne rien penser, comme parler pour ne rien dire, avec cette nuance que la pensée sans objet peut aboutir à quelque chose qui vaudrait la peine d'être formulé si on avait envie de parler et si la non-pensée ne devenait pensée chaque fois qu'on veut l'exprimer. Mais, neuf fois sur dix, celui qui ne pense à rien préfère se taire, se concentrer sur le vide duquel il essaie de faire surgir une forme de *cogitatum*. C'est très zen.

C'était un sujet de réflexion, ça, le zen, et j'aurais pu m'y attarder si Winslow n'était pas de nouveau tombé de sa chaise en essayant de se lever pour se rendre aux toilettes. Il n'avait pas mes ressources, Winslow, et ne pouvait de toute évidence penser au fait de ne penser à rien. Je l'ai aidé à se traîner aux toilettes avant qu'il salisse mon plancher, et c'est là que Jeff et Bill sont entrés en scène, attirés par l'odeur du poulet froid, parce qu'ils ont aussi cinq sens, les chiens, auxquels j'en ajouterais un sixième, soit le bon sens de ne pas se soûler la gueule. Comme j'étais pour ma part sens dessus dessous, je les avais oubliés, et j'ai déduit de leur subite apparition qu'il n'avait dû s'écouler que quelques minuscules secondes entre le moment où la lumière du frigo s'était allumée et celui où Winslow s'était renversé. J'en ai aussi déduit que Jeff prenait de l'âge et déteignait sur Bill, atteint de ce fait de sénilité précoce, puisque ni l'un ni l'autre n'avait aboyé quand Picard s'était profilé, tel un tueur de l'aube, derrière la vitre noire. Faudrait que j'aie une bonne conversation avec Jeff avant qu'il arrive un malheur et que je dise à Winslow de parler à Bill, pour lui apprendre à ne pas répéter tout ce que disait Jeff et, surtout, à ne pas taire tout ce que ne disait pas Jeff.

Pour le moment, Jeff ne semblait pas trop en air de discuter. Il essayait même de se faire passer devant Picard pour un chien affamé que son maître ne nourrissait pas. Il est extraordinaire, dans le rôle de l'enfant battu et négligé. Il vous glisse des regards à fendre n'importe quelle âme, même celle des assassins, parce que les assassins ont aussi une âme, quoi qu'on en dise, faute de quoi ils seraient des zombies et n'assassineraient pas, à moins de vivre en Haïti, où il vaut mieux ne pas fréquenter les zombies. La différence entre l'âme d'un assassin et celle d'un non-assassin, c'est que la première est juste un peu plus noire, qu'elle contient des péchés plus mortels que d'autres. Je n'ai d'ailleurs jamais compris cette histoire voulant que tous les péchés mortels s'attirent le même châtiment et que Dieu pardonne également le meurtre et l'adultère. Ça m'a toujours paru injuste pour la personne qui s'est fait trucider. Quant au cocu, tant pis pour lui, il n'a qu'à tuer l'amant de sa femme et à monter se faire pardonner au ciel.

Mais peut-être que Dieu, qui existe depuis une éternité, ne se formalise plus de l'infime différence entre le bien et le mal. Peut-être que c'est de là que lui vient sa miséricorde, du fait d'en avoir tant vu et de savoir que nous ne sommes rien, de minuscules fientes de mésange ou de moineau, dont l'une des six milliards peuplant la planète était assise devant moi, à ma table, et nourrissait mon chien avec mon poulet en me toisant comme si j'étais un salaud. Jeff is a happy dog, ai-je craché au visage de Picard, et un long gémissement est venu des toilettes appuyer cette affirmation, sitôt suivi d'un bruit mi-liquide mi-solide, genre bruit de soupe aux légumes qu'on jette négligemment dans un bol.

Picard demeurant stoïque, c'est moi qui ai attaqué, on n'allait pas passer la journée à se regarder dans le blanc des yeux. What do you want? ai-je commencé. Pour toute réponse, il a levé vers moi l'os de poulet décharné qu'il tenait à la main, ce qui pouvait vouloir dire qu'il était venu nous faire la peau ou, tout simplement, se sustenter. J'ai donc choisi un nouvel angle d'attaque. I know who you are, lui ai-je renvoyé sur le ton du gars qui en a vu d'autres, ce qui l'a poussé à sourire et pouvait signifier deux choses, soit qu'il s'en foutait, soit que ma prétention l'amusait, car connaît-on jamais qui que ce soit, à commencer par soi-même? Dans ce deuxième cas, ça voulait aussi dire qu'il était un peu philosophe, comme le Jack Picard du roman de Morgan.

Pendant que je réfléchissais à ça, une troisième hypothèse m'a furtivement traversé l'esprit, où elle a laissé, ainsi que toute hypothèse furtive, une empreinte qui, pour légère qu'elle était, refusait de s'effacer complètement. Se pouvait-il, stipulait l'hypothèse furtive, que le tendancieux sourire de Picard signifie qu'il s'était foutu de ma gueule et n'était pas Jack Picard, mais John Doolittle, par exemple? Cette éventualité m'a rendu un peu nerveux, car je n'avais aucun moyen de vérifier qui il était réellement, à moins de lui demander une carte d'identité avec photo, ce qui ne se fait pas. Do you have an identity card with your picture on it? ai-je quand même osé. Le regard féroce qu'il m'a renvoyé pouvait être interprété de multiples façons, mais j'en avais ras le bol de couper les cheveux en quatre. J'ai siffloté *L'hymne à la joie* jusqu'à ce que Picard ouvre enfin la bouche pour m'apprendre qu'il avait besoin d'une arme. I need a gun, m'a-t-il lancé le plus naturellement du monde, comme s'il m'avait annoncé qu'il faisait beau ou qu'il aimait le jus de pamplemousse. Il m'aurait dit I need a woman, j'aurais été embêté, mais j'aurais compris. Même chose pour I need a car, I need a boat, I need a credit card. En fait, la seule chose qui m'aurait troublé autant que I need a gun aurait été I need you. J'aurais dû rester dans la non-pensée car, avant même que j'aie pu ouvrir la bouche, il a ajouté I need you... Pour faire changement, je me suis mis à rire, d'un petit rire nerveux, saccadé, qui tape sur les nerfs, et n'ai pas entendu la fin de la phrase de Picard. Jeff is a happy dog, ai-je hoqueté pendant que j'essayais de contrôler mon rire, ce qui n'avait aucun rapport avec l'affaire en cause, mais il fallait bien que je m'exprime si je ne voulais pas avoir l'air trop con, et c'est tout ce qui m'est venu à l'esprit, avec jus de pamplemousse, que je ne savais où ni comment placer.

À ce moment, Picard m'a détaillé avec le même air que Robbins, Jones et Winslow le jour où j'avais dit aleatory, il n'y avait pas si longtemps de ça, même si ça me semblait au siècle passé, et de la même façon que Bill et Jeff la veille, c'est-à-dire comme si j'étais cinglé, puis il a répété sa phrase, en entier cette fois, sans cette pause malhonnête entre I need you et le reste. I need you to get that gun, a-t-il répété tranquillement, et moi, ne parvenant toujours pas à contrôler le nouvel accès de rire qui se superposait au premier, j'ai répondu un fou, pour que tu transformes nos vieilles peaux en passoires ? No way. C'est la seule chose que j'ai dite en anglais, no way, mais il a compris l'essence de ma réponse, et, réagissant du tac au tac, il a saisi un couteau qui traînait sur le comptoir, preuve qu'il ne faut jamais laisser traîner un couteau, pour ensuite attraper Jeff et mettre le couteau sur la gorge du pauvre animal, qui continuait néanmoins à battre de la queue, croyant que ça faisait partie d'un jeu.

Mais Picard ne jouait pas, je le voyais à son naturel d'assassin revenu au galop lui labourer le visage de profonds et inquiétants sillons. Il n'y a pas de meilleur remède contre le rire incontrôlé, je le jure, que de voir quelqu'un qu'on aime menacé par une brute sanguinaire. Il n'y a pas non plus de meilleur remède pour dessoûler ni de meilleure façon de sentir remonter en soi les instincts refoulés du tueur. You touch this dog, you're dead, ai-je proféré d'une voix sans réplique et que je ne me connaissais pas, rauque, dure, venue des profondeurs brumeuses des mondes archaïques inscrits dans nos gènes. J'ai vu dans son regard de cosaque qu'il comprenait que je ne rigolais pas, mais aussi qu'il avait visé juste en s'en prenant à Jeff. J'étais prêt à tout pour ce chien et il le savait, l'ordure, il l'avait deviné dès qu'il avait mis les pieds dans ce chalet. Bien joué, Picard, me suis-je dit en moi-même, et si on avait été dans un film, j'aurais été Humphrey Bogart.

Comment aurait-il réagi, Bogie, dans une telle situation ? Il aurait allumé une cigarette en marmonnant t'en fais pas, poupée – parce que Jeff aurait été une fille –, et il aurait étalé ses cartes, pour ensuite prendre l'autre au détour avec une quinte flush. C'est ce que j'allais faire aussi, pour l'amour de Jeff. OK, ai-je fini par lâcher en m'allumant une cigarette imaginaire et en répétant que s'il touchait un poil de ce chien ou de quelque autre chien, il était mort. Satisfait de ma réponse, il m'a demandé un crayon et un bout de papier, sur lequel il a noté l'adresse d'un bar à Bangor. C'est là que je devais aller, où je demanderais Jack, de la part de Jack. Je devais également rapporter some dough, c'est-à-dire du blé, du fric, du pognon, de l'argent, a-t-il ajouté, tout à fait conscient que l'argent est un crime, ainsi que l'avait crié Roger Waters à la face du monde entier.

Je m'apprêtais à partir quand un bruit de chasse d'eau a attiré notre attention : Winslow, on l'avait oublié, celui-là. Il aurait été John Wayne ou Bruce Willis, j'aurais pu attendre une aide quelconque de sa part, mais je le rangeais plutôt dans la catégorie des Bozo le clown, en plus gros, aussi n'ai-je pas perdu mon temps avec ça. Picard ayant également compris qu'il n'avait rien à craindre de Winslow, il a ordonné : l'autre bozo, tu me le ligotes bien serré avant de partir. Le fait qu'il dise l'autre bozo, the other bozo, comme s'il y avait plus d'un bozo dans cette pièce et que l'autre bozo n'était pas lui aurait pu me choquer, mais je n'ai pas relevé, l'heure viendrait où j'abattrais ma quinte flush devant sa bouille interloquée et où on verrait bien qui était le bozo de l'autre. Quand Winslow est sorti des toilettes, je l'attendais avec une corde, et il a eu la surprise de sa vie quand il s'est rendu compte de ce qui se passait. What the fuck, a-t-il commencé en apercevant le couteau sur la gorge de Jeff, puis encore what the fuck quand je l'ai rassis sur sa chaise et lui ai attaché les mains dans le dos et les pieds aux barreaux. You're crazy, Robert, m'a-t-il soufflé avec son haleine empestant le vomi, you're not leaving me alone with this insane man ?

À ce moment, j'avais oublié que Winslow avait lu le roman de Morgan en entier, contrairement à moi, et qu'il savait de quoi il parlait. Je me suis contenté de lui chuchoter que je n'étais pas crazy, mais Humphrey Bogart, et que j'allais nous sortir de là s'il se tenait tranquille. J'ai bien vu qu'il avait des doutes, mais une seule chose comptait pour moi à ce moment : sauver Jeff. J'ai donc attrapé mes clés de voiture et, avant de sortir, j'ai reredit à Picard que si l'un quelconque des personnages séquestrés dans cette pièce, y compris Bozo le clown, était blessé ou pire, worst, à mon retour, je lui réservais le même sort qu'au poulet qu'il venait de se farcir. J'ai dit à Winslow de se fermer la gueule, shut up, Bozo ! puis j'ai lancé t'en fais pas, poupée, à l'adresse de n'importe qui, en même temps qu'une autre voix, venue de ma lointaine enfance, se répercutait entre les parois de mon crâne : «Je vais te sauver, Olive !»

Le bar où je devais me rendre et dont je tairai le nom pour ne pas nuire au tourisme, aurait pu être sympathique si on avait remplacé le barman par une barmaid et les cinq ou six poivrots qui traînaient dans l'obscurité semée de regrets par des clients capables de se tenir droit. Son standing aurait également été rehaussé si on avait lavé le plancher, changé le mobilier, refait la tapisserie, astiqué le zinc, ajouté une ou deux lampes et passé un petit linge humide sur les tables. Dès que je suis entré, j'ai senti que je pénétrais dans un monde qui avait depuis longtemps oublié le chant du martinet et qu'il me faudrait la jouer dure.

Double bourbon, ai-je lancé en anglais au type qui se tenait derrière le bar avant même de m'y être assis, mais ce n'était apparemment pas la façon de s'y prendre. Il m'a laissé sécher pendant cinq minutes sans daigner lever les yeux vers moi, faisant mine de lire un journal de la veille chiffonné par les cinq ou six poivrots qui cuvaient derrière moi leur vie merdique pendant que les mouches accomplissaient leur travail de mouches et appesantissaient l'atmosphère de leurs sinistres bourdonnements. I want to see Jack, ai-je repris de ma nouvelle voix rauque et, au léger haussement de son sourcil gauche, j'ai senti que quelque chose se passait dans le cerveau du gars qui avait d'abord décidé que je ne valais pas la peine qu'on perde son temps avec moi.

Which Jack? a-t-il demandé, le regard toujours rivé sur son journal crasseux, et je dois avouer que je ne l'attendais pas, celle-là. Quel Jack, quel Jack, est-ce que je savais, moi? Jack Jack, LE Jack, ZE Jack, celui qui me sortirait de ce pétrin et me permettrait de retourner à ma vie paisible, de retrouver mon chien, mon lac, mon orignal, ma roche et mon Winslow, bordel! Jack Jack, ai-je répondu avec un brin d'agacement, I have to talk to him. Qu'est-ce que tu lui veux? a riposté l'autre. It's private, je ne parlerai qu'à Jack, ai-je enchaîné pour lui montrer que je n'étais pas du genre à me laisser impressionner par un Jack ou deux, I'll only talk to Jack. Which Jack? a répété la tête de noix.

Avant que mes cellules nerveuses les plus performantes décident de s'autodétruire ou de se trancher mutuellement la gorge, ce qui suppose une certaine adresse, j'ai répondu Jack Rabbit, bordel, parce que j'ai tendance à dire des idioties quand la complexité du quotidien me contrarie. Ce n'était pas la bonne réponse et ce n'était pas non plus une bonne blague, je l'ai immédiatement vu dans les yeux de la tête de noix qui se dirigeait vers moi d'un pas assuré. Je n'avais que quelques secondes pour me racheter, sinon, cet affable malabar me jetterait dehors comme une pourriture, Jeff mourrait, Bill aussi, Winslow aussi, et moi avec, Picard n'allait sûrement pas laisser un témoin de son carnage, et quand Robbins arriverait dans un crissement de pneus, il serait trop tard, le sang aurait séché sur le plancher de la cuisine où des centaines de mouches accompliraient leur travail de mouches.

If you throw me out, my dog will die, ai-je crié avant qu'il ne saisisse le collet de ma chemise, faisant sursauter les poivrots, qui sont aussitôt retombés sur leurs tables respectives, mais mon instinct avait visé juste : Artie aimait les chiens. Il s'appelait en effet Artie, je l'apprendrais plus tard – il y en avait au moins un dont la marraine avait été inspirée –, et

Artie avait eu un chien lorsqu'il était enfant, un petit fox-terrier prénommé Bing, qui avait été la seule lumière de son existence, comme Bambi et Bamboo pour Anita, et auquel deux gamins de sa rue, Jack Ryan et Jack Bryan, avaient eu le malheur de s'en prendre, avec pour résultat que le premier Jack s'était fait couper les couilles et que le second avait perdu les siennes. Artie ne rigolait pas quand il s'agissait de chiens, on le sentait tout de suite. Que je lui révèle la menace qui planait sur Jeff l'a donc radouci, mais ça ne suffisait pas, il avait des ordres, je devais être plus précis quant au Jack que je désirais rencontrer. Dans l'énervement, je n'ai pas pensé à dire que je venais de la part d'un autre Jack, nommé Jack Picard, ce qui aurait illico résolu mon problème. J'ai plutôt demandé à passer un coup de fil et Artie m'a désigné le téléphone crasseux suspendu au bout du bar.

En composant mon numéro, j'ai prié comme je n'avais jamais prié pour que Picard réponde, même si je croyais encore moins en Dieu que la dernière fois que j'avais invoqué son nom. J'ai poussé la ferveur jusqu'à promettre au Tout-Puissant – c'est ainsi que je l'ai appelé, pour tenter de l'amadouer – que je ferais une neuvaine si Picard décrochait ce putain de téléphone. Mais outre que Dieu n'était pas con et n'aimait pas le mot *putain*, il ne m'a pas cru pour l'histoire de la neuvaine, si bien qu'il ne m'a pas exaucé. Après vingt sonneries, j'ai raccroché, j'ai recomposé, j'ai tenté de nouveau le coup avec Dieu, en laissant tomber les flatteries et en ne promettant rien mais, Dieu n'étant pas con, ça n'a pas marché. La troisième fois, je n'ai pas mêlé Dieu à ça, je l'ai carrément ignoré, je me suis concentré très fort sur Picard en le traitant de tous les noms et, à la trente-deuxième sonnerie, c'est Winslow qui a répondu.

Pendant un instant, j'ai pensé que j'avais jugé Winslow trop vite et que ce connard avait réussi à se libérer pour assommer Picard et le ligoter à son tour, mais c'était présumer des capacités de Winslow, que Dieu n'avait pas exaucé non plus, même s'il priait depuis trois bonnes heures pour que cette prise d'otages ne soit qu'un mauvais rêve. Thank god, a-t-il soufflé en entendant ma voix, inconscient de l'indifférence de Dieu, qui n'avait rien à voir avec le fait que Picard, à bout de nerfs, avait fini par pousser sa chaise jusqu'au téléphone en l'avisant de se tenir le corps raide, que s'il prononçait un seul mot de travers, c'est dans son gros bide qu'il enfoncerait l'étincelant couteau de cuisine rêvant de se faire les dents dans de la chair fraîche. Après un bref échange où j'ai fini par comprendre que Winslow ne serait jamais Bruce Willis et qu'il me fallait l'accepter tel qu'il était, je lui ai dit de me passer Picard, que ça urgeait.

— Picard, it's Moreau, ai-je amorcé.

— I know, a-t-il enchaîné furieusement.

— There are three Jacks in this fucking bar, ai-je poursuivi sur le même ton que lui, pour lui faire sentir qu'il ne m'intimidait pas, mais je ne savais pas encore qu'il y avait effectivement trois Jack dans ce putain de bar. J'ai choisi ce chiffre au hasard, pour qu'il me prenne au sérieux. Which Jack is the good one?

Silence.

— Which Jack, Picard? ai-je insisté, négligeant de lui demander une description physique du type en question, ce qui m'aurait peut-être aidé.

— Which Jack, which Jack? Jack Jack, a-t-il conclu en hurlant, my Jack, ZE Jack!

Les choses avaient changé depuis que Picard avait fait un séjour en tôle et il n'était pas au courant que les Jack s'étaient multipliés entre-temps. Quant à son Jack à lui, il s'appelait Jack tout court, Jack Jack, je n'avais qu'à dire ça, et que je venais de la part de Jack Picard. Est-ce que j'avais au moins mentionné que c'était lui qui m'envoyait? Silence au bout du fil qui se trouvait à Bangor, entre mes mains moites. Of course, ai-je explosé, rompant ainsi le silence, pour qui il me prenait? Puis j'ai raccroché en lui enjoignant de rester calme, que j'avais une idée, que j'allais rapidement régler cette affaire. Pour être franc, j'avais un peu honte quand je suis retourné vers Artie, à qui j'ai expliqué que je venais de la part de Jack Picard, qui ne connaissait qu'un Jack, ZE Jack, le Jack premier, quoi.

Who are you? a grommelé Artie, que le nom de Picard avait mis en garde, et la chanson du même titre, *Who are you* (ou ou, ou ou)? des Who, a commencé à jouer dans ma tête, en même temps qu'y défilait le générique de *CSI*, version Las Vegas, ce qui n'était vraiment pas le moment, même si je m'en serais bien tapé un épisode, chaudement installé dans un fauteuil, avec Jeff à mes pieds, couché sur mes pantoufles, dont le confort me manquait cruellement. Voyant que je tardais à réagir, il s'est approché et a répété sa question en inclinant son ombre gigantesque sur le seul petit bout éclairé du bar, que j'occupais. Who are you?

Who are you? Who are you? Comme s'il était possible de répondre à cette question sans s'empêtrer dans la métaphysique. Who are you? Nobody, personne, une cruche, un imbécile qui s'était réfugié dans les bois, croyant qu'il lui serait possible de se fondre dans la nature, de se faire semblable à la bête pour adopter le comportement de la taupe ou de la musaraigne commune, dite parfois musette, bordel! Who are you? Tu parles d'une question. Est-ce que je lui demandais qui il était, moi? Puis, constatant qu'Artie manifestait quelques signes d'impatience, j'ai fini par lâcher Robert Moreau, tant pis pour la métaphysique, mais j'aurais pu dire Denis Labranche que ça n'aurait rien changé, puisqu'il ne savait pas qui j'étais et qu'un nom n'a jamais défini la profonde nature de qui que ce soit, ainsi que me l'a démontré sa réponse: Robert Moreau… never heard that name. I'm a friend of Jack's, ai-je enchaîné, ce qui était un éhonté mensonge, mais qui s'en souciait. Which

Jack? a cru bon de répéter cet abruti. Picard! ai-je hurlé, faisant sursauter les cinq ou six poivrots, dont le cinquième a enfin renversé son verre. Pas besoin de t'énerver, m'ont dit ses yeux globuleux, puis il a disparu derrière un rideau miteux, exactement comme dans les films de Bogart, que j'avais oublié durant le trajet de Mirror Lake à Bangor.

Pour tuer le temps avant qu'il ne revienne, je lui ai piqué son journal, où il n'était question que de sang, de crimes odieux, de bombes qui explosaient, de corps déchiquetés, de chiens écrasés, ce qui m'a ramené à Jeff, qui devait maintenant se rendre compte que les choses allaient mal, même s'il ne lisait pas le journal. Ça m'a redonné un peu de courage et j'ai remis le journal à sa place pour me lancer dans la lecture des étiquettes des bouteilles alignées devant moi, un peu moins déprimantes que la feuille de chou dont se délectait manifestement Artie. J'étais rendu au bout de la première rangée de bouteilles quand celui-ci est revenu m'annoncer que Jack n'allait pas tarder. Which Jack? ai-je failli lui renvoyer pour faire le drôle, mais je me suis tu, j'ai ri dans ma barbe, je me suis gratté le nez, le front, l'oreille, tête inclinée, paupières mi-closes, parce qu'un fou rire montait en moi, puis j'ai fini par me pincer une cuisse, il fallait que ça cesse.

L'atmosphère s'était toutefois allégée depuis qu'Artie était passé derrière puis repassé devant le rideau miteux. J'ai même eu droit à mon verre de bourbon, gracieuseté de la maison, et à un grognement qui pouvait passer pour une marque de politesse. J'ai attrapé le verre et, en attendant l'arrivée de Jack, que j'espérais être le bon Jack, ZE Jack, j'ai poursuivi ma lecture, bien lentement, pour ne pas manquer de bouteilles, et mon esprit a fini par se perdre dans les différents lettrages et dorures ornementant les étiquettes pour ne plus être qu'une machine à décoder ne comprenant que dalle à ce qu'elle décode, comme toutes les machines, quoi qu'on dise de leur intelligence, si bien que je n'ai pas remarqué l'arrivée de Jack, qui s'est assis à côté de moi, dans l'ombre, en attendant que je réagisse, ce que je n'allais pas faire, puisque j'étais en mode machine. C'est Artie qui m'a sorti de mon coma en entrant dans mon champ de vision pour prendre la bouteille de vodka Smirnoff dont j'épelais mentalement le nom. J'ai cligné des yeux et, la première chose que j'ai vue de Jack, c'est le tatouage qui colorait l'entièreté de son bras gauche, une espèce de Shiva dont les multiples bras se déployaient sur ses biceps nerveux. J'ai aussi remarqué qu'il était d'assez petite taille, pour un Jack, ce à quoi je ne devais pas me fier pour mesurer son degré de férocité. En général, dans les films, les plus petits sont les plus méchants, et j'ai décidé de croire à la vraisemblance de la fiction.

Are you Jack? ai-je demandé en guise d'entrée en matière, ce qui n'était pas très subtil, mais je n'avais pas l'habitude de ce genre de situation et il fallait bien commencer quelque part. Comme l'autre ne semblait pas trouver ma question très à propos non plus, ainsi que me l'indiquait le frénétique déhanchement de Shiva, signe qu'il était sur le point de se mettre en colère, j'ai prestement ajouté Jack Jack, are you Jack Jack, LE Jack, ZE Jack? Après une ou deux secondes, Jack Jack a opiné du bonnet, Shiva s'est calmé, un poivrot a roté, nous étions prêts à parler de choses sérieuses.

J'ai donc expliqué à Jack Jack la raison de ma présence en regardant Shiva dans les yeux, Jack Jack ne m'offrant que son profil, qu'il avait rond, et, quand j'ai eu terminé, il m'a demandé pourquoi il devait me croire, rien ne lui prouvant que c'était bien ce tordu de Picard qui m'envoyait. Il marquait un point, là, qui n'était en réalité qu'un demi-point, car comment aurais-je connu son existence si Picard ne me l'avait révélée? Je me suis trouvé intelligent, quand je lui ai sorti ça, mais ce n'était pas tout à fait l'avis de Jack Jack, qui voulait des preuves tangibles. À court d'arguments, j'ai dit à Jack Jack que je venais d'avoir Picard au téléphone, ce qui a semblé lui suffire comme preuve tangible, car il a aussitôt crié à Artie (c'est là que j'ai appris son nom), qui s'était discrètement éloigné, d'aller chercher Jack. À ce moment, j'ai pensé, comme toute personne sensée, qu'il n'y avait que deux Jack, sinon Artie aurait demandé which Jack? Mais non. Il faut croire qu'ils savaient instinctivement de quel Jack ils parlaient, qu'ils reconnaissaient l'un ou l'autre au ton de la voix de celui ou celle qui en faisait mention, ou qu'il y avait une sorte de hiérarchie des Jack en vertu de laquelle ils apparaissaient toujours dans le même ordre.

Dix minutes et des poussières plus tard, durant lesquelles je n'ai ouvert la bouche, à l'instar de Jack Jack, que pour y déposer le bord de mon verre de bourbon, qu'Artie remplissait dès qu'il menaçait de devenir un verre vide, j'étais entouré de deux Jack, un petit Jack et un grand Jack, le deuxième Jack devant mesurer dans les six pieds et six. On était donc installés par ordre de grandeur, le grand Jack à ma droite, moi au centre, et le petit à ma gauche, comme les frères Dalton, moins un. J'ai tout de suite associé le petit Jack à Joe Dalton, à cause de sa mine mauvaise, et le grand à Averell, à cause de son air stupide. Quant à moi, j'ai choisi de représenter William, pour éviter la confusion. C'est à ce moment qu'une forme de zébrure kaléidoscopique a illuminé l'espace mental dans lequel j'évoluais, faisant apparaître Joe Dassin, vêtu d'un ridicule costume blanc, devant la bouteille de Smirnoff. J'ai tout de suite appréhendé ce qui allait se produire mais, avant que j'aie pu repousser l'image de Dassin, celui-ci entonnait «tagada, tagada, voilà les Dalton, tagada, tagada, voilà les Dalton». C'en était fait, j'étais cuit pour quelques heures durant lesquelles je devrais me farcir la chanson la plus désolante de mon inépuisable répertoire. J'ai avalé d'un trait mon verre fraîchement rempli, espérant que l'alcool effacerait Dassin et le ferait taire, mais le résultat a été diamétralement opposé à celui escompté. Les pouvoirs insoupçonnés de la mémoire, dont je m'émerveille parfois, sont allés chercher dans un profond repli de mon cerveau le reste des paroles, que j'ai laissées couler sur le bar, tel un filet d'écume et de fiel, pendant que les deux Jack parlementaient tête baissée en dessinant du bout des doigts des formes abstraites dans les traces de verre gommeuses du bar, que contournait le filet d'écume et de fiel.

Tout en suivant le trajet des doigts de Jack Jack, qui reproduisait une pieuvre ou un homme de Vitruve, je suivais aussi, à travers la mélodie de Dassin, sa conversation avec l'autre Jack, le grand, dont l'essentiel portait sur le fait que le grand Jack devait aller chercher une arme, des munitions et du pognon pour Picard, qui était dans le pétrin. C'était moi qui étais dans le pétrin, au cas où ils ne l'auraient pas noté, mais j'ai fermé ma gueule, d'autant plus que le petit Jack s'est énervé, pareil à Joc Dalton, quand le grand Jack a voulu savoir s'il avait des preuves tangibles relativement au fait que c'était bien Picard qui m'envoyait. Devant la couleur du petit Jack, d'un cramoisi indiquant que celui-ci risquait une hémorragie interne, le grand Jack a compris qu'il était inutile d'insister. Il s'est faufilé derrière le rideau crasseux, pour immédiatement revenir en compagnie du troisième type, le troisième Jack, de taille moyenne, qui s'est assis à côté de moi, tandis qu'Averell s'installait au bout de la ligne. Placés dans cet ordre, le troisième Jack devenait William et je devenais Jack, si bien qu'on était quatre Jack assis au bar, à parler d'un cinquième Jack.

Cette procession de Jack m'ayant un peu étourdi, j'ai commandé un café à Artie et il m'a demandé si je désirais un cornet de crème glacée avec ça. Ça signifiait qu'il n'avait pas de café. Puis, sans trop m'en apercevoir, je me suis retrouvé avec un Magnum, une boîte de munitions et un paquet de billets devant moi. Pour être sûrs que je ne les double pas, les frères Dalton ont décidé qu'Artie allait m'accompagner. Je n'étais pas très chaud à cette idée, mais comme j'étais un peu ivre et que, visiblement, je n'avais pas le choix, un deuxième conducteur serait le bienvenu, mais Artie a refusé de conduire. Pour que tu me colles le Magnum sur la tempe ? Tu me prends pour un con ou quoi ? Et si je te le confiais, le Magnum ? No way. Artie ne voulait pas prendre le volant, parce que dans les films, c'est toujours le conducteur qui est en position de faiblesse et se fait piéger. Tiens, en plus d'aimer les chiens, Artie aimait le cinéma. Ça nous ferait des sujets de conversation durant le trajet, qui s'annonçait pour être long.

J'ai attendu qu'Artie ferme sa caisse, je suis allé pisser, il est allé pisser et on a laissé les trois Jack derrière nous, dans l'obscurité d'un bar ignorant qu'au dehors, le martinet agrémentait toujours la nature féconde de son chant mélodieux. Passé la première intersection, j'ai commencé à souffler un peu et j'ai proposé à Artie de mettre la radio, histoire d'enterrer définitivement Dassin, qui terminait son refrain dans la boîte à gants, inconscient de la pitié qu'il m'inspirait. Sa réponse a été non, qu'il n'aimait pas la musique. OK. Ç'a été une bonne chose, sinon, on aurait raté l'oignon.

Je m'explique. À la sortie de Bangor, Artie et moi, on a entendu une espèce de petit bruit froissé dans la voiture. On a tout de suite pensé qu'une bestiole s'y était introduite, du genre écureuil ou mulot. J'ai donc garé la voiture, en vue de libérer la bestiole, mais tout ce qu'on a trouvé, c'est un oignon, qui se baladait sous le siège d'Artie. J'ai voulu le libérer, comme je l'aurais fait avec la bestiole, mais Artie a dit non, on le garde, we keep it, et il l'a installé au milieu de la banquette arrière, pour l'avoir à l'œil. Artie m'a ensuite expliqué qu'il éprouvait une sorte d'affection pour les choses, qu'il avait eu une patate, quand il était petit, qui était devenue sa confidente pendant quelques semaines après la mort de Bing, puis, comme je ne connaissais pas encore Bing, il m'a raconté son histoire, en insistant sur l'émasculation de Jack Ryan et de Jack Bryan, les deux morveux qui ne toucheraient plus jamais un chien de leur putain de vie. C'était assez sanglant, comme histoire, mais plutôt touchant. Puis la patate était arrivée, qu'il avait nommée Bing, en mémoire de Bing. C'était une patate du Nouveau-Brunswick, les plus gentilles, avec des petits yeux et tout, a ajouté Artie, puis il s'est tu, car ce souvenir le remuait. Je n'aurais pas été légèrement ivre, j'aurais pensé qu'Artie avait perdu un ou deux boulons peu de temps avant ou après sa naissance, mais comme je l'étais et que la griserie accentue parfois le sentimentalisme, je me suis pieusement joint à son silence, que j'ai rompu en disant à Artie qu'il pouvait garder l'oignon, que je le lui donnais, mais il n'a pas voulu, il a répondu c'est ta bagnole, c'est ton oignon.

Pour passer le temps, on a cherché un nom à l'oignon. Artie voulait d'abord l'appeler Bing, mais j'étais d'avis que ça commençait à faire, les Bing et les Jack, et j'en ai profité pour lui demander comment ils faisaient, là-bas, pour savoir de quel Jack ils parlaient. Tout est dans l'accent tonique, a répondu Artie. For the little Jack, on devait mettre l'accent sur la première lettre, for the medium Jack, sur la deuxième, and for the tall one, sur la troisième et la quatrième, qui étaient identiques, [k] [k], a prononcé Artie en phonétique et en postillonnant légèrement à cause de l'occlusion vélaire sourde. Conclusion : on ne pouvait désigner clairement que trois Jack, même si le nom avait quatre lettres. Au-delà de ça, on tombait dans la confusion. Ah bon… Avoir su. Pour revenir à l'oignon, j'ai fini par accepter un compromis et on l'a appelé Ping, Ping l'oignon. Artie était content. De fil en aiguille, la nuit est tombée, parce qu'il fallait bien qu'elle tombe, puis on est arrivés à Mirror Lake sans avoir eu le temps de discuter cinéma.

En descendant de la voiture, je me sentais un peu nerveux, car je redoutais ce que j'allais trouver dans le chalet. Avec un gars tel que Picard, prêt à tout pour ne pas retourner à l'ombre, on ne sait jamais ce qui peut se produire, d'où les battements redoublés de mon cœur, que n'a pas entendus Artie. Comme je m'engageais dans l'escalier, il a mis sa grosse main sur mon épaule et m'a demandé and Ping, you forgot him? Ping… J'avais oublié Ping dans l'auto, où je suis allé le chercher, pour demeurer dans les bonnes grâces d'Artie. Viens, Ping, ai-je prononcé assez fort pour qu'Artie m'entende, je vais te montrer ta nouvelle maison. À son sourire, j'ai vu qu'Artie était satisfait, il suffisait de peu de chose pour le combler, cet enfoiré, puis je suis retourné vers l'escalier, j'ai salué la roche de quatre cents millions d'années au passage, parce que j'étais un peu animiste aussi, et nous sommes entrés.

J'avais eu tort de m'inquiéter, tout le monde dormait, Picard sur le divan, Jeff sur le tapis, Bill sur le tapis, Winslow sur le tapis aussi, où sa chaise s'était renversée. La scène a ému Artie, qui aurait bien aimé avoir un appareil photo. Quant à moi, j'étais plutôt contrarié. Ni Jeff ni Bill n'avaient cillé à notre arrivée, ce qui n'était pas normal, puis ça a fait tilt dans ma tête et je me suis affolé : si aucun des deux chiens n'avait réagi, c'est qu'ils étaient morts! Je me suis précipité vers Jeff, Winslow s'est réveillé en sursaut en hurlant NO! NO! Humpty Dumpty is not a potato, Picard a bondi du divan et attrapé Jeff et le couteau avant moi, Jeff s'est mis à aboyer, Bill de même, et Artie a fait une prise de l'ours à Picard. Même Ping s'en est mêlé, qui roulait sur le tapis au gré de l'agitation du moment dans un bruit de friture et de nervosité.

C'était carrément ridicule et j'en avais carrément marre de jouer aux idiots, alors je me suis planté au milieu de ce bordel et j'ai crié wô, stop, on arrête, mais personne ne m'a écouté, sauf Ping, qui a reçu une taloche et s'est ramassé à bout de souffle dans un coin de la pièce, où il est demeuré coi. Autour de moi, ça continuait à jurer, à ahaner, à délirer, Humpty Dumpty, Humpty Dumpty, à aboyer, à se mordre et à y aller de traîtres crocs-en-jambe et de vicieux uppercuts, le tout dans le plus grand désordre, que j'ai fait cesser en armant le Magnum et en tirant un coup au plafond, d'où un semblant de lustre s'est décroché pour tomber sur Artie, qui est tombé dans les pommes, incident dont a profité Picard pour empoigner de nouveau Jeff et le couteau.

On était revenus à la case zéro, mais au moins, j'avais droit à un peu de silence, si j'exclus le bruit de fond des respirations qui se cherchaient. C'était maintenant un revolver contre un couteau, mais Picard avait un avantage, il avait Jeff. OK, ai-je concédé, you give me Jeff, I give you the gun, but you give me Jeff first. Picard ne me faisait pas confiance, je présume, parce qu'il voulait l'arme en premier. Comme je n'avais pas confiance en lui non plus, on était dans une impasse. Quoi qu'il en soit, si je voulais récupérer Jeff, il faudrait que je lâche le Magnum, mais qu'est-ce qui me prouvait que Picard ne nous ferait pas la peau à tous, y compris à Jeff, une fois qu'il aurait l'arme en mains? You have my word, a lancé Picard, mais que valait la parole d'un truand?

Je conjecturais là-dessus quand Winslow, qui avait lu le roman de Morgan, s'en est mêlé pour dire que je pouvais donner ce putain de Magnum à Picard, que celui-ci tiendrait parole, que c'était comme ça que ça se passait dans le putain de roman. What the hell are you talking about? ai-je murmuré à l'intention de Winslow, non parce que je voulais me confier à lui, mais parce qu'une main invisible me nouait les cordes vocales. I'm talking the truth, a riposté Winslow, puis il m'a raconté que, dans le roman, Picard faisait une prise d'otages semblable à celle dont nous étions les protagonistes et qu'il ne tuait personne quand l'abruti qui avait parcouru deux cents milles pour aller lui chercher une arme la lui remettait enfin. Absurde, la situation était totalement absurde, et si on avait été dans un roman ou dans une pièce de théâtre épique, quelqu'un aurait pu se servir de nous pour illustrer la théorie d'Aristote sur le vraisemblable et son contraire.

So? ont dit Picard et Winslow de concert, et j'ai baissé les bras, parce qu'il était clair que j'étais dans un rêve, et on ne meurt pas, dans les rêves, on se fait un peu tabasser, parfois, mais ça s'arrête là. J'ai remis l'arme à Picard, Picard a lâché Jeff et le couteau, Jeff m'a sauté dans les bras, Bill n'a pas su où aller, Winslow étant toujours ligoté, et Artie a entrouvert les yeux, émerveillé par le tableau que nous formions, Jeff et moi. I'm in a dream, a pleurniché ce connard, pendant que Winslow demandait si quelqu'un, par hasard, ne pouvait pas le détacher.

Dix minutes plus tard, on était tous assis autour de la table avec le poulet froid, et Winslow, qui me trouvait un peu déprimé, me répétait qu'on ne pouvait pas récrire l'histoire, quand c'est écrit, c'est écrit, when it's done, it's done, alors que je lui exposais mon point de vue sur le rêve et la réalité, que ne partageait pas tout à fait Picard, qui était un peu philosophe. Quant à Artie, il mangeait, Ping installé devant lui. Et c'est quoi, cet oignon? a fini par demander Winslow. C'est Ping, ai-je répondu, un oignon magique, et personne n'y touche. Picard a cru que j'étais cinglé, mais au point où j'en étais, l'opinion qu'on pouvait avoir de moi m'importait autant que celle qu'on avait du père Noël, que je n'aime pas. Puis Picard nous a narré son évasion, qui avait eu lieu au cours d'un repas avec six autres prisonniers, exactement comme dans le roman, a remarqué Winslow, nullement troublé par ce qui me forçait à réévaluer mon entière perception du monde. Life is a storybook, a-t-il ajouté pour me remonter le moral, mais c'est Picard qui y est parvenu en parlant d'un des prisonniers, un dénommé Bob, qui était complètement obsédé par Humpty Dumpty, tout en demandant à Winslow s'il faisait la même fixation. Are you obsessed by this potato?

J'aurais pu prendre mes jambes à mon cou et disparaître dans la nature, l'occasion était idéale, mais j'avais trop peur d'aboutir dans un autre roman. Alors je me suis mis à rire, que pouvais-je faire de mieux, et j'ai demandé à Picard comment s'appelaient les autres prisonniers, mais je connaissais déjà la réponse : Bill, Jeff, Artie et Robert, qui n'aimait pas qu'on l'appelle Bob. Il en manque un, ai-je dit à Picard, with you, you were seven. J'avais peur qu'il m'apprenne que le septième se prénommait Ping, mais c'était encore pire, il s'appelait Tim.

Quand il a prononcé ce nom, Winslow et moi on s'est regardés dans les yeux, comme deux gars qui se connaissent suffisamment pour se comprendre sans se parler, et on a crié tout le monde dégage, les flics arrivent! Les autres n'ont pas saisi tout de suite, mais quand ils ont entendu le crissement des pneus dans la cour, ils ont préféré nous croire, même Picard, qui savait que cet épisode ne figurait pas dans le roman de Morgan. Comme le temps pressait, j'ai pris les opérations en charge. J'ai expédié Winslow dehors pour qu'il retienne Robbins aussi longtemps que possible, j'ai envoyé Picard dans le garde-robe de la chambre, avec le souvenir d'Anita, et j'ai dit à Artie de ne pas bouger, que si on lui posait des questions, il n'avait qu'à dire qu'il était mon cousin. Et comment je m'appelle? a-t-il cru pertinent de demander. Artie, tu t'appelles Artie, lui ai-je renvoyé un peu sèchement. You have a cousin named Artie? It's funny… Je n'ai pas relevé, ce mec était vraiment plus con que je ne l'avais d'abord cru. J'ai à peine eu le temps d'apercevoir le Magnum, sur lequel je me suis assis, que Robbins entrait, déchaînant sur-le-champ les aboiements de Jeff, sitôt imité par Bill, ce qui m'a intérieurement réjoui. Bon chien, va, c'est ce que j'aurais dû lui dire mais, vu les circonstances, je lui ai ordonné de se taire, de même qu'à Bill. Jeff a paru un peu frustré, Bill déçu, mais je ne pouvais pas contenter Gilberte et son voisin.

On se fait un petit cocktail, a little coquetel, a ironisé Robbins avec son sourire de requin-marteau en constatant le désordre des lieux, restés en l'état depuis la bagarre que j'avais provoquée malgré moi. Yes, ai-je répondu, plus laconique que jamais. What brings you here ? a enchaîné Winslow, conscient de la volontaire concision de mon discours. C'était simple, un quidam avait cru voir Picard dans le coin et il effectuait la tournée des chalets, au cas où quelqu'un serait dans le pétrin. Tout allait bien, lui a assuré Winslow, on s'était organisé une petite fête, on s'amusait, on n'avait vu personne, on rigolait, on lui téléphonerait si on apercevait un individu louche passer sous nos fenêtres. Ou Robbins s'ennuyait, ou il voulait nous dérider, ou il ne nous croyait pas, il a décidé de s'asseoir à la table, histoire de faire un brin de conversation avec Artie. C'était le moment périlleux. Si Artie ouvrait la bouche, on était cuits. Je suis précipitamment sorti de mon mutisme pour répondre à la place d'Artie à l'interrogatoire de Robbins, qui s'est énervé et a voulu savoir si Artie était muet. Yes, he's mute, completely mute, ai-je confirmé en regardant Artie dans les yeux, pour être sûr qu'il comprenait, et il comprenait, cet idiot. J'aurais été seul avec lui, je l'aurais embrassé, mais il ne perdait rien pour attendre.

Constatant qu'il ne tirerait rien d'Artie, Robbins s'est tourné vers Ping et a demandé c'est quoi, cet oignon ? Qu'est-ce qu'ils avaient tous à s'intéresser à Ping, je ne sais pas, mais ça commençait à me taper sur les nerfs. It's Ping, a magic and singing onion, and you don't touch it. Tant qu'à passer pour un cinglé, autant y mettre le paquet. Décontenancé, Robbins s'est levé, non sans lancer un coup d'œil dubitatif à Ping, puis a déclaré qu'il allait faire le tour du chalet. Croyant qu'il parlait de l'extérieur, je n'ai pas réagi. Quand j'ai constaté qu'il se dirigeait vers la chambre, j'ai crié NO! et me suis levé, laissant le Magnum à découvert, ce qu'a vu Artie, qui s'est promptement assis dessus, si bien que je lui devrais deux baisers quand Robbins clairerait la place. Do you have a mandate? ai-je ajouté, mais Robbins n'a pas saisi. A mandate, ai-je répété, a piece of paper, an authorization. Oh! s'est-il exclamé en bombant le torse devant la pauvreté de mon vocabulaire, you mean a w-a-r-r-a-n-t. Yes, a warrant, rogatory papers, comme tu voudras, tête de nœud, do you have one? No, il n'en avait pas, c'est bien ce que je disais, il n'avait donc qu'à revenir avec un.

Après cette prise de bec démontrant que l'utilisation du terme juste facilite la communication et sauve parfois des vies, ainsi que le croyaient Bob Winslow et Ludwig Wittgenstein, Robbins a quand même vu que quelque chose n'allait pas. What's going on in here and what are you hiding in that fucking room? a-t-il proféré sur un ton menaçant. Nothing, my privacy, get a warrant and I'll show it to you. Là, Robbins m'a regardé droit dans les yeux, on se regardait beaucoup dans les yeux, cette soirée-là, et j'ai vu défiler dans ses Ray-Ban toute l'histoire du Petit Chaperon rouge : comme vous avez de grands yeux, mère-grand, comme vous avez de grandes dents! J'avais le mensonge inscrit dans le visage, mais que pouvais-je y faire : je mentais. S'il n'y avait eu aucun témoin, je suis persuadé que Robbins aurait ignoré ma demande de mandat et enfoncé la porte de la chambre avec ses bottes à éperons, mais comme nous n'étions pas seuls, il devait obtempérer.

Je ne suis pas certain que le verbe *obtempérer* était approprié, mais j'avais envie de dire obtempère, alors c'est ce que j'ai dit, obtempère, Robbins, et je l'ai laissé mariner dans son ignorance, chacun son tour. Il s'est alors écoulé quelques secondes durant lesquelles une personne extérieure à la scène aurait pensé qu'on avait oublié notre texte ou qu'on s'ennuyait, puis

Robbins s'est dirigé vers la porte en proférant I'll be back, ce qui devenait lassant et ne nous apprenait rien. En passant près d'Artie, cet abruti a quand même tenté de lui tendre un piège en claquant des mains et en criant boooh! ce qui a bien entendu fait sursauter Artie, ainsi que toutes les personnes présentes dans la pièce, sauf Ping. Ah, ah! a triomphalement tonné Robbins, I knew he was a fake. Je lui ai rappelé qu'Artie n'était pas sourd ni fake, mais muet. Si Robbins avait eu des yeux, je suis sûr qu'on aurait pu y lire l'expression de la bêtise dans ce qu'elle a de plus démuni, mais les Ray-Ban cachaient ce genre de choses.

Lorsqu'il est sorti, j'ai tout de même vu qu'il s'interrogeait encore et se demandait ce qui n'avait pas marché dans son truc. What a bloody fool, a chuchoté Artie une fois la porte refermée, et Robbins l'a immédiatement rouverte pour s'écrier who said that? Il avait beau être attardé, ce mec, il avait des antennes, et Winslow s'est sacrifié en disant moi, tout simplement, me. Robbins ne l'a pas cru, mais sans détecteur de mensonge, il n'avait pas beaucoup d'options. Alors il est reparti.

Quant à nous, on est restés immobiles, comme sur une carte postale ou, mieux, comme sur l'image d'un film arrêté sur pause, et on a attendu que le vrombissement du 4 x 4 se soit éloigné avant de bouger. C'est Picard, en fait, qui a remis l'image en marche en sortant de la chambre avec le soulier orphelin d'Anita, dont l'autre attendait toujours ses parents ou le prince charmant dans le bosquet de fougères près du chalet. Il voulait savoir où se cachait la femme dont le parfum flottait dans le garde-robe, parce qu'il avait besoin d'une femme, I need a woman, a-t-il grogné d'un ton concupiscent que je lui aurais fait ravaler si Anita avait été là, mais elle n'était plus là, ce que je lui ai dit, gone forever, tout en baissant les yeux sur les misérables souvenirs que remuait en moi le soulier oublié, probablement victime d'un acte manqué.

Quand je suis sorti de ma rêverie, j'ai entendu Winslow qui murmurait… in love with her, le traître, pendant que les yeux d'Artie se mouillaient, et j'ai protesté en disant que je n'étais pas plus amoureux d'Anita que je ne l'étais d'Artie, sur les joues de qui je suis allé déposer les deux baisers que je lui devais. Mon geste contredisait mes paroles, mais je n'en étais pas à une contradiction près, et ils ont tous compris, y compris Artie. Qu'est-ce qu'on fait, maintenant ? Je me pousse, a lancé Picard en ramassant ses affaires et mes clés de voiture, que j'ai tenté de récupérer malgré la gueule patibulaire du Magnum pointé sur moi. I need a car, a-t-il annoncé sur un ton n'admettant pas la réplique, exprimant ainsi le dernier des désirs que j'avais anticipés, mais j'ai répliqué quand même en objectant qu'il n'aurait pas bouclé sa ceinture que Robbins le coincerait. Il se doutait de quelque chose, Robbins, et nous aurait à l'œil. Si ça se trouvait, il était embusqué en haut de la route et attendait que Picard se pointe. Et Artie, ai-je ajouté, comment je vais le ramener aux trois Jack si je n'ai pas de voiture ? J'ai dans l'idée qu'ils ne seront pas contents de le voir arriver à pied au bout de trois jours. Je peux rester, s'est empressé de répondre Artie, qui aurait bien aimé changer d'existence et vivre sur le bord d'un lac avec des chiens, des amis, des oiseaux, ignorant à quel point la nature est agitée et sa douceur trompeuse.

Ça n'a toutefois pas influencé Picard, qui avait un plan en tête. Artie allait conduire, et lui, il se cacherait dans le coffre. Encore un plan de fou, et qui ne fonctionnerait pas, mais je me suis tu, j'aurais dépensé ma salive inutilement. Artie a fait ses adieux à Ping en lui recommandant d'être sage, il a caressé la grosse tête de Jeff et la moyenne tête de Bill, puis il est parti les épaules voûtées, hanté par les images d'un rêve envolé sitôt esquissé. And don't forget you're mute, lui ai-je rappelé au cas presque certain où ils croiseraient Robbins, et il n'a pas répondu, pour me montrer qu'il avait pigé, je l'ai vu dans le petit sourire qui a glissé dans ses yeux marron. Il allait me manquer, Artie. Je ne me reconnaissais pas. Alors que j'avais, en des temps immémoriaux, pris la résolution de détester la terre entière, il ne m'avait fallu que quelques heures pour m'attacher à une brute qui avait sur les mains le sang de deux gamins et dont les pieds trempaient sans doute dans la cervelle de quelques autres inconnus. J'étais comme Jeff, je me ramollissais, il faudrait que je me parle, sérieusement.

Après qu'ils eurent été partis, le chalet était un peu vide et triste, comme à la fin d'une fête, quand il ne reste plus dans la maison en désordre que le parfum volatile des femmes, le souvenir des rires, de la chaleur des voix, de l'entre-choquement des verres. J'ai donc offert un dernier verre à Winslow, parce qu'il était un peu maussade, lui aussi, et qu'on avait besoin d'un remontant. Ma culpabilité devant mon léger alcoolisme attendrait au lendemain. On s'est rassis à la table de la cuisine avec Ping et le poulet froid, Bill et Jeff à nos pieds, auxquels on lançait des petits morceaux de brun, Picard ayant mangé tout le blanc, et on a dressé le bilan de cette interminable journée.

Qu'est-ce qui se passe ensuite dans le roman de Morgan? ai-je demandé à Winslow. Rien. Il ne savait pas. La première partie se terminait ainsi, avec la fuite de Picard, et il ne se souvenait pas de la suite, qu'il avait lue un lendemain de veille et devrait relire à jeun. Pendant un instant, j'ai craint que ce soit aussi la fin pour nous, que nous n'ayons pas de suite et que les lumières s'éteignent, que le chalet disparaisse, que le lac se vide, que les montagnes s'aplanissent, transformant le paysage en un long et désertique purgatoire, mais on n'était pas dans un roman, on était dans un cauchemar, je me l'étais assez répété, ce à propos de quoi Winslow a renchéri, and stop asking me about this novel, Robert, we're not in a fucking novel.

Sur ces sages paroles, le jour s'est levé, parce que c'était l'heure et qu'il faut bien se lever à un moment ou à un autre, un coucou s'est éveillé, puis un huard a lancé sa plainte, belle comme le commencement du monde, désirable comme la fin des temps.

II

Second début

Durant la semaine qui a suivi la houleuse irruption de Picard dans nos vies, Jeff a pu jouir d'une relative tranquillité : pas moi. Je passais mes jours et mes nuits à guetter le lac, le chemin de gravier, les innombrables arbres de la forêt, certain que je verrais à un moment ou à un autre surgir la tête hirsute de Jack Picard de derrière un bouleau jaune dont l'allure me paraissait suspecte, les yeux globuleux d'Artie dans le tremblement des ténèbres, ceux rongés de John Doe dans le vaporeux nuage de brouillard s'élevant tous les matins de Mirror Lake, puis l'œil au beurre noir d'Anita, enfin, dans quelque buisson un peu trop agité pour ce qu'on attend d'un buisson. Bref, si la chose n'était pas encore faite, je devenais fou.

J'arpentais le bord du lac en marmonnant des mots aussi désuets que *turbulence*, *turpitude* et *tribulation*, que j'avais été chercher dans ce petit compartiment de ma mémoire où je range les choses qui peuvent toujours servir en cas de désastre, car ces trois mots résumaient dans mon esprit déçu l'effondrement du pitoyable éden que ma propension au rêve m'avait poussé à imaginer près de ce lac maudit des cieux. Si j'avais vécu dans un autre siècle, j'aurais écrit des lettres larmoyantes dans lesquelles j'aurais gémi à propos des tourments qu'apporte à l'homme orgueilleux son insensé désir de retrouver une pureté originelle dont sa vanité est indigne. Ça m'aurait soulagé de me lamenter dans un style qui n'était pas le mien et de savoir que quelqu'un, outre-mer ou frontière, attendait l'enveloppe flétrie où se consumait ma peine. Mais j'étais né à la mauvaise époque, celle des messages codés, laconiques, expéditifs et bourrés de fautes qui voyageaient à la vitesse de l'éclair, sans laisser le temps au désir de se morfondre. Alors je marmonnais, j'arpentais la plage et j'écrivais sur le sable des mots que plus personne ne comprenait ni n'utilisait, à commencer par moi, pour me changer de moi et oublier que la vie n'était que tribulation.

Turpitude, a prononcé Winslow avec son accent du Maine la première fois qu'il est venu lire ma plage, ce après quoi il a fait tut-tut, Robert, pour me secouer un peu, parce qu'il voyait que ça n'allait pas, on n'écrit pas des mots comme *turpitude* quand on a toute sa tête. Mais il me fallait davantage qu'un tut-tut pour me remonter le moral et me pousser à reprendre en mains ma vie chaotique, ce que voyait bien Winslow, qui a essayé de me proposer toutes sortes d'activités, de la pétanque au Monopoly en passant par le ping-pong et le water-polo. En vain. Même le jeu de la Pink Lady ne suscitait plus chez moi aucune réaction. Winslow s'est essayé avec le rouge, le mauve, le vert, qui recelait d'infinies possibilités, mais la mécanique s'était détraquée au contact des Dalton et de Picard. Green as Graham, s'esclaffait-il, fier de sa subtilité, devant un auditoire de glace. Green as the magnificent mountains, s'égosillait-il pendant que j'enfonçais ma turpitude dans le sable. Tains, tains, tains, répondaient les vertes montagnes pour lui donner un coup de pouce. En vain. Ça ne fonctionnait pas. J'étais déprimé. Aux aguets et déprimé.

Si j'avais été sage, j'aurais profité de l'accalmie pour me refaire une santé, je serais allé jouer dans le bois avec Jeff, me serais précipité dans le lac pour un oui pour un non, juste parce que le lac était là, que l'eau était bonne et l'été splendide. Du strict point de vue de la température, on pouvait en effet dire que l'été se surpassait, se montrait digne de tous les espoirs que j'avais fondés en lui pendant que je grelottais mes derniers mois d'hiver, le nez collé à une fenêtre où tout le Québec, année après année, attendait de voir s'il aurait le temps de dégeler avant le retour de la neige. Je me souviens même, pendant que je me tenais derrière cette fenêtre en soufflant sur mes doigts rougis, de m'être honteusement réjoui du réchauffement de la planète. Ce n'est pas bon, le réchauffement de la planète, je le sais, et je n'allais pas faire exprès pour contribuer à la fonte des glaciers ni au déchaînement des ouragans et autres tsunamis, mais, puisqu'une partie du mal était derrière nous, pourquoi ne pas en profiter un peu avant de crever? Me sentir coupable de jouir d'une situation dont je ne pouvais inverser les conséquences m'aurait paru aussi vain que de refuser de manger le poisson de Winslow une fois qu'il était dans mon assiette. C'est avant qu'il faut agir. Quand c'est mort, c'est mort, aussi bien le manger.

Tout ça pour dire que, puisque l'été était là, dans toute sa splendeur d'été, j'aurais pu fournir un petit effort pour me comporter normalement et vider mon assiette pendant que c'était encore chaud. Mais non, l'expérience, combinée à ma méfiance naturelle, me persuadait que c'était trop beau pour durer, qu'il y avait sûrement une rumeur que je n'entendais pas sous le bienheureux silence enfin tombé sur Mirror Lake, un écran qui m'aveuglait dans le miroitement de l'eau bleue, et que j'allais cher payer le moindre relâchement de ma vigilance.

Alors je surveillais, j'appréhendais, j'anticipais, pendant que Jeff chassait les écureuils et que Winslow, ayant renoncé à ce que réapparaisse sur mon visage un sourire ne s'étant toujours épanoui que sous l'effet de la contrariété, faisait bronzer sa chair flasque en laissant mollement filer sa canne à pêche sur le bord de sa chaloupe, au cas où. En ce qui concerne les poissons, dont les cris muets accompagnaient mes doléances, ç'aurait été le temps d'agir. J'aurais pu démantibuler la canne à pêche de Winslow, enrouler sa ligne autour d'une branche, voler ses hameçons, mais j'étais trop préoccupé par le sort de ma petite personne pour me soucier de celui des autres. C'est comme ça que les catastrophes arrivent, on se regarde dans le nombril, et vlan ! on reçoit un coup de masse sur l'occiput. Le temps qu'on se relève, le fond des océans a été raclé et le Gulf Stream a décidé d'aller se faire voir ailleurs. Tant pis pour nous. C'est pour ceux qui suivent ou ne suivront pas que ça risque de se compliquer.

Enfin, au lieu de me grouiller, j'attendais que les menaçants nuages s'accumulant à l'horizon de mon proche avenir me tombent dessus dans un infernal vrombissement ou, plus simplement, sous la forme d'un désagréable mais ininterrompu crachin, vision apocalyptique dont le défilé de tarés ayant foulé le sol de Mirror Lake m'avait donné un aperçu. Si j'avais été intelligent, faute d'être sage, mais je crois que les deux vont de pair, j'aurais lu le roman de Morgan pour comprendre ce qui s'était passé, mais je craignais trop d'apprendre que je n'étais pas qui je croyais être et avais commis, dans une vie parallèle, un crime dont j'avais tout oublié. J'ai bien essayé, à quelques reprises, d'ouvrir ce foutu livre, mais chaque fois que je tombais sur le nom de Humpty Dumpty ou de Robert, je le refermais comme on referme vivement derrière soi une porte où la vermine se fait les griffes et courais me jeter dans le lac, sans en tirer, cependant, les bénéfices d'une saine baignade.

Après avoir présenté tous les symptômes du gars amoureux, je présentais tous ceux de l'être en proie à une dépression carabinée, et qui sait jusqu'à quelle profondeur j'aurais coulé si l'avenir n'avait été hâté par quelque événement contingent. En fait, j'allais tellement mal que, le jour où j'ai entendu le 4 x 4 de Robbins faire voler le gravier de la route, j'ai ressenti un immense soulagement : le malheur appréhendé se pointait enfin, mon attente n'avait pas été vaine, je pouvais laisser la tension se relâcher.

J'étais dans le chalet, en train de me préparer un sandwich en racontant à Ping l'histoire de Cendrillon, dans laquelle j'avais introduit quelques variantes en remplaçant la citrouille par un potiron, la marâtre par un robot culinaire, Cendrillon par une carotte et le prince Charmant par vous savez qui, après m'être légitimement demandé s'il y avait des oignons mâles et des oignons femelles. N'ayant pas trouvé réponse à cette question, je m'étais basé sur mes connaissances gastronomiques pour conclure que le mariage carotte et oignon donnait en général de bons résultats. Je n'aurais pas parié ma chemise sur la santé de la progéniture issue d'une telle union, mais je modifierais la fin de l'histoire, deux héros ne sont tout de même pas obligés d'enfanter pour nous faire croire qu'ils sont heureux. Tout ce déploiement de folle imagination pour dérider Ping, qui avait le teint pâle et me donnait du souci. Il dépérissait de jour en jour, en fait, se ramollissait, s'avachissait dangereusement. J'avais même remarqué qu'une minuscule tache verte était apparue sur sa pelure dorée, près de son petit derrière d'oignon. Je n'en faisais pas tout un plat, Ping n'était tout de même qu'un oignon et je n'étais pas si détraqué que ça, mais il m'avait tenu compagnie dans ma détresse et je m'étais attaché à lui comme on s'attache à une plante qui vous dit bonjour, le matin, en offrant au soleil ses feuilles endormies. Et pourquoi je n'aurais pas parlé à mon oignon si ça me soulageait, et ça me soulageait. Il y avait là quelque chose d'apaisant, de pas compliqué, d'autant plus que Ping était bon public et ne rouspétait jamais.

Je lui racontais donc l'histoire de Cendrillon et me demandais si j'allais confier le rôle de la fée à une tomate ou à une asperge, ce qui donnerait dans un cas une fée joufflue et ricaneuse, et, dans l'autre, une fée émaciée quoique juteuse. Fée

tomate ou fée asperge, hésitais-je, quand j'ai entendu le crissement de pneus reconnaissable entre tous. Laissant Ping béat
devant la beauté d'une Cendrillon qui ne s'épanouirait qu'après
un bon savonnage, je suis allé vérifier à la fenêtre si mon désir
de voir arriver le malheur ne me jouait pas de mauvais tours.
Mais non, le 4 x 4 était bien là, révélant au soleil de juillet ses
formes anguleuses pendant que retombait le nuage de poussière
qu'il avait soulevé. On a de la visite, ai-je chuchoté en direction
de Ping, mais c'est Jeff qui a réagi, content qu'il se passe enfin
quelque chose, et qui s'est rué vers la porte en aboyant comme
un enragé. Bon chien, l'ai-je remercié en lui ouvrant la porte,
dans l'espoir qu'il se précipite sur l'intrus. C'était beaucoup lui
demander, mais bon, il avait aboyé, c'était déjà ça de pris.

Hi, ai-je lancé presque gaiement à l'adresse de Robbins, who
disappeared today ? Hypnotisé par le centre du bosquet sur lequel
s'étaient dirigés ses Ray-Ban, Robbins s'est comporté comme si
je n'existais pas, a remué un petit tas de terre noire du bout
de sa botte et a plongé derrière le bosquet. Contrarié que
Robbins m'ignore ainsi et intrigué par ce qui avait attiré son
attention, j'ai crié un peu plus fort, hi, what brings you here
on such a wonderful day ? *Mucor ramosissimus*, m'a répondu le
bosquet. Sur le coup, j'ai pensé que c'était le nom du nouveau
disparu, d'origine grecque ou slave, de toute évidence, ce qui
nous changerait des autochtones et nous éviterait d'avoir sur
les bras un autre deuxième John Doe qui s'avérerait plus tard
n'être pas un authentique John Doe. Je me suis toutefois fait
la réflexion que si Mucor Ramosissimus avait trépassé dans le
bosquet, il devait s'agir d'un tout petit Grec, sinon, ses pieds
auraient dépassé d'un côté ou de l'autre. J'avais raison sur ce
point, Mucor Ramosissimus était petit, mais il n'était pas grec,
ce que j'ai constaté quand Robbins a brandi un champignon
au-dessus du bosquet. Alors je me suis traité de con, ce que je
préférais faire moi-même plutôt que de laisser à Robbins

l'occasion de s'en charger, et me suis répété que mon latin rouillait un peu, ainsi que tout ce qu'on abandonne au sort que lui réserve le passage du temps et des saisons.

Il n'en fallait pas plus pour qu'une indicible tristesse s'insinue dans le bleu du ciel et que le chuintement des vaguelettes léchant la rive se teinte de la mélancolie des jours trop clairs, quand rien ne résiste à la lucidité de l'esprit qui perçoit la vanité, mais aussi la fragilité de toute chose. Je me payais une petite déprime, je l'ai dit, même si je n'en avais pas les moyens, à laquelle l'univers entier avait décidé de participer. Les vaguelettes n'avaient pas le moral, c'était clair, les oiseaux semblaient n'avoir appris à chanter que pour donner la mesure de mon abattement, et le vent, sous lequel se glissait la plainte d'un harmonica affligé par quelque lancinant désespoir, aurait eu besoin d'un solide fortifiant.

Quant à Robbins, il mâchouillait son champignon de l'air supérieur de qui n'a que ça à faire, et j'ai secrètement mais violemment souhaité qu'il entre en convulsions et se mette à cracher de la mousse verte en succombant dans d'atroces souffrances. Mais non, il faut croire que *Mucor ramosissimus* n'était pas vénéneux, que Robbins connaissait son affaire ou qu'il n'y connaissait rien et s'était trompé de champignon. Pendant qu'il se nettoyait les molaires avec son cure-dents – il pouvait être dégoûtant, ce type... – je lui ai redemandé ce qui l'amenait chez moi. Si personne n'avait disparu, c'est que le malheur que j'appréhendais avait muté et emprunté une forme qui m'était inconnue.

Anita, m'a-t-il répondu en fixant un morceau de champignon embroché au bout de son cure-dents –... vraiment dégoûtant –, Anita, c'est-à-dire Jeanne, ayant dû lui apprendre qu'elle avait troqué son prénom pour celui d'Anita. La journée me semblait suffisamment triste sans qu'on mêle les femmes à ça, mais ce n'était apparemment pas moi qui décidais. En principe et si j'avais été intelligent, j'aurais dû répondre que je ne connaissais aucune Anita, demander Anita who? Anita what? Which Anita? Puisque j'étais déprimé, j'ai éclaté en sanglots et j'ai braillé comme un idiot qu'Anita me manquait, et Robbins, afin de me consoler, m'a attrapé par le collet pour me cracher à la figure que si je m'approchais dorénavant de cette fille à plus de dix pieds, il me faisait la peau. Il a ensuite levé le bras en direction de son 4 x 4 et Anita, qui devait être couchée dans le fond, je suppose, ou cachée derrière une espèce de voile prenant les couleurs de son environnement, en est sortie la tête basse en murmurant qu'elle venait chercher quelques affaires qu'elle avait laissées chez moi.

En la voyant, j'aurais dû entrer dans une colère noire, puisque cette femme m'avait trahi, nom de Dieu, mais j'étais déprimé, je l'ai dit. J'ai ravalé un dernier sanglot et lui ai répondu qu'elle pouvait prendre ce qu'elle voulait, sauf Ping, l'oignon moisi assis sur le comptoir de la cuisine à côté du sandwich au fromage inachevé qui finirait ses jours dans le ventre accueillant de Jeff ou de la poubelle. Puis je suis descendu m'asseoir près du lac, sur lequel la chaloupe de Winslow glissait délicatement dans notre direction, chargée d'un Winslow qui, tel le gai pinson, sifflotait quelque chose comme sassessissou, sassessissam, sassili. Il avait vu que j'avais de la visite et, sachant que j'étais dans un état à deux doigts de se transformer en état suicidaire, il venait me surveiller au cas où j'aurais envie d'aller m'étendre avec John Doe au fond du lac après le départ de Robbins et d'Anita, qu'il avait aperçue je ne sais comment derrière le voile où elle se dissimulait deux minutes plus tôt.

Hi, stranger, m'a-t-il joyeusement lancé en débarquant de sa chaloupe, wanna fish with me? S'il y a une chose, parmi d'autres, qui me met hors de moi, ce sont les êtres naturellement joviaux qui croient que le seul fait de vous lancer leur naturel à la figure va vous donner envie de danser le kazatchok. Je suis néanmoins demeuré calme. Je me suis levé, je me suis rendu à sa chaloupe, j'ai cassé sa canne à pêche en deux et j'ai ajouté no, don't wanna fish with you. Je suis ensuite remonté vers le chalet, d'où Anita sortait avec un sac en papier brun dont j'ai demandé à vérifier le contenu, car Winslow avait réussi à faire surgir la saine colère que mon état dépressif avait refoulée en moi.

J'ai également profité de l'occasion pour révéler à Anita ce que je pensais d'elle. Quand je lui ai remis le sac, j'ai tout de même eu un pincement au cœur devant la tristesse du regard qu'elle m'a lancé, et sous lequel, condamnés au silence, s'étaient réfugiés les mots *t'as rien saisi, pauvre cloche*. Mais je n'ai pas vu ces mots, je ne les ai aperçus qu'après, quand il était trop tard, c'est toujours ce qui se passe dans les histoires d'amour malheureuses. L'un n'entend pas ce que l'autre s'évertue à lui expliquer, ou l'entend mal, si bien qu'il interprète à sa façon et que ça tourne au vinaigre ou au drame. C'était arrivé à Roméo et Juliette et ça nous arrivait aussi, à Anita et à moi. Nous étions victimes des irréversibles engrenages de la tragédie et vouloir y échapper aurait été aussi inutile que de vouloir ressusciter Shakespeare pour qu'il récrive la fin de son histoire de fous.

Quand l'ombre d'Anita s'est évanouie en haut du chemin de gravier avec celle du 4 x 4 poussiéreux de Robbins, laissant dans leur sillage de subtils effluves de *Shania* et d'essence sans plomb, je dois avouer que j'étais un peu secoué, ce qui ne m'a pas empêché de dire à Winslow qu'il pouvait s'en retourner siffloter sur la rive sud et y rester. Je l'ai amèrement blessé, à ce moment-là, comme le font tous les idiots qui repoussent les mains secourables tendues au-dessus des précipices, mais il ne s'en est pas moins comporté en gentleman en extirpant de ma poche droite la missive bleu de mer et de ciel qu'y avait glissée Anita, qu'il m'a mise dans la main avant de s'en retourner, silencieux et ne sifflotant pas, vers la rive où je l'avais sommé de disparaître.

Quand les femmes veulent être laconiques, elles en sont capables. J'avais une tante, comme ça, Hortèse, qui aurait pu s'appeler Hortense si le curé qui l'avait baptisée n'avait été à demi sourd, qui ne s'exprimait généralement que par proverbes ou onomatopées, sorte de nouvelle sibylle que tout un chacun allait consulter pour connaître son proche avenir ou obtenir un conseil quant à l'attitude à adopter devant un revers du destin. Bof, répondait-elle la plupart du temps, ce qui signifiait qu'il n'y avait rien à faire ou qu'il ne servait à rien de s'en faire, et on retournait chez soi en laissant la situation s'envenimer ou se régler d'elle-même. Qu'est-ce qu'elle t'a dit, Hortèse ? Bof. Bof ? Bof. Ah bon. Elle doit avoir raison. Et on baissait la tête en regardant ses pieds s'enfoncer dans la boue ou la slush, selon la saison.

Parfois, elle était un peu plus bavarde, mais non moins énigmatique. Quand mon oncle Jules était allé la trouver pour lui dire que ma tante Lourette – baptisée par le même curé qu'elle – le trompait, elle avait répondu tel père, tel fils, si bien qu'une partie de la famille avait cru que Rosanna, la mère de mon oncle Jules, trompait aussi Rosaire, le père de mon oncle Jules, que Rosaire, donc, était cocu, ainsi que l'était son fils, Jules : tel père, tel fils. L'autre partie de la famille interprétait ça autrement. Pour cette faction plus féministe de ma lignée, la formule obscure d'Hortèse signifiait que c'était en réalité mon oncle Jules qui trompait ma tante Lourette, tout comme son père, Rosaire, avait trompé sa mère, c'est-à-dire sa femme, Rosanna, tel fils, tel père, on inverse, et hop, tous des salauds! Ça avait fait une histoire incroyable, provoqué deux divorces, un avortement, une tentative d'empoisonnement, mais les choses avaient fini par se tasser quand ma tante Lourette, devenue maniacodépressive entre-temps, avait avoué sa faute. Puisqu'elle était cinglée, on avait hésité à la croire, mais mon oncle Jules en ayant été cruellement blessé, ma tante Hortèse avait conclu qu'il n'y a que la vérité qui blesse, tel est pris qui croyait prendre, et tout le monde était allé se coucher, qui dort dîne. Le lendemain, tout allait mieux.

Je ne sais pas pourquoi je raconte ça, puisque les délires d'Hortèse n'ont aucun lien avec mon histoire, mais c'est à ça que j'ai pensé quand j'ai pris connaissance du contenu de la missive délicatement parfumée d'Anita, bleu de mer et de ciel. Anita y avait d'abord esquissé un cœur, puis un cœur se brisant, puis une flèche, sous laquelle elle avait écrit page 216, rien de plus. J'avais examiné le papier dans tous les sens, tenté de déterminer si Anita avait pu écrire à l'encre sympathique, étais retourné inspecter les alentours du chalet, au cas où une partie de la missive se serait perdue en chemin. Rien. Anita n'avait qu'une chose à me dire clairement : page 216. Ce constat posé, il ne m'a pas été difficile de deviner que la référence s'appliquait au roman de Morgan. À quel autre livre Anita aurait-elle pu faire une allusion aussi voilée tout en s'attendant à ce que je comprenne? La seule vue du roman de Morgan me donnant toutefois envie de déménager dans les profondeurs abyssales de Mirror Lake, je suis entré dans une phase de déni, je n'avais pas le choix, c'était une question de survie, et me suis tapé la page 216 de tous les livres de plus de deux cent seize pages que j'avais apportés avec moi dans ce repaire d'assassins.

C'est ahurissant le nombre de messages qu'on décode quand on en cherche et, après quelques heures d'ininterrompue lecture, j'avais devant moi une multitude d'options toutes plus effarantes les unes que les autres et qui n'avaient aucun sens, pour changer. J'ai alors dû me rendre à l'évidence. Ce qu'Anita avait à me dire était inscrit en toutes lettres dans le roman de Morgan, que je n'avais pas le courage d'ouvrir. J'ai donc pris *The Maine Attraction*, marché sur mon orgueil et embarqué dans ma chaloupe avec Jeff pour aller demander à Winslow de me faire un peu de lecture. Quand j'ai été rendu au milieu du lac, mon huard a hué, signe qu'il était tôt, que je n'avais pas dormi de la nuit, que le cours du temps m'avait encore échappé, et j'ai eu envie de tout abandonner, de jeter ce livre maudit à l'eau et d'imiter John Doe, de chavirer et de me laisser couler, mais je ne pouvais pas infliger ça à Jeff, qui n'avait que moi en ce bas monde et qui m'aimait, inconditionnellement.

OK, ai-je dit à la grosse tête dont les yeux me dévoraient d'amour, on ne chavirera pas aujourd'hui, mais je ne promets rien pour demain. À chaque jour suffit sa peine, ai-je ajouté en pensant à Hortèse, qui aurait plutôt dit qui va à la chasse perd sa place, formule à propos de laquelle j'ai médité un peu, en me disant que qui perd sa place n'est pas nécessairement chasseur, que les chasseurs retrouvent la plupart du temps leur place inoccupée quand ils rentrent à la maison avec leur besace remplie de regards tristes, à moins d'être cocus comme Jules ou Rosaire, que ce dicton ne disait rien, qu'Hortèse était folle et que j'en avais marre, puis je me suis remis à ramer clopin-clopant, parce que je n'étais pas plus pressé d'aller m'humilier devant Winslow que d'apprendre que ma vie avait été déterminée par un certain Victor Morgan.

En accostant, j'ai constaté que Winslow était debout, ce qui m'épargnerait d'avoir à le sortir du lit. Une lampe brillait dans sa cuisine, devant laquelle je voyais se profiler la lourde silhouette de Winslow, qui préparait son petit déjeuner avec soin, ainsi que savent le faire les hommes qui ont sereinement renoncé à ce qu'une présence féminine brouille leurs œufs du matin, et qui se dorlotent en jouissant d'un silence que seuls pénètrent le vent quand il vente, les halètements de leur chien quand ils en ont un, le chant enjoué des oiseaux quand il ne pleut pas, le chant de la pluie et des oiseaux moins guillerets quand il pleut, puis le glouglou de la cafetière, le plonk du grille-pain et, parfois, le toc-toc d'un ami qui a faim, car le fait est que j'étais affamé au moment où j'ai frappé à la porte de Winslow, toc, toc, à ce point affamé que j'étais prêt à admettre que ce gros tas à l'allure inoffensive était mon ami. Toc, toc, ai-je répété, parce que Winslow semblait perdu dans de profondes rêveries. Si j'avais été un peu plus perspicace, je me serais aperçu que Winslow ne rêvassait pas mais qu'il boudait parce que je n'avais pas été correct avec lui la veille. Après une ou deux minutes d'attente, je me suis rendu compte qu'il glissait toutes les dix secondes un coup d'œil furtif dans ma direction, pour être sûr que je voyais bien qu'il faisait semblant de ne pas me voir, qu'il m'ignorait, quoi, comme on ignore quelqu'un qui vous a blessé.

Il avait raison, Winslow, je n'avais pas été aimable à son égard. Il voulait des excuses, il en aurait, parce que j'avais besoin de lui, soit, mais également parce qu'il était touchant dans son tablier jaune et bleu, aux couleurs de la Provence, objet hérité d'une lointaine amante, assurément, qui l'avait suffisamment fait souffrir pour qu'il veuille s'entourer de souvenirs d'elle dans le serein silence de ses aubes solitaires. N'empêche, je redoutais la scène qui allait suivre, qui risquait d'un peu trop ressembler à la scène de réconciliation d'un ménage où je jouerais le rôle du rustre ne tenant aucun compte de la sensibilité de l'autre, de son orgueil, de sa fierté, du connard ne comprenant jamais rien, trop absorbé par ses petits malheurs pour voir que les gens saignent autour de lui.

À la guerre comme à la guerre, je n'allais pas passer la journée sur le seuil de la porte. J'ai retoctoqué, pour la forme, puis je suis entré, les portes n'étant jamais verrouillées à Mirror Lake, ce qui nous évite de nous les faire défoncer par quelque truand ou John Doe errant. Ayant noté que Winslow ponctuait parfois ses malaises de hum-hum qui devaient avoir pour lui une signification particulière, j'ai décidé de commencer par ça, hum-hum, pour lui montrer que je filais cheap, puis j'ai poursuivi en bredouillant I'm sorry, Bob. Cet enchaînement lui a plu, car je l'ai entendu avaler de travers, comme quelqu'un qui est ému mais ne va pas céder pour autant ; j'avais raison, nous nous tapions une chicane de ménage. Je n'avais qu'à suivre toutes les étapes, ainsi que j'avais appris à le faire durant ma longue carrière de salaud, et Winslow finirait par s'effondrer en pleurnichant. I'm sorry, I'm a bastard, ai-je ajouté en suivant à la lettre la deuxième étape du processus de réconciliation, qui consiste à se dépeindre dans les teintes les plus sombres après s'être bassement excusé. Ça faisait effet, car Winslow a consenti à me regarder dans le blanc des yeux, mais ça ne suffisait pas, il fallait que je me noircisse davantage, que je m'humilie, que je prenne verbalement conscience de ma grossièreté et m'agenouille en promettant que les choses allaient changer. OK, Bob, I'm not only a bastard, I'm a fucking bastard, I understand notin', I don't listen to you, I'm a monster, a nazi, a worm, and I don't know what a nice person like you is doing with a trash like me, and…

C'est à ce moment que Winslow a levé la main pour me signifier que je ne devais pas trop en rajouter, quand même, I'm not your wife, Robert, and I won't fuck you tonight, so calm down. D'accord, je m'étais laissé prendre au jeu, mais ça avait fonctionné, Winslow s'était adressé à moi. Have a seat, a-t-il bougonné en se levant pour aller me faire cuire des œufs. Des œufs! Si j'avais droit à des œufs, c'est que Winslow m'avait vraiment pardonné. Léger comme la brise, je suis allé m'asseoir à la table en chuchotant à l'oreille de Jeff qu'il pouvait me suivre, qu'oncle Bobby n'était plus fâché. Oncle Bobby… ce qu'on peut être con quand on est content. Enfin, je me suis installé pendant que Winslow sortait les œufs de son frigo et s'attelait à la tâche, non sans m'interroger sur la symbolique associée aux œufs dans les processus de réconciliation matinaux, puis j'ai vu que, sur la boîte d'œufs de Winslow, un petit œuf à pattes se frottait le ventre en souriant de son bec édenté à celui ou celle qui allait le manger. En moins de temps qu'il n'en faut à un virus pour sauter sur sa proie innocente, les formes prévalentes de l'imaginaire régies par la symbolique, en l'occurrence, ce matin-là, celle des œufs, riche en référents matriciels et sexuels, m'ont saisi à la gorge et Humpty Dumpty, nul autre, s'est substitué au petit œuf à pattes. Il le faisait exprès, Winslow, ou quoi?

Pendant un instant, l'ombre du complot dont je soupçonnais l'incommensurable étendue s'est abattue sur mon échine courbée et j'ai regretté tout ce que je venais de dire à ce balourd qui, pour ne pas avoir l'air trop heureux, sifflotait d'une seule dent devant sa poêle à frire. Après une profonde inspiration durant laquelle je me suis morigéné en me disant que Winslow n'allait tout de même pas bannir les œufs de son menu rien que parce que j'avais été traumatisé dans mon enfance par la tête d'œuf à claques que l'inculture de la société marchande allait transformer en patate, je me sentais un peu mieux, ce qui ne m'a pas empêché de me demander si la mère de Humpty Dumpty était une poule ou un volatile quelconque, une ovipare, quoi, ce que l'histoire de Lewis Carroll ne nous apprenait pas.

Quand Winslow m'a servi mes œufs, qui étaient deux, il a bien remarqué que j'étais préoccupé, même si je m'efforçais de lui sourire gentiment, comme il se doit après qu'un abcès a été crevé, que les lourds nuages obscurcissant le ciel se sont estompés, que la crue des eaux s'est résorbée. What's going on ? m'a-t-il demandé avec une certaine inquiétude. It's Humpty Dumpty, I said, je me demandais s'il avait une mère et, dans l'affirmative, si celle-ci l'avait pondu, auquel cas une âme charitable aurait pu avoir la bonté de le manger avant qu'il devienne ce qu'il est devenu.

Depuis qu'il rêvait aussi à Humpty Dumpty, Winslow était plus sensible aux questions entourant l'existence de ce personnage, et on s'est tous les deux mis à conjecturer quant à l'origine de Humpty Dumpty, à se demander si sa mère avait été déçue en apercevant sa grosse face lisse après un accouchement qui avait dû se dérouler dans les plus vives souffrances, s'ils vivaient dans un nid, elle et lui, et si le père demeurait encore à la maison ou s'il avait abandonné la mère et son horrible rejeton, ce qui pouvait expliquer le caractère exécrable de celui-ci. Il y avait une longue histoire à faire autour de ça et on a entrepris d'en jeter les bases, pour créer une diversion et ne pas aborder trop vite le cœur du sujet qui m'amenait à la table de Winslow.

Après avoir ébauché plusieurs hypothèses, on a retenu celle de la mère poule et de l'enfant ingrat. Ça a donné à peu près ceci : la mère de Humpty Dumpty était une petite poule gentille mais pas très futée qu'un coq sans vergogne avait engrossée après lui avoir bassement fait la cour. Sitôt la relation consommée, le coq s'était éclipsé sans se soucier du sort de la petite poule, qui avait quand même décidé de mener sa grossesse à terme, couvant Humpty Dumpty de tout son amour de mère poule, ce qui n'avait rien donné, car son fils était taré à la naissance et avait quitté le nid à quatorze mois en envoyant promener sa mère éplorée dont les cotcodotes de plus en plus faibles avaient déchiré les aubes, les jours et les crépuscules du village natal de Humpty Dumpty, Saint-Zurin, jusqu'à ce que la petite poule expire un matin de printemps sans avoir revu son fils ingrat. The fucking bastard, a soupiré Winslow à ce moment de notre récit, et si Artie avait été là, ç'aurait été pire. Toute sa vie durant, Humpty Dumpty avait ensuite tenté de renier ses origines campagnardes, de camoufler l'odeur de poulailler qui lui collait à la coquille, avec pour seul résultat qu'on avait fini par le prendre pour une patate, symbole même de la vie agreste et éloquente illustration de l'axiome voulant qu'on ne puisse impunément cacher sa rustique et véritable nature!

Est bien pris qui croyait prendre, a exulté Winslow, qui n'avait pourtant pas connu Hortèse, et on a changé de sujet avant de vomir nos œufs car, si ça se trouvait, d'autres mères moins poules que celle de Humpty Dumpty expédiaient quotidiennement leurs petits dégénérés sur le marché avant qu'ils n'entachent irrémédiablement la réputation de la race. Il faut écraser la pourriture dans l'œuf, a renchéri Winslow, we can't put all our eggs into one basket, goddam, et je me suis demandé si je ne faisais pas de la transmission de pensée involontaire et si Winslow, par conséquent, n'avait pas capté les souvenirs familiaux qui avaient reflué à ma conscience quand je m'étais interrogé à propos de l'hermétique missive d'Anita.

Je me disais qu'il faudrait que je refasse un test plus tard lorsque Winslow m'a demandé ce qui me chicotait à ce point dans le message d'Anita que j'aie consenti à marcher sur mon orgueil pour venir lui en parler… En entendant ça, je crois que j'ai eu peur, non, je ne le crois pas, je le sais. Si je ne transmettais pas mes pensées à Winslow, c'est que celui-ci lisait dedans ou qu'on s'était transformés en espèces de frères siamois dont les cerveaux communiquaient en vertu de je ne sais quelle horrifiante erreur de la nature. Winslow a dû voir que ma peur était palpable et, de ce fait, la palper, car il a tenté de me rassurer, l'imbécile, en m'avouant qu'il lisait en moi comme dans un livre ouvert et que, de toute façon, je chiffonnais le missive d'Anita entre mes mains moites depuis dix minutes. Pas besoin d'être Einstein pour comprendre que ça me turlupinait. Je crois que j'ai alors grincé, donc souri, ce qui ne m'était pas arrivé depuis un certain temps, avant de tendre à Winslow le bout de papier humide et effectivement chiffonné, crumpled, qui me tarabustait, tarabusting, ai-je spontanément traduit pour ne pas avoir à fouiller dans le dictionnaire.

Après avoir déplié la missive, Winslow a grogné, mauvais signe, il a froncé les sourcils et il a fait comme moi, il a retourné la page dans tous les sens, a cherché un code sous le message, l'a balancée sous une lampe, a jeté de la farine dessus, pour les empreintes, m'a-t-il appris, puis me l'a retendue en concluant you broke her heart. Dans un premier temps, j'ai préféré me taire, j'avais encore besoin de Winslow; dans un deuxième temps, respirer profondément, car qui ne respire pas meurt d'asphyxie; dans un troisième temps, déposer la missive à côté de l'assiette sale de Winslow en mettant mon index moite directement sur *page 216*, pour immédiatement l'en retirer, afin que Winslow puisse relire ce sur quoi ses yeux avaient négligemment glissé. À force d'être écrabouillé, le chiffre *216* s'était imprimé sur le bout de mon doigt, autre signe que le destin s'acharnait à me marquer de son sceau, aussi ai-je mis le bout de ce doigt dans ma bouche pour en faire disparaître l'encre, ce qui, symboliquement, signifiait que je voulais éliminer toute trace de la page 216 en avalant ce qui la représentait, puis j'ai attendu que Winslow se déniaise.

Undoubtedly a reference to Morgan's book, a-t-il fini par cracher, et je lui ai prestement mis le livre sous le nez, à la page 216, et qu'on en finisse. Sans que j'aie eu besoin de lui expliquer ce que j'attendais de lui, puisqu'il lisait en moi comme dans un livre ouvert, Winslow a entrepris la lecture de la fatidique page 216, a refermé le livre, a curé le fond de son assiette avec son couteau, pour faire durer le suspense et m'énerver, s'est gratté le front en diagonale, puis m'a ordonné de m'en aller, qu'il désirait être seul, ce qui ne lui ressemblait pas et m'apprenait que la page 216 était coriace. Why? me souviens-je d'avoir éructé pendant que je blanchissais et me demandais où allait le sang quand quelqu'un prenait la couleur qu'il aurait une fois vidé de ce qui circulait dans ses veines depuis sa naissance; c'est incroyable, quand on y pense, tout ce vieux sang qui continue de se frayer un chemin dans notre réseau veineux durant des décennies, sans se lasser. Why? Because you're dangerous, a lentement répondu Winslow, pendant que son sang refluait également vers ce lieu inconnu de l'anatomie humaine où l'angoisse le stocke le temps que les choses se tassent.

Un instant, Bob, one little moment, tu n'as pas le droit de me jeter dehors comme une vieille chaussure parce qu'Anita délire à la suite de cet abruti de Victor Morgan qui n'était même pas mort quand je suis né, je veux dire mort quand je n'étais pas né, mort avant même que je sois né, je veux dire, qui était tout à fait mort, quoi, et ne pouvait donc savoir que je naîtrais, à moins d'avoir connu ma mère au collège et de lui avoir appris qu'elle deviendrait enceinte de moi. Are you crazy, Bob?!

Writers are visionary people, m'a-t-il gravement répondu, inconscient du fait qu'il passait son temps à se contredire à propos du pouvoir de la fiction et de la relative liberté de ceux qui en font. Read by yourself, a-t-il ajouté en me tendant le roman. J'ai d'abord refusé de lire quelque page que ce soit de ce torchon, tout en me promettant que dès que cette histoire serait terminée, je me donnerais pour mission de rassembler tous les exemplaires encore vivants de ce roman et d'en faire un immense feu de camp, un bûcher hurlant, un autodafé de tous les diables, comme dans *Farenheit 451*, à la différence que j'aurais raison, moi, de réduire en cendres ce ramassis d'élucubrations mensongères qui mettait des idées insensées dans la tête de lecteurs presque normaux, créait des dissensions, des quiproquos, des malentendus, qui était malsain et devait être détruit !

I said you were dangerous, a enchaîné Winslow, qui avait lu dans mes pensées, et le sang qui s'était caché dans une poche secrète de mon appareil circulatoire a déferlé sur mon visage telle une marée plus capable de retenir son souffle et je suis devenu rouge comme une pivoine, je le sais, une pivoine qui a chaud, une tomate à l'étuvée, un bas de Noël flambant neuf. Je m'étais laissé emporter et Winslow avait raison. N'empêche que, moi aussi, j'avais raison, car si mon cerveau émettait des propos dangereux, n'était-ce pas à cause du roman de Morgan ? Non, m'a répondu mon cerveau, tu ne l'as même pas lu, ce roman. C'est la folie ambiante qui te fait dérailler, calme-toi, reprends tes esprits. J'ai donc repris mes esprits, comme un joueur de poker lessivé ramassant les cartes poisseuses sur une table crasseuse, une sale table, et j'ai ouvert le roman, à la page 94, d'abord, pour me préparer, puis à la page 122, puis à la page 205, pour respirer avant de plonger, et j'ai craqué, j'ai demandé à Winslow de me raconter, que je n'avais pas le courage.

It's simple, Robert, you will kill me, m'a-t-il appris comme s'il m'annonçait qu'il allait pleuvoir. You will kill me tomorrow, a-t-il ajouté, it's written, it's my destiny. Ainsi donc, selon Morgan, j'allais enfin me décider à assassiner Winslow le lendemain — bonne idée —, crime dont voulait apparemment me prévenir Anita pour m'inciter, qui sait, à changer de bonne idée — absurde. Anita et Winslow n'étaient tout de même pas assez stupides pour croire qu'un roman écrit alors que non seulement je n'étais pas né, mais pas conçu, pas pensé, pas encore à l'état de projet, alors que j'étais tout au plus une vague velléité et que ma mère ne savait même pas comment j'allais m'appeler ni si je m'appellerais un jour, pouvait décrire mon avenir. Je nageais en pleine science-fiction et Winslow pataugeait derrière moi, stoïque devant l'inéluctabilité de son destin. It's my destiny, répétait-il d'un air las, pendant que Darth Vader apparaissait en arrière-plan dans sa diabolique majesté, crachait sous son masque de fer ou de tungstène, je ne sais pas, levait sa fausse main gantée de noir et proclamait it is your destiny, hrshsh! hrshsh!

L'heure était grave et il fallait que je fasse quelque chose – preuve de détermination, par exemple. J'ai donc arraché le roman des mains de Winslow, l'ai rouvert à la page 205, histoire de m'adonner à quelques exercices d'assouplissement, et j'ai plongé. Quand j'ai rabattu la couverture cartonnée sur la page 217, parce qu'il fallait déborder un peu la page 216 pour bien comprendre, j'étais redevenu blanc, je le sentais, telle une chaussette passée à l'eau de Javel et oubliée dans la neige, et j'ai eu envie de me foutre à la porte de chez Winslow.

En gros, la page 216 nous apprenait pourquoi le personnage nommé Robert avait été incarcéré et comment son destin avait croisé celui de sa victime. Robert, dont le roman ne nous dévoile pas le nom de famille, était un gars assez ordinaire, comme vous et moi, plutôt comme moi, pour être franc, qui, las des turpitudes de l'existence, avait tout laissé derrière lui pour aller se réfugier au fond des bois, sur le bord d'un lac, plus précisément, où il espérait jouir paisiblement d'une retraite anticipée. Jusque-là, tout allait bien et moi aussi. Ça s'était toutefois corsé quand, un 17 août beau entre tous, où les oiseaux chantaient, où le soleil brillait, où le lac miroitait, Robert avait pété les plombs et assassiné son voisin sous prétexte que celui-ci participait à un complot destiné à le rendre fou. C'est le flic du coin, accompagné d'une jeune femme dont Robert était secrètement amoureux, qui les avait découverts après le carnage, le voisin empalé sur un piquet de clôture et Robert prostré près du piquet, une énorme bosse sur le crâne, fruit de la bagarre qui les avait opposés, le voisin et lui. Fin de l'histoire qui nous occupe et expliquait les craintes de Winslow, que j'ai tenté d'atténuer en lui disant que je comprenais ses peurs, compte tenu des événements pour le moins étranges que nous avions vécus, mais que, au risque de me répéter, *The Maine Attraction* était un putain de roman, Bob, a fucking fiction. Par ailleurs, il n'y avait pas de piquets de clôture dans les environs immédiats et, y en aurait-il eu, je n'étais pas assez fort pour l'embrocher.

Ça ne suffisait pas comme arguments, car Winslow continuait de marmonner, les yeux dans le vague, des choses incohérentes à propos de son destin, des erreurs que nous commettons tous dans nos relations interpersonnelles, de la confiance que nous accordons un peu trop rapidement aux étrangers, et, pendant qu'il allongeait la liste des éléments qui auraient dû l'alerter à mon sujet, je me disais qu'il avait raison et que mes arguments n'étaient pas très convaincants, parce que je ne me croyais pas, moi non plus. Ce roman nous avait déjà prouvé ce dont il était capable et il fallait que je trouve autre chose pour nous rassurer, alors j'ai pensé à Bill et à Jeff, qui occupaient le coin inférieur gauche de mon champ de vision, le meilleur, endormis côté à côte tels deux enfants sages ne méritant pas le déferlement de violence imaginé par Morgan. Je savais bien que la violence n'est pas attribuée au mérite et que les âmes pures ne sont pas à l'abri de ses ravages, mais je savais aussi que je ne me livrerais jamais à quelque activité de nature à faire souffrir ces deux bêtes innocentes et inoffensives, j'aimais trop Jeff pour ça, inconditionnellement, ce que j'ai dit à Winslow : que deviendrait Bill, que deviendrait Jeff, s'il mourait et que je me ramassais en tôle ?

Je ne dirais pas que cette déduction l'a laissé indifférent, mais il attendait autre chose, Winslow, pour admettre que Morgan se trompait peut-être. Je me suis donc creusé un peu plus la cervelle, à l'endroit où il commençait à y avoir un grand trou, j'ai repris le roman, l'ai feuilleté, en ai lu de brefs passages, et me suis enfin écrié eurêka ! C'est le 17 août que Robert tue son voisin, Bob, et le 17, ce n'est pas demain, mais aujourd'hui, il est donc impossible que je te tue demain.

Outre qu'il n'était pas très rassurant, mon raisonnement comportait une faille, je l'avoue. J'ai cru que Winslow avait décelé cette faille, car il m'a regardé comme si c'était lui qui allait me tuer et m'a appris que le roman de Morgan avait été écrit durant une année bissextile, pauvre tarte, d'où il en avait déduit que le 17 août, cette année-là, tombait le lendemain. Il savait compter, tout de même. Je m'attendais à une plus solide réfutation, mais ça se tenait, le danger que je le tue le lendemain subsistait. Puisqu'il avait repris la parole, il en a profité pour me demander où je me situais dans tout ça. What's your position, Robert ? Ma position… ma position… C'était assez complexe et je ne pouvais définir comme ça, tout de go, ma position sur un échiquier auquel il manquait des cases et où les dés avaient été pipés. What do you mean by position, Bob ? Est-ce qu'il faisait allusion à mon point de vue, que je lui avais déjà exposé, sur les interactions entre le réel, le cauchemar et la science-fiction, ou à mon opinion quant aux motifs du meurtre narré par Morgan ? Est-ce qu'il faisait référence à la perspective tout hypothétique de sa mort prochaine ou…

Exactly, Robert ! a-t-il hurlé. Have you ever thought about the possibility of killing me ? Est-ce que j'avais déjà envisagé la possibilité de le tuer ? La question exigeait un moment de réflexion et, surtout, quelques mensonges. Bien sûr, que j'avais eu envie de le tuer, cet abruti, il devait bien s'en douter, et deux fois plutôt qu'une, mais entre l'intention et l'acte, il y avait un pas, que je n'aurais jamais franchi, même dans mes colères les plus sanguinaires. J'ai néanmoins pensé que, si c'est l'intention qui compte, comme aurait dit Hortèse, j'avais déjà refroidi Winslow à quelques reprises et risquais de l'assassiner encore à plus ou moins long terme. C'est alors que j'ai été frappé par ma ixième idée de génie de la matinée, quand j'ai compris qu'il ne fallait pas prendre le roman de Morgan au pied de la lettre ni au premier degré, mais l'entrevoir comme une forme d'allégorie, de métaphore des intentions meurtrières jalonnant nos jours sombres et que Winslow, s'il mourait demain, ne mourrait qu'au figuré, ce que je me suis empressé de lui expliquer, en omettant quelques détails à propos de mes intentions, ça allait assez mal comme ça, et en lui certifiant qu'il verrait la fin du mois d'août et le passage tardif, peut-être, d'une ou deux Perséides.

Les Perséides... Au seul son de ces mots, j'ai ressenti une vive douleur au sternum, comme si la fine lame d'un scalpel avait incisé la chair tendre recouvrant le muscle qui permet à notre cœur de battre jusqu'à épuisement, et j'ai levé les yeux au ciel, ce qui ne donnait rien, puisque nous étions encore dans la cuisine de Winslow, où les minuscules chiures de mouches constellant le plafond ont cependant permis à ma nostalgie des jours heureux de se contenter un peu, et à mon imagination de les transformer en ces dizaines de corps stellaires parmi lesquels j'avais aimé à me perdre, jadis, quand il m'était encore permis de contempler la nuit étoilée sans craindre qu'une météorite oriente sa trajectoire directement vers moi. Si ça se trouvait, Mirror Lake était peut-être le résultat de la chute d'une météorite, dont les effets se faisaient encore sentir, des milliers d'années après, sur ceux qui avaient eu la témérité de s'installer sur les bords de son cratère. Tant pis, j'y étais, j'y restais, et j'ai dit à

Winslow de ne pas s'en faire, qu'on s'installerait ensemble sur la plage pas plus tard que ce soir, pas plus tard que demain, bien vivants tous les deux, pour scruter silencieusement le ciel, à l'affût des lumières éphémères droit venues de la lointaine constellation de Persée et que, au besoin, on s'inventerait d'autres familles d'étoiles filantes, d'autres constellations, Courbe de Winslow ou Carré de Moreau, pour le simple plaisir de ne penser qu'à ce qui n'existe pas et ne peut, de ce fait, nous blesser.

Ça l'a ému, de constater que je redevenais celui qu'il appréciait, mais il attendait toujours une réponse à sa question. C'est bien beau, tout ça, but you haven't answered my question, Robert? Alors j'ai menti, poussé en cela par le désir fraternel né de l'observation des chiures étoilées des mouches. J'ai répondu que jamais la plus infinitésimale idée de l'étrangler, l'empaler ou le faire chavirer ne m'avait effleuré l'esprit, et que ce n'est pas demain que ça se produirait. Un peu plus et je disais I love you, Bob, mais j'ai dit I like you, à cause de l'influence des astres invisibles, et le pire, c'est que je le pensais. I like you too, m'a avoué ce gros tas, et on s'est sauté dans les bras, et on s'est tapé dans le dos, et on s'est traités d'imbéciles, comme de vrais amis, au grand plaisir de Bill et de Jeff, qui commençaient à nous trouver lourds et se sont animés, ont participé à notre joie.

Puis, pour montrer qu'on était sincères, on a descendu le roman de Morgan, des vraies peaux de vache, on a dit que son récit était plein de trous, de non-dits, d'incohérences, que les liens ténus que l'on pouvait faire entre cette histoire bancale et nos existences n'étaient que hasards, pures coïncidences, ainsi que nous l'avions déjà si bien proclamé, et que s'il fallait qualifier de prémonitoires tous les romans dans lesquels on découvrait des petites ressemblances avec ce qu'on avait vécu, les écrivains seraient mieux de devenir chiromanciens, ce qui serait plus payant mais qu'ils ne feraient pas, parce qu'ils adoraient vivre dans la dèche, les écrivains, c'était bon pour l'inspiration.

On a bien ri, quand on a rassemblé tous les infimes détails du roman de Morgan qui s'étaient prétendument concrétisés à Mirror Lake et qu'on en a fait un petit tas sur la table, à côté de nos assiettes où le jaune d'œuf avait séché et créé des motifs abstraits à la Jasper Johns. Jack Picard : coïncidence ! L'évasion de Picard : coïncidence ! La grossesse d'Anita : such is life ! J'étais en train de me moucher dans la nappe de Winslow quand il m'a sorti ça, Anita's pregnancy. Anita's pregnancy, ai-je répété comme un foutu perroquet en me tapant sur les cuisses et en lissant la nappe, puis l'image de Winslow faisant sauter un morveux sur ses genoux en essayant de lui apprendre les paroles de *Yankee Doodle* s'est reflété un instant dans la cafetière, où je me suis vu me remonter le toupet, et j'ai dit wô, Bob, stop, où est-ce que tu as été pêcher ça ? Page 221, s'est-il esclaffé en utilisant la nappe à son tour. Est-ce que Morgan nous apprend qui est le père ? ai-je poursuivi avec l'apparente gaieté du fanfaron, apparente parce que sans réelle conviction, mon fanfaron étant plutôt du genre faron, en fait, sans les cuivres, la grosse caisse et tout le tintouin. You, a postillonné Winslow en réponse à ma question, détruisant ainsi tous nos efforts pour tourner en dérision le roman de Morgan et cesser de nous identifier à ses personnages. You mean Robert, l'ai-je corrigé. You, Robert, isn't it the same ? a-t-il hoqueté en essuyant les larmes nées de son hilarité. Un peu plus, et il se roulait sur le plancher – qui était propre, au demeurant, si l'on excluait les petites poussières du matin, car Winslow était un homme propre. Quant à moi, je trouvais ça tout à coup moins drôle.

Je ne sais pas pourquoi, mais j'ai tendance à prêter davantage foi aux mauvaises nouvelles qu'aux bonnes, probablement parce qu'elles sont plus nombreuses et, en général, plus crédibles. Je n'aurais pourtant pas dû m'en faire, puisque nous venions de décréter, en vertu de je ne sais quelle autorité, que *The Maine Attraction* n'était qu'un tissu de mensonges, mais mon expérience récente m'avait appris que la frontière entre le mensonge et la vérité n'est pas toujours aussi franche qu'on le voudrait, qu'il y a du louche dans la transparence et que le leurre se fonde parfois sur des données vérifiables et vérifiées. Et puis, n'était-ce pas Anita qui avait dirigé notre attention vers ces pages? Peut-être que tout ce qu'elle voulait m'apprendre, c'est que le latex n'est pas un matériau infaillible.

La possibilité d'avoir été baisé par un marchand de capotes n'ayant rien de réjouissant, j'ai demandé à Winslow s'il y avait quand même des bonnes nouvelles, dans le chapitre que nous avait désigné Anita, quelques éléments positifs, quoi. Il a cru que je blaguais, j'imagine, car il a été saisi d'un nouveau fou rire qui l'a cette fois jeté sur le plancher, où il s'est roulé comme Ping le soir de notre bagarre avec Picard, et je l'ai laissé se ridiculiser tout seul. Je lui ai dit que je sortais prendre l'air et je suis sorti, avec Jeff, pendant que Bill se roulait avec Bob dans les miettes de notre déjeuner.

Dès que j'ai mis le pied dehors, j'ai été enveloppé par une enivrante odeur de pommes. Il n'y avait pas de pommier dans le coin, je le savais, c'était tout simplement mon enfance qui essayait de se refaire une petite place au soleil avant que je sois trop vieux ou trop sénile pour admettre que l'enfance, quand on la chance d'en avoir une, est la plus belle chose qui puisse arriver à quelqu'un. Une journée pommée, ai-je murmuré en humant l'air lourd et en remerciant le ciel qu'il existe dans notre cerveau une espèce de bidule se saisissant des odeurs ambiantes pour en faire naître d'autres, plus lointaines, auxquelles nous les avons toujours associées. Dans mon cas, c'est le parfum humide du mois d'août qui, chaque fois qu'il est à la température parfaite, éveille celui grisant des pommes que nous allions voler dans le verger de la bonne femme Cadotte en marchant dans les bouses de vache sèches et le foin jauni.

C'est une journée pommée, Jeff, il ne faut pas la briser, et Jeff a compris, Jeff comprend toujours quand la chose à comprendre est trop simple pour que la plupart d'entre nous la saisissions. Il est descendu avec moi vers le lac en respirant de sa grosse truffe l'air embaumé, puis on a ramassé des cailloux qu'on a envoyés ricocher sur le lac, qui avait l'exquise limpidité lui ayant valu son nom, et on ne s'est arrêtés qu'après avoir battu notre record. Quatorze! me suis-je écrié lorsque le caillou a arrêté sa course, et Jeff m'a sauté dessus en aboyant gaiement. Par la suite, on s'est assis et on a écouté. Quelque part, un pic-bois se picossait son déjeuner, un geai bleu s'égosillait, parce qu'on a beau ne pas savoir chanter, ce n'est pas une raison pour se taire par une si belle journée, une bande de moustiques formait une harmonieuse nuée au-dessus d'un petit bout de lac qu'ils avaient choisi pour je ne sais quelle raison et, au loin, près de mon quai, une masse sombre évoluait.

Comme j'étais de bonne humeur et encore dans les pommes, pour ainsi dire, j'ai tout de suite pensé qu'il s'agissait de mon orignal, mon orignal porte-bonheur, venu confirmer la beauté de cette journée, alors j'ai chuchoté à Jeff, avec un trémolo dans la voix, regarde, Jeff, c'est notre orignal chanceux, mais l'absence de réaction de Jeff m'a fait remarquer que l'orignal en question n'avait pas de panache et que si cette masse sombre était bel et bien un orignal, il ne s'agissait pas d'un orignal, mais d'*une* originale. J'ai plissé les yeux pour mieux voir, mais je n'ai réussi qu'à m'embrouiller la vision, je ne sais d'ailleurs pas pourquoi on plisse stupidement les yeux plutôt que de se les écarquiller quand on veut se concentrer sur un objet quelconque, ce qui serait plus logique. Sûrement un truc de myope ou un truc de peureux qui n'a pas vraiment envie de voir ce qu'il sait qu'il va voir s'il écarquille les yeux, ce qui revient au même, car je suis persuadé que les myopes sont ce qu'ils sont parce qu'ils préfèrent ne pas avoir une vision trop claire du monde. Les myopes sont des peureux.

Enfin, après avoir inutilement accéléré le processus de vieillissement de la peau qui se lézardait autour de mes yeux, je suis rentré dans le chalet chercher des jumelles. Why? a voulu savoir Winslow en rangeant sa lavette, contrarié que je lui aie laissé faire la vaisselle tout seul. Parce qu'il y a une chose près de mon quai, une forme sombre que je n'arrive pas à distinguer. Malgré sa contrariété, il n'a pas aimé que je dise forme sombre, Winslow, dark figure, et je lui ai mis la main sur la bouche avant qu'il ne prononce les mots que je redoutais d'entendre autant que je craignais d'apercevoir ce que les mots tus auraient désigné. Where are your binoculars? ai-je répété, et il est allé me les chercher pour m'accompagner sur la plage, avec Bill, où Jeff nous attendait. Je l'ai d'abord laissé regarder, j'ai ensuite regardé, puis nous nous sommes regardés en murmurant à tour de rôle John Doe, baptême, John Doe, dammit, comme quoi il ne faut jamais croire que les morts ne reviendront pas nous visiter un jour. Qu'est-ce qu'on fait? a dit l'un de nous deux. On va le repêcher avant que le lac le ravale, a répondu l'autre. Deux minutes plus tard, on ramait comme des malades en direction de la rive nord, effrayés à l'idée que Mirror Lake puisse nous jouer un sale tour pendant qu'on s'échinait en écorchant *Po Lazarus*, dont j'avais appris les paroles à Winslow je ne sais plus quand, et que les chiens, stimulés par notre excitation, aboyaient aux deux bouts de la chaloupe, Bill vers sa rive, Jeff vers la sienne, figures de proue attachées à nous protéger du danger et des mauvais esprits.

À proximité du quai, on a tous voulu débarquer en même temps, la chaloupe a chaviré, Winslow et moi on s'est ramassés à plat ventre dans la flotte infestée par le macchabée, on s'est traînés jusqu'au bord et on s'est prestement détournés lorsqu'on a vu l'état de la forme sombre. Bill et Jeff, qui aimaient les choses puantes, ont tenté de s'approcher, ce que Winslow et moi leur avons interdit en parfaite synchronie. Pas touche, Jeff, don't touch, Bill, ce qui a à peu près donné pon't toche, Jilf, mais ils ont compris, d'autant plus que la forme sombre, qu'il nous faudrait rebaptiser, ne dégageait pas cette sorte de puanteur qui plaît aux chiens.

C'est Winslow qui a risqué un œil complet en premier, parce qu'il était plus humain que moi, je suppose, pour m'apprendre que c'était vraiment laid. Je vais chercher des branches, a-t-il dit en détalant, I'll go and get two scarves, ai-je crié en filant avec la même célérité, ce qui a donné quelque chose d'assez incompréhensible que les chiens n'ont pas saisi, mais qu'importe, Winslow et moi, on était sur une longueur d'onde du tonnerre et on savait déjà comment on allait procéder sans avoir besoin d'expliciter notre méthode par des paroles intelligibles. Quatre minutes plus tard, le temps qu'on trouve ce qu'on cherchait, on était de retour près du lac, nos foulards sur le nez, nos branches à la main, à l'aide desquelles on tentait de hisser le corps sur la plage sans trop le défaire, tout en plissant les yeux pour ne pas bien voir.

Cette tâche ingrate accomplie, l'un de nous a demandé ce qu'on faisait, maintenant que John Doe était en sécurité. On téléphone à Robbins, a répondu l'autre, qui n'était sûrement pas moi. Non, moi, j'ai plutôt suggéré qu'on appelle les plongeurs, ils étaient sympathiques, les plongeurs, pas bavards, méticuleux, ou alors la CIA, le FBI, la NASA, elle empestait trop, cette histoire, pour qu'on en confie la charge à un simple flic de comté. Mais Winslow ne m'écoutait pas. Il est entré dans le chalet et en a fait à sa grosse tête, inconscient des risques auxquels il nous exposait. Quand il est ressorti, je lui ai posé la question qui me brûlait les lèvres depuis trop longtemps, autant régler ça en attendant les emmerdements que Robbins n'allait pas manquer d'apporter avec lui. Who gave you my phone number, Bob? Sur le coup, il n'a pas pigé : ce n'est pas à toi que j'ai téléphoné, crétin, m'ont dit ses yeux pervenche, mais à la police. Il a fallu que je lui explique en long et en large que le subterfuge dont il avait usé pour se procurer mon numéro de téléphone m'avait toujours tracassé et que je voulais tirer ça au clair, mais il aurait mieux valu que j'économise ma salive, il ne se rappelait plus et ne voyait pas en quoi ça nous avançait, ce qui faisait un autre trou dans mon histoire, mais un trou bénin qui se refermerait de lui-même, car quelle importance ça avait, au fond, comment Winslow avait obtenu mon numéro? Aucune.

Bon, de quoi on parle, en attendant que Robbins vienne détruire le peu de beauté qu'il reste à cette journée prématurément fanée? Est-ce qu'on est obligés de parler? a rétorqué Winslow. Non, on n'était pas forcés, mais ça m'aurait calmé un peu. On s'est donc assis sur la plage, de biais avec John Doe, et on a regardé le lac et les montagnes, qui avaient soudainement perdu leur attrait. Même l'odeur de pommes avait disparu, les facultés du souvenir ayant leurs limites. Notre silence a duré exactement sept minutes, j'ai compté, avant que Winslow sente le besoin de secouer la tristesse qui s'abattait lentement sur nos têtes. Poor guy, a-t-il murmuré. J'ai d'abord cru qu'il parlait de moi et j'ai voulu le remercier pour cet élan de sympathie, mais je me suis vite aperçu qu'il pensait à John Doe, qui resterait probablement John Doe jusqu'à la fin des temps, car comment pourrait-on identifier un mec aussi pourri? J'ai tenté de le rassurer en lui disant que rien ne résistait plus à la médecine légale, qu'on n'aurait qu'à prendre l'empreinte de ses dents et que, de dentiste en orthodontiste, on parviendrait bien à savoir qui était cet homme. Et s'il n'a pas de dents, a riposté Winslow, s'il avait un dentier et qu'il l'a perdu dans le lac, comment on va faire? Puis, pour me prouver que c'était possible, il m'a sorti sa prothèse dentaire et l'a tirée dans le lac.

Il prenait ça plus à cœur que je ne l'aurais imaginé, Winslow, car il était humain, je l'ai dit, mais j'ai trouvé qu'il en faisait un peu trop. Je m'apprêtais à le lui dire quand Robbins s'est amené sur les chapeaux de roues avec un homme en sarrau, un médecin légiste, de toute évidence, qui soulagerait les angoisses de Winslow. Where is he? a lancé Robbins avant que Winslow ait le temps d'aller repêcher ses dents. On ze beats, a zozoté celui-ci. On the beach, ai-je crié à mon tour, pour qu'il n'y ait pas méprise, Robbins ne pensait tout de même pas qu'on l'avait transporté dans le chalet. Et il ne va pas se sauver, ai-je ajouté pour moi-même, tout en sachant que la chose, en ce lieu infect, n'était pas impossible.

Robbins s'est donc approché avec le toubib, que j'ai appelé Conan, puisqu'on ne nous avait pas présentés, et Conan s'est immédiatement penché sur ce qu'il restait du corps alors que Robbins inspectait les alentours. Il n'a pas de dents, a commencé Conan, et Winslow m'a regardé avec ce petit air triomphant qui me déplaisait tant. Ils n'auront qu'à le dater au carbone 14, lui ai-je renvoyé tout de go, puis Robbins, les deux pieds dans la flotte, a crié à Conan qu'il avait trouvé les dents du mort. Zoze are my seats, s'est empressé de clamer Winslow qui, après un complexe échange au cours duquel il a passé pour un imbécile, a pu récupérer ce qui lui appartenait. Je ne mettrais pas ça dans ma bouche avant de l'avoir nettoyé, ai-je voulu l'avertir, mais il était trop tard, les microbes purulents de John Doe lui mastiquaient déjà les gencives, bien fait pour lui. Ça m'a toutefois permis d'apprendre que si Winslow tenait sa maison impec, il n'était pas aussi propre de sa personne. Pour ma part, il faudrait des pluies diluviennes, et encore, pour que j'accepte de me retremper ne serait-ce que le gros orteil dans le lac où avait macéré cette chose immonde sur laquelle s'affairait Conan. I found his wallet, a d'ailleurs annoncé celui-ci à Robbins. Bon, s'ils avaient son portefeuille et si John Doe avait des cartes plastifiées, on allait enfin pouvoir l'appeler par son nom. Robbins a récupéré l'objet, s'est accroupi sur le sable et a commencé à en vider le dégoulinant contenu, pendant que Winslow et moi on l'observait avec de grands yeux avides, impatients de connaître l'identité de celui qui nous hantait depuis des semaines et dont j'avais pour ma part mis l'existence en doute, accusant Winslow des pires machinations.

So, a fini par hurler Winslow, qui n'en pouvait plus du laconisme de Robbins. So, we'll have problems, a répliqué Robbins ; qu'est-ce que j'avais dit à propos des emmerdements qu'il générait, ce type ? Why ? s'est enquis Winslow. Apparemment, John Doe était quelqu'un de connu, pas John Doe pour deux sous, ai-je cru comprendre à leur conciliabule, et l'annonce de sa mort allait créer de graves remous, si bien que Robbins refusait de dévoiler sa célèbre identité à Winslow. Pendant ce temps, j'observais le corps et me disais qu'en effet, l'allure de ce grand gaillard me rappelait quelqu'un. Comme il était hors de question que j'attende les révélations des journaux à potins pour savoir qui était mon, je dis bien *mon* John Doe, j'ai profité de la petite engueulade de Winslow et Robbins pour me glisser subrepticement derrière celui-ci et subtiliser le portefeuille, qui était toujours par terre.

Puisque tout allait mal et que Mirror Lake avait décidé de se transformer en cirque, on a tout à coup vu un pick-up crasseux se garer près du chalet, puis un grand mec, un moyen mec et un petit mec en sortir, accompagnés de Joe Dassin, qui déblatérait « tagada, tagada, voilà les Dalton ». Si Artie était avec eux, il ne manquerait plus qu'Anita, le jeune Jones et Picard, qui devaient être dissimulés dans un bosquet quelconque, pour que la famille soit au grand complet. Mais Artie n'était pas là. Au contraire, les trois Jack étaient à sa recherche, celui-ci n'ayant jamais remis les pieds à Bangor depuis qu'il avait filé avec Picard.

Pendant que Joe m'expliquait tout ça et qu'Averell jouait avec Bill et Jeff, qui n'avaient pas aboyé, Robbins s'est posté derrière nous pour entendre ce que ce mafieux avait à me dire. Si Robbins apprenait que j'avais contribué à la fuite de Picard, j'étais cuit, aussi ai-je tenté de faire comprendre à Joe qu'il devait être plus subtil. This man is a cop, ai-je articulé très nettement à son intention, en espérant qu'il sache lire sur les lèvres, mais il ne savait pas. J'ai donc essayé avec les grimaces, les clignements d'yeux, je me suis passé le doigt sur la gorge, à l'horizontale, en faisant couic, l'ai ensuite mis à la verticale devant mes lèvres closes, j'ai simulé l'effroi, dessiné des barreaux de prison, feint la détresse, avec pour seul résultat que Joe a cru que j'étais fêlé et qu'il a commencé à s'énerver. De guerre lasse, j'ai baissé les bras, je ne pouvais pas être plus clair, qu'il s'arrange avec ses problèmes, j'ignorais où était Artie. J'allais rejoindre Winslow sur la plage quand Joe m'a saisi par un bras, Robbins par l'autre, et qu'ils se sont mis à gueuler en même temps, l'un à propos d'Artie, l'autre à propos de Picard et du portefeuille de John Doe, et il a fallu que je m'énerve à mon tour pour qu'ils se calment un peu, mais rien qu'un peu, parce que le jeune Jones a bondi à ce moment d'un bosquet pour annoncer à Robbins qu'il m'avait vu escamoter le portefeuille du noyé.

Ce qui s'est passé après est assez confus et plutôt harmonieux à la fois, à la manière d'un ballet exécuté par une bande de brutes. Ce dont je me souviens le plus distinctement, c'est que la valse de Strauss qui ponctue *2001: A Space Odyssey* a soudain recouvert tous les bruits ambiants et que je me suis mis à flotter sur cette musique, qui me servait en l'occurrence de mécanisme de défense, alors que l'anarchie s'installait sur Mirror Lake, qui en avait vu d'autres. C'est le jeune Jones, en fait, qui a tout déclenché. Il aurait bondi deux minutes avant ou deux minutes après, le cours de l'histoire en aurait été modifié, c'est ce qu'on appelle la fatalité ou la loi de Murphy, mais il a choisi le pire moment, et le désordre qui en a résulté est à peine concevable. Surpris par son irruption inopinée, Joe s'est tout de suite braqué, Robbins a cru qu'il voulait s'attaquer à lui et a dégainé. Jones, conscient de la méprise malgré sa bêtise, a tenté de s'interposer en sautant sur Robbins, si bien qu'ils se sont tous trois retrouvés au sol, par-dessus moi, ce que voyant, Winslow, William, Averell, Bill et Jeff n'ont pas aimé, qui se sont rués sur le tas que nous formions pour se joindre à la mêlée. Profitant d'une petite ouverture entre ce qui m'a semblé être les jambes de Winslow, j'ai pour ma part réussi à me glisser à l'extérieur de ce cercle infernal, avec l'intention d'aller me réfugier dans le chalet pour prendre connaissance du contenu du portefeuille de John Doe. Ce qui arriverait après, je n'en avais cure, mais il fallait que je sache qui était ce type avant de mourir.

J'arrivais à l'escalier quand un coup de feu a déchiré la valse de Strauss et que tout le monde, conscient qu'un drame venait peut-être de se produire, s'est immobilisé, sauf Conan, qui n'avait pas participé à la bagarre mais qui, en parfait disciple d'Hippocrate, s'est précipité pour voir s'il y avait un blessé ou un mort, de préférence un mort, puisque c'était sa spécialité. Heureusement pour nous et tant pis pour Conan, la balle s'était frayé un chemin entre les membres emmêlés pour aller se ficher dans l'ex-ventre de John Doe, qui aurait pu s'en passer, évitant de peu Conan, qui a failli s'évanouir en constatant ce fait. Au lieu de s'évanouir, il a préféré engueuler Robbins en lui disant qu'on n'était pas dans un film de cow-boy, dammit, et que s'il ne rangeait pas son arme immédiatement, il lui renvoyait son macchabée à la flotte.

Don't do that, doc, ai-je allitéré du bas de la galerie, rappelant ainsi mon existence à Robbins qui, après avoir rengainé en maugréant, s'est élancé dans ma direction, redéclenchant *Le Danube bleu*. Puisque j'avais un peu d'avance, j'ai réussi à entrer dans le chalet et à m'enfermer à double tour. Je fouillais précipitamment dans le portefeuille de Doe, car le temps pressait, quand j'ai vu par la fenêtre Winslow et les deux chiens qui arrivaient sur la galerie, à la suite de Robbins, pour me porter secours. En arrière-plan, on pouvait apercevoir Joe, William et Averell, alignés par ordre de grandeur sur la plage, et un peu plus loin Conan, qui extrayait la balle de Robbins du ventre de John Doe, parfaitement silencieux dans l'attente de la suite des événements. Quant au jeune Jones, il était retourné dans son bosquet.

J'ai alors crié à Winslow et aux deux chiens que tout allait bien, que je n'avais besoin que de trente secondes pour extraire le permis de conduire de ce foutu portefeuille, qui me résistait, ainsi que le font les objets quand on est pressés, manière de nous signifier qu'on se comporte en imbéciles. Quand enfin je suis parvenu à déchirer le portefeuille récalcitrant pour prendre la carte et y lire le véritable nom de John Doe, la seule pensée qui m'a traversé l'esprit est que j'étais mort, que j'avais commis un crime atroce, que j'étais mort et que Dieu, comme je le redoutais, m'avait expédié en enfer. Preuve que j'avais raison, Winslow, qui n'était pas entraîné à se battre, effectuait à ce moment précis un vol plané au-dessus de la rampe de la galerie, en bas de laquelle j'ai aperçu le vieux piquet de clôture solitaire – apparu là je ne sais comment – sur lequel il devait rendre l'âme, ainsi que l'avait prévu Morgan. Grâce à la valse de Strauss, tout cela se déroulait néanmoins au ralenti. N'écoutant que mon courage, j'ai ouvert la porte à toute volée et, en état d'apesanteur, j'ai effectué un saut de l'ange, afin d'attraper Winslow en vol et de le dévier de sa trajectoire.

Tout ce dont je me souviens ensuite, c'est que la roche de quatre cents millions d'années s'est approchée un peu trop rapidement de ma tête, malgré le ralenti, que Winslow s'est affalé bruyamment dans un tas de branches, flouch, sain et sauf, ouf, et que la nuit, avec ses milliers d'étoiles, est tombée sur Mirror Lake pour m'envelopper de sa douceur. Étais-je au ciel? Étais-je en enfer? Je m'en foutais, j'avais pour moi des galaxies d'imprécise obscurité. Puis Winslow a rampé jusqu'à moi pour savoir si j'étais en état de fonctionner. Mon état ne laissant présager rien de bon, il a approché sa grosse oreille poilue de ma bouche et a attendu que je veuille bien lui confier mes dernières paroles. John Doe is… is…, ai-je murmuré à l'oreille poilue, puis celle-ci est devenue gigantesque et mon esprit s'est engagé dans son conduit auditif, s'est essuyé les pieds dans le vestibule, a fait une longue glissade dans le limaçon, zoooum, pour enfin être propulsé dans les ténébreuses profondeurs de la trompe d'Eustache, ainsi nommée à cause de Bartolomeo Eustachi, ai-je précisé à l'intention de Winslow, qui croyait que le gars s'appelait banalement Eustache. Personne ne s'appelle Eustache.

Après, les étoiles se sont éteintes, je pouvais dormir en paix.

III

Peau neuve

Soit dit en passant : Dire de deux choses
qu'elles seraient identiques est une absurdité,
et dire d'une chose qu'elle serait identique à elle-même,
c'est ne rien dire du tout.

Ludwig Wittgenstein,
Tractatus logico-philosophicus

Quand les étoiles s'éteignent, on peut à juste titre présumer que c'est la fin du monde. C'est ce que j'ai d'abord cru quand j'ai senti l'univers se dématérialiser puis s'obscurcir autour de moi, et je ne suis pas certain de m'être trompé. Si j'ai eu raison, cependant, cela signifie qu'il y a une vie après la vie, dont il vaut mieux ne pas précipiter l'avènement, parce que c'est pareil, mais en plus moche, comme dans l'un de ces miroirs déformants que l'on trouve dans les foires, conçus de façon à révéler le potentiel monstrueux des choses pour peu qu'on les aplatisse ou les étire.

Quand je me suis éveillé, après avoir percuté la roche de quatre cents millions d'années, ça ne m'est toutefois pas venu à l'esprit tout de suite. Je n'ai pensé à rien, pour être franc, cette partie de mon être que j'avais toujours appelée moi étant emprisonnée dans une zone non encore activée de mon cerveau, si bien que ce n'est pas moi qui ai vu l'incommensurable étendue de blanc m'entourant, mais mon corps, mes yeux, petites fenêtres par où entrait le blanc, qui allait se frapper à des neurones qui traduisaient blanc sans avoir la capacité de l'associer à des choses connues à l'aide de comparaisons ou de métaphores du style blanc égale neige, blanc comme la neige, d'une atroce pâleur d'hiver et autres formules de nature à définir l'essentielle pureté du blanc. J'étais dans la non-pensée, totale et entière, où toute notion de soi est abolie, perdu dans une forme de nirvana comateux que rien ne pénétrait, sauf le blanc, mais un blanc sans attaches ni connotations, libre. Un non-blanc, quoi.

Ça a continué comme ça un temps dont je ne saurais déterminer la durée, puisque je n'étais pas là, puis la chose qui m'avait remplacé pendant mon absence a vu deux objets se dressant devant elle – pieds, ont traduit les neurones –, et mon je est lentement revenu à la surface à travers ces deux pieds, les a reconnus comme des choses lui appartenant, et j'ai fini par me rappeler à quoi ressemblait le monde avant que les étoiles s'éteignent.

J'ai spontanément pensé que j'étais mort et, de ce fait, ai résolu deux ou trois des questions métaphysiques ayant perturbé mon existence, à savoir qu'il y a une vie après la vie, je l'ai dit, et que le corps ne disparaît pas pour la seule raison qu'on est mort, puisque j'avais deux pieds. Je n'avais pas encore vu le reste, mais j'ai supposé que si je pouvais réfléchir, j'avais un cerveau et une espèce de boîte pour l'empêcher de se répandre, donc une tête, et qu'il devait bien y avoir quelque chose entre la tête et les pieds. J'ai toutefois eu un moment de doute en me remémorant les représentations de Dieu et du Christ flottant au-dessus des nuages dans de longues soutanes bien lisses sous lesquelles rien n'atteste qu'il y a un corps, personne n'ayant jamais vu Dieu tout nu. Peut-être que les pieds dessinés en bas de la soutane ne sont rattachés à rien et peuvent décider de partir vers la gauche tandis que la tête s'en va dans l'autre sens.

Pas très chaud à l'idée de passer son éternité à chercher ses pieds, mon cerveau a promptement ordonné à ce qui se trouvait sous lui de me tâter, ce qui m'a permis de constater que j'avais tous mes morceaux, plus un, car une énorme bosse avait poussé sur le côté droit de mon front, qui a commencé à me faire mal dès lors que j'ai su qu'elle existait. Si je souffrais, ça signifiait par ailleurs que j'étais vivant ou en enfer. J'ai choisi d'être vivant en attendant un démenti.

J'avais beau être entier, je n'arrivais cependant pas à me mouvoir, comme si quelqu'un avait versé une substance paralysante dans mon verre pendant que j'avais le dos tourné. Je n'avais qu'à patienter un peu, me suis-je dit, et j'allais recouvrer l'usage de mes membres, sinon je ne voyais pas à quoi ça servait d'en avoir. Pour passer le temps, j'ai cherché ce que je pouvais faire à part penser et me tâter. J'avais le choix entre chanter, prier ou réciter des poèmes. Avant que j'aie pu prendre une décision, mon appareil phonatoire a entonné la première insignifiance qui m'a traversé l'esprit, à savoir *La dame en bleu*, probablement parce que je désirais du fond de l'âme rencontrer la Sainte Vierge, que j'avais ratée de peu au cours de ma dernière cuite avec Winslow, qui n'allait pas tarder à arriver si j'étais vraiment vivant.

Histoire de ne pas gâcher ces précieux moments de paix, j'ai bâillonné l'obstinée dame en bleu avec son foulard de soie azur et me suis concentré sur le blanc qui m'entourait, pour miraculeusement retontir sur ma banquise, où mes ours polaires avaient repris leur place, grosses masses de suif gambadant sous le soleil arctique avec la légèreté de qui jouit du simple fait d'être en vie. Émerveillé par leur souplesse, que dis-je, leur grâce, je me suis mis à gambader avec eux, car j'étais vivant, moi aussi, jusqu'à preuve du contraire, et heureux de l'être, parce que c'est beau, la vie, quand on parvient à oublier ce qui doit être oublié et qu'on a à sa disposition quelques images idylliques pas trop entachées par la destruction que sème l'homme autour de lui. Je me suis donc promené avec mes deux ours, de banquise en banquise, jusqu'à moi-même devenir ours, grosse masse de suif rugissant dans le blanc désert où j'étais roi, puis je me suis laissé tomber à la renverse et me suis roulé sur la glace pour me gratter le dos, ai changé de côté pour me gratter le ventre, me suis reretourné sur le dos, un vrai fou, jusqu'à ce qu'une petite voix, issue des confins du domaine où je régnais, secoue mon allégresse pour me demander are you crazy, Bob?

Anita, me suis-je dit avant d'ouvrir les yeux, qui avait accouru à l'appel de *La dame en bleu* et avait encore réussi à faire fuir mes ours. Pour la déstabiliser, j'ai décidé de faire le mort, mais ça n'a pas marché, car elle a ajouté, d'une voix pleine d'émotion, thank God, you're alive. J'étais donc vivant, j'avais les preuves qu'il me fallait, Anita en prime, mais pas vivant comme je l'avais été au pôle Nord, où mes deux ours disparaissaient dans le blizzard, plutôt vivant comme j'étais habitué à l'être, avec les emmerdements que cela suppose, Anita en prime. Hi, Anita, ai-je répondu en ouvrant un œil, et j'ai vu qu'elle pleurait des petites larmes de joie, qu'elle n'essayait même pas d'essuyer du bout de ses doigts, délicatement, pour ne pas étendre son rimmel. C'étaient des larmes sincères, sans entraves, qui se frayaient un chemin sur son visage et tombaient, chaudes, sur mes mains froides de gars qui revenait de loin, si je me fiais au récit décousu que me faisait Anita à travers ses sanglots et auquel je ne comprenais rien.

I called the others, a-t-elle ajouté après avoir versé une dernière larme. The others!? Quels others? me suis-je inquiété, les deux yeux grands ouverts, cette fois, signe de mon anxiété croissante, car mon expérience m'avait appris que quand on mentionne les autres, the others, c'est qu'un danger dont l'imminence n'est pas à discuter nous guette. «L'enfer, est-il besoin de le rappeler, c'est les autres.» Sartre avait eu beau l'écrire avant moi, je considérais avoir une option sur cette célèbre phrase que j'aurais prononcée le premier si j'étais né plus tôt et si Sartre ne m'avait précédé dans cette connaissance des hommes qui allait faire mon malheur, sinon le sien, parce que l'autre, je le savais mieux que quiconque, c'est l'agent orange qui frappe à votre porte avec une bonbonne de napalm, rien de moins.

Je venais d'éviter l'enfer de justesse et voilà qu'Anita m'apprenait qu'elle avait pris les dispositions nécessaires pour que j'y retourne. Quels others? ai-je répété pour la forme, quand je savais fort bien de qui il s'agissait. Ils allaient tous venir, a renchéri Anita pour me faire plaisir, comme quoi on n'avait pas la même conception de la joie.

J'allais de plus avoir droit à une surprise, a little surprise, a-t-elle minaudé en prenant un air coquin ne me disant rien qui vaille. Des surprises, j'en avais suffisamment eues ces dernières semaines, à commencer par ma présence dans cette chambre blanche qui, après un rapide examen, s'est avérée être une chambre d'hôpital. J'avais d'ailleurs le bras droit attaché à une potence à perfusions, ce qui constituait en soi un indice patent. When will they arrive? ai-je inutilement ajouté, car ils ne tarderaient sûrement pas, les problèmes arrivent toujours avec une rapidité foudroyante, surtout quand ils sont nombreux. In a moment, a-t-elle confirmé, et, à la seconde, la porte de la chambre s'est lentement ouverte. Je m'attendais à voir s'y encadrer la grosse face rouge de Winslow quand, oh, surprise, est apparu le doux sourire de ma sœur Lou, d'une douceur à vous fendre l'âme, si vous en avez une, et à vous guérir en même temps de la plus tenace des migraines.

C'était donc Lou, la surprise d'Anita, ma sœur Lou, dans son bel uniforme d'infirmière immaculé, avec ses belles mains d'infirmière et ses beaux cheveux noirs, que les ans avaient parsemés de ce qui la rendait encore plus belle, de ce qui rend toutes les femmes plus belles. Lou, la corneille de papa, qui avait déployé ses ailes au-dessus des Appalaches et de la Chaudière pour venir à mon chevet. Lou, ai-je éructé en essayant d'avaler le motton qui grossissait dans ma gorge. Salut, grand frère, m'a-t-elle lancé, et le mot *frère* a fait retrousser son

sourire vers les petites pattes que des oies délicates, amou-
reuses des corneilles, avaient creusées au coin de ses yeux.
Alors j'ai craqué, je me suis mis à pleurer comme un veau, j'ai
pensé aux veaux, ma compassion pour les petits veaux qui ne
deviendraient jamais grands, tout petits et solitaires dans
leurs cabanes d'une saison, m'a envahi, et je me suis mis à
brailler de plus belle dans les bras de Lou, qui m'avait rejoint
et pressait ma tête contre son énorme cœur de femme, les
plus gros, parce qu'ils ne passent pas leur temps à se cacher
et, de ce fait, ne se ratatinent pas dans l'obscurité.

Qu'est-ce que tu fous là, Lou? ai-je reniflé, tout en songeant
que si Lou avait franchi la frontière des States pour moi, c'est
que je devais aller très mal. Je suis venue te guérir, grand
frère, et elle avait raison, elle me guérissait déjà. Quand bien
même je mourrais dans les prochaines minutes, je mourrais
guéri, grâce à Lou. Puis, comme j'étais chamboulé et que mes
sentiments partaient dans tous les sens, je me suis traité de
tous les noms pour avoir sacré le camp en maudit sauvage trois
mois plus tôt, laissant derrière moi ma famille et les deux ou
trois amis qui méritaient encore que je les appelle ainsi, sous
prétexte que j'avais besoin d'air, comme s'il n'y en avait pas
assez au Québec. Tout ça pour me retrouver encerclé par une
bande de dégénérés et d'assassins. Et les autres, Lou, est-ce qu'ils
sont là? Quand j'ai prononcé le mot *autres*, il n'a toutefois pas
eu le même effet qu'avec Anita, car les autres auxquels je pensais
n'avaient rien de menaçant, c'était le genre d'autres qu'on
souhaite à tous, sauf à ses ennemis. C'était ma famille, beaux-
frères inclus, et les neveux, et les nièces, et toute la trâlée de
bambins et de bambines qui allaient hériter de nos conneries.

Ils sont là, m'a répondu Lou, je vais aller les chercher. OK,
Lou. À tout de suite, Lou. Je t'aime, Lou, ai-je couiné alors
qu'elle sortait et était trop loin pour entendre ce chuchotement

du cœur qui avait du mal à se frayer un chemin dans ma gorge nouée.

Dix minutes plus tard, durant lesquelles Anita a tenté de me rendre présentable, un tintamarre de tous les diables a envahi le corridor menant à ma chambre et la porte s'est ouverte sur Mom, Ode, Lou, Viv et Jim, mon inconditionnelle famille, puis sur Ben, mon oncle Chaise et le grand Feuillard, mes inégalables beaux-frères, en grande conversation avec Winslow, Robbins, Jones et les frères Dalton, qui avaient amené Bill et Jeff. Ça riait, ça se tapait dans le dos, ça aboyait, ça m'embrassait et ça me léchait, ça versait une larme et ça riait encore, et je me souviens de m'être dit maudit que c'est beau, une famille, allant même jusqu'à inclure ce con de Winslow dans la gang.

On se serait crus dans un pays de l'Est, aux noces de la fille d'un mafieux ou dans un mariage grec, tiens, tellement tout ça était exubérant et désordonné à la fois, et je n'aurais pas été surpris de voir apparaître Anthony Quinn, déguisé en Zorba, qui nous aurait exécuté son petit numéro de folklore. En attendant Zorba, Winslow dessinait des grands moulinets au-dessus de sa tête pour expliquer à Chaise et à Ben une technique de lancer à la ligne de son cru. Je devais être guéri, autrement, ils n'auraient pas fait un tel boucan. Même Mom, qui se tenait bien sagement dans son coin pour ne pas déranger le chaos, a fini par s'abandonner à la liesse, non sans m'avoir auparavant lancé l'un de ces regards dont elle avait le secret et où elle voulait que je lise toute la douleur que je lui avais causée. Ne recommence pas, disait le regard, ne t'avise surtout pas de mourir avant moi, comme si j'avais demandé à chuter dans le coma, car c'est bien ce qui m'était arrivé, j'avais perdu la carte pour un temps indéterminé.

Au fait, combien de temps m'étais-je absenté? J'ai essayé de le demander à Mom, mais les frères Dalton l'entraînaient avec eux, et si Viv n'était pas intervenue, je suis persuadé qu'ils l'auraient kidnappée, ces ordures, rien que pour voir comment on se sent avec une petite Mom bien gentille, qui ne vous donne pas envie de tomber dans la délinquance et d'égorger votre première victime en entrant à la maternelle. D'ailleurs, qu'est-ce qu'ils faisaient là, ces trois idiots ? They're under arrest, m'a répondu Robbins. Sans me laisser le temps de lui demander pourquoi il était là lui aussi, il est retourné converser avec Feuillard et Ode, qui l'appelaient Bob, alors que Jim donnait du Tim à Winslow, qui tenait Anita par la taille, que Mom appelait mademoiselle Swanson. La vraie pagaille.

Pendant ce temps, personne ne s'occupait de moi, ou si peu, sauf Jeff, qui demeurait assis à côté du lit et me regardait comme si j'étais le Christ ressuscité, ce que j'étais, en somme, dans son univers de chien croyant. Il a fallu que Robbins se lance dans le récit de mon exploit pour que je redevienne le centre d'attraction. Mais de quoi il se mêlait, celui-là, d'autant plus qu'il mélangeait tout et se donnait le beau rôle. J'ai voulu corriger quelques détails, mais j'ai abandonné, j'avais trop mal à la tête. Il ne perdait cependant rien pour attendre, j'allais l'écrire, ce récit, donner la véritable version des faits, et il passerait pour ce qu'il était, une enflure ! Quand il est arrivé à la fin de son récit, qui se terminait par bang ! il y a eu un long silence, que je n'interpréterais pas comme un béat silence d'admiration, plutôt comme un silence gêné, personne n'ayant plus rien à dire, puis quelqu'un a proposé qu'ils aillent tous manger ensemble. J'ai tenté de m'interposer, je ne voulais pas qu'ils partent, pas tout de suite. On pouvait très bien commander de la pizza ou des souvlakis, et si quelqu'un était au régime, faire monter quelques plateaux de la cafétéria, je n'avais sûrement pas défoncé le budget de bouillon de poulet durant mon absence.

Au fait, combien de temps m'étais-je absenté, est-ce que quelqu'un allait enfin me le dire ? Mais ils se sont tous mis à fouiller dans leurs poches ou dans leur sacoche en rougissant et en examinant qui un mouchoir froissé, qui des clés de voiture, qui sa carte d'assurance maladie, qui une vieille gomme emballée dans son papier d'origine. C'est fou comme c'est intéressant, une vieille gomme, on se demande si on va la jeter, si on va la remâcher et si ça en vaut la peine, si elle n'a pas perdu sa saveur et sa text... COMBIEN? ai-je hurlé, ce qui a fait sursauter la gomme, qui allait donc finir à la poubelle. La fouille des poches et des sacs s'est interrompue, mais ça ne nous a pas avancés, le silence est demeuré entier, si l'on excepte les hum-hum de Winslow, réfugié derrière le grand Feuillard, qui parvenait à le cacher en longueur, mais pas en largeur. C-O-M-B-I-E-N? A year, a soufflé Anita. Un an? Non. Ce n'était pas possible, j'avais mal entendu. Could you repeat, please? About a year, a resoufflé la voix ténue qui a innocemment failli me réexpédier dans le coma.

About a year... About a year... Ça voulait dire quoi, ça, quand on connaît la nature toute relative du temps? Est-ce qu'elle ne pouvait pas être plus précise? Three hundred and fourty-two days, ai-je entendu du fond de l'incommensurable étendue de blanc d'où j'arrivais. Trois cent quarante-deux jours, ça ne faisait pas un an, ça! Il y avait trois cent soixante-cinq jours dans un an, que je sache, avant que je tombe dans le coma. Est-ce que les choses avaient changé depuis? Silence devant cette légitime question. Maman, ce n'est pas vrai? ai-je imploré, Mom étant la seule personne dans cette chambre qui ne ferait pas de blague avec une affaire aussi grave, et Mom, n'écoutant que son courage de mère, a corroboré l'information, suivie par la bande de peureux qui avaient fini de vider leurs poches et époussetaient mine de rien les barreaux du lit.

Devant cet unanime acquiescement, j'ai été tenté de prendre une overdose de soluté et j'ai sombré, tel un navire en perdition, dans une océanique déprime, alors que des dizaines de questions fusaient sous mon crâne. Puis la chambre a été envahie par le brouhaha précédant les départs, qui me parvenait à travers les glouglous du naufrage. Tout le monde a ramassé son sac, sa veste, sa calotte, les beaux-frères sont venus me serrer la main, Robbins me mettre une main sur l'épaule, Bill me lécher la joue, les Dalton me confier qu'ils cherchaient toujours Artie, Winslow me fredonner see you later alligator, Anita m'embrasser, tandis que Jones jouait avec la gomme qu'il avait ramassée et ne finirait peut-être pas sa vie de gomme dans une poubelle d'hôpital, et ils sont tous repartis à la queue leu leu, par ordre de grandeur, me laissant quelques instants seul avec Lou, qui a replacé mes couvertures, essuyé mon front et tiré Jeff de sous le lit, où la brave bête s'était réfugiée pour rester avec moi.

Quand elle a refermé la porte, salut, grand frère, tout est redevenu blanc et lisse, la chambre a penché du côté de la tristesse, et j'ai cherché de quoi penser pour ne pas m'effondrer dans le vide qu'avaient laissé autour d'eux tous les rires tus, dont pas une seule trace ne subsistait dans l'étendue de blanc sans fin qui reprenait ses droits et recouvrait la vague de fond m'ayant emporté plus tôt. J'ai sifflé mes ours, mais ils étaient partis à la pêche sous la calotte glaciaire, où je ne pouvais les suivre. J'ai essayé de convoquer quelques souvenirs heureux de mon enfance, quelques souvenirs de neige et de tempête, mais ils s'étaient cachés aussi. Les seuls qui acceptaient de se montrer à moi étaient pleins d'engelures, de mitaines raidies par le froid, de crissements sous les bottes, et il y soufflait l'un de ces pâles vents de janvier que même l'enfance ne peut réchauffer.

J'étais dans cela, le froid de janvier, dans le silence, seul comme une motte de glace au milieu d'un champ où le noroît souffle sa misère au ras du sol, faisant s'amasser la poudreuse autour de la motte, l'ensevelissant, l'enfouissant dans l'étendue désertique du champ. Il fallait que je sorte de ça, que je me secoue, alors je me suis levé et je suis tombé avec ma potence. Après des efforts aussi incommensurables que le blanc, je suis parvenu à me mettre à genoux pour me rendre jusqu'à la toilette, mais je n'aurais pas dû. J'aurais dû laisser ce jour de juillet devenir un jour d'hiver, car ce que j'ai aperçu en me hissant jusqu'au miroir du lavabo ne m'a pas plu, pas du tout, et je me suis évanoui, entraînant avec moi mon matériel de comateux.

Humpty Dumpty. C'est cette chose immonde que j'ai d'abord vue dans le miroir, d'où mon évanouissement, qui m'a valu une nouvelle bosse, mais de l'autre côté de la tête, pour équilibrer. Quelqu'un qui m'aurait regardé de face aurait dit tiens, des cornes de cocu, pour faire le drôle. Quand l'infirmière de garde m'a trouvé sur le plancher, j'ai d'abord cru que c'était Lou, revenue pour me sauver de Humpty Dumpty, dont elle connaissait la triste histoire, alors je lui ai sauté dans les bras, si tant est qu'on puisse sauter dans l'état où j'étais. Disons plutôt que je l'ai agrippée par le revers de son uniforme en la suppliant d'effacer la face de Humpty Dumpty qu'on avait dessinée dans le miroir.

Stay calm, Bob, stay calm, m'a dit la voix de l'infirmière qui n'était pas Lou et n'avait pas la douce voix de Lou, there's no Humpty Dumpty here, puis elle a appelé un infirmier pour qu'il l'aide à me ramener dans mon lit. Ensuite, elle m'a donné une piqûre, malgré mes hurlements pour qu'elle ne me pique pas et ne me renvoie pas dans le néant. Elle m'a piqué quand même, parce que je hurlais, c'est aussi con que ça, voilà où mènent l'incompréhension et la méprise. Pendant que ma voix s'empâtait, j'ai exigé de voir Lou, you know, the beautiful nurse, she was here, a few moments ago, with my family, mais cette imbécile m'a dit que je délirais, que je n'avais pas eu de visite depuis des jours. Combien ? ai-je voulu lui demander, mais j'entrais dans le coton, dans ces espèces de gros cumulus où les anges se promènent nu-fesses quand ils ne s'y vautrent pas en jouant de la lyre, et les dernières paroles que j'ai entendues, c'est good night, Mr. Winslow, mais je délirais, elle l'avait dit.

Dans le rêve qui a immédiatement suivi, j'étais dans les nuages, j'ai de la suite dans les idées, entouré d'une bande de petits Humpty Dumpty ailés et joufflus qui m'interprétaient le concerto en ut majeur pour harpe de François Adrien Boieldieu et je ne hurlais plus, je n'en avais pas la force. Je subissais. Ça a duré je ne sais combien de temps, mais ça m'a paru plus long qu'un cauchemar normal, qui a la décence de s'arrêter quand vous atteignez la limite du supportable.

À mon réveil, le blanc était plus clair, avec un soupçon de jaune, et j'ai vu à travers les rideaux tirés que le soleil brillait de tous ses feux, un beau soleil de juillet, pour autant que je sache, à moins que j'aie encore dormi pendant six ou sept mois. À cette seule idée, j'ai commencé à grelotter, de peur qu'il s'agisse d'un traître soleil de janvier, et j'ai décidé que si je devais encore rester plus de deux heures dans cet hôpital, j'exigerais un calendrier électronique branché sur la NASA. En attendant, j'avais d'autres préoccupations. Il me fallait d'abord savoir si j'étais sain d'esprit ou si c'était l'infirmière à la seringue qui déraillait. Elle n'avait d'ailleurs pas trop l'air d'une infirmière, cette femme, je veux dire d'une vraie, mais je n'arrivais pas à me faire une idée précise là-dessus, son visage s'étant perdu dans le brouillard neuroleptique où elle m'avait expédié. Mauvais signe.

Pour m'aider, j'ai tenté de me remémorer la scène de sauvetage dans les toilettes, l'odeur de désinfectant qui me tournait la tête, les souliers à semelles de caoutchouc qui s'avançaient lourdement sur les tuiles blanches, produisant ce petit crissement qui ne doit pas être bon pour les malades aux nerfs fragiles, couic-couic, couic-couic, dans les aigus, puis mes yeux ont remonté le long des jambes et, en arrivant à la hauteur des hanches, j'ai aperçu en contre-plongée le visage flou de l'infirmière, pas rassurant, qui se penchait lentement vers moi.

Il s'est alors produit ce qui se produit quand on a trop d'imagination. Ma mémoire, aidée de mon anxiété, s'est trompée de chemin et j'ai abouti à Sidewinder, Colorado, le bled perdu où Paul Sheldon, le héros de *Misery*, tombe aux mains d'une infirmière cinglée qui a suivi des cours à Auschwitz. Le temps que j'ajuste le foyer sur le visage flou de mon infirmière à moi, elle avait emprunté les traits de Kathy Bates, alias Annie Wilkes, la folle, dans les mains de laquelle une hache avait remplacé la seringue, exactement comme dans *Misery*, bordel! Pour compléter le tableau, une petite musique a envahi la pièce, pas rassurante, avec des grincements de violon évoquant à la fois le bruit de succion des semelles d'Annie Wilkes et la musique accompagnant la scène de la douche dans *Psycho*, une vraie musique d'horreur, où l'on entend le sang gicler sur les murs invariablement blancs. Puis le frottement d'une porte qu'on ouvre lentement s'est immiscé dans la musique et Kathy Bates, qui avait peut-être un lien avec l'autre maniaque, Norman Bates, est entrée en bougonnant, munie d'un plateau de pilules et de purées diverses. En la voyant, j'ai laissé échapper un cri, tout petit, et je me suis empressé de sourire, pour qu'elle ne me sorte pas sa seringue. J'aurais aimé lui demander quel jour on était, mais tout ce que je suis parvenu à prononcer est *ning*, je ne sais pas pourquoi, qu'elle a interprété comme bonjour, et auquel elle a répondu good mornin'.

On était donc le matin, je pouvais respirer un peu, car j'avais lu quelque part que les psychopathes sont plus calmes avant midi, entre six heures et midi, précisément, c'est ce que j'avais lu. Selon la position du soleil et si l'on était en juillet, il devait être aux alentours de sept heures, ce qui me laissait cinq heures pour foutre le camp. D'ici là, j'avais intérêt à me montrer coopératif, alors j'ai laissé Bates me faire manger, sans protester, même si j'étais capable de me nourrir tout seul. Pour les pilules, j'ai copié Paul Sheldon, je les ai cachées sous le matelas pendant qu'elle avait le dos tourné, pour la droguer si je n'arrivais pas à me pousser et que la situation devenait critique, mais elle a dû s'en apercevoir, car elle m'en a sorti une autre de la poche sous laquelle pointait son gros sein droit et elle me l'a fourrée dans la bouche avec une cuillerée de purée. Après, je me suis endormi, que vouliez-vous que je fasse? J'en avais ma claque, de toujours dormir, je dormais au bas mot depuis trois cent quarante-trois jours, bordel, j'étais reposé, mais allez dire ça à quelqu'un qui n'est plus là, car elle n'était plus là, elle s'était poussée dans un couinement de semelles après m'avoir obligé à ingurgiter son somnifère.

J'ai vu le pan de sa jupe s'envoler dans l'embrasure de la porte, la porte en question se refermer lourdement, et j'ai immédiatement replongé dans un rêve où j'étais toujours Paul Sheldon, attablé devant sa vieille dactylo à essayer de ressusciter Misery. J'étais en train de m'arracher les cheveux, car les seuls mots qui s'imprimaient sur la page blanche étaient ceux du roman post-moderne de Jack Nicholson dans *The Shining*: «All work and no play, makes Jack a dull boy. All work and no play, makes Jack a dull boy. All…», quand j'ai entendu siffler dans le couloir menant à ma chambre, une sorte de petite chanson enfantine dont on ne songe pas à se méfier, genre *Trois fois passera*. Je ne me suis donc pas méfié, jusqu'au moment où je me suis rendu compte qu'il y avait des fausses notes dans la mélodie, quelques accords qui grinçaient, tendaient à s'écarter de l'innocence… Oh non! ai-je murmuré quand j'ai reconnu l'air qu'on sifflait mais, avant que je puisse réagir, la porte s'ouvrait sur Daryl Hannah, qui avait quitté le décor de *Kill Bill* et se dirigeait vers moi dans son costume de nurse sexy et sanguinaire en sifflotant *Twisted Nerve*, comme si j'avais besoin de ça. C'est à ce moment que le téléphone a sonné et que je me suis réveillé, assis carré dans le lit, mais à l'envers, c'est-à-dire face au mur, pas sur la tête, auquel cas j'aurais dit assis sur la tête.

Allô, ai-je chuchoté en m'emparant de l'appareil qui continuait de sonner avec insistance. C'était Bill, qui voulait m'annoncer je ne sais quoi, car je n'ai jamais été foutu de faire la différence entre *wouf* et *warf*, preuve que les chiens, qui nous comprennent neuf fois sur dix, sont plus intelligents que nous. Passe-moi ton maître, Bill, ai-je ordonné, mais c'est Anita qui a pris l'appareil : sorry, Bob, the phone slipped out my hands. No problem, Anita, et, sans lui donner la plus petite chance de reprendre la parole, je lui ai confié que ça allait mal, très mal, qu'il fallait qu'elle vienne me chercher et me sorte de cet hôpital de malades. Hurry up, ai-je ajouté avant de raccrocher, et j'ai décidé d'aller m'enfermer dans les toilettes d'ici à ce qu'elle se pointe.

Ne me fiant pas trop à mes jambes, j'ai roulé en bas du lit et j'ai rampé dans l'odeur de désinfectant, adoptant ainsi le point de vue des reptiles ou des bêtes courtes sur pattes. Dix moutons, neuf moineaux, huit marmottes, comptais-je pendant que je m'approchais de mon but, tuile après tuile, et, quand j'ai enfin atteint la dernière, représentée par une souris verte, j'ai donné un grand coup de pied dans la porte, qui s'est fermée en claquant, m'apprenant que j'avais la jambe agile et aurais pu me servir de ma tête pour me rendre aux toilettes au lieu de m'user les coudes. J'ai entrepris de me relever, avec une certaine peine, soit, je vacillais encore, telle la flamme d'une bougie baignant dans sa flaque de cire, mais j'y suis parvenu. Ma première réaction a été de verrouiller la porte, qui ne se verrouillait pas, et j'ai eu l'air assez idiot, merci ; ma deuxième, de chercher un objet ou un meuble pour bloquer la porte, en pure perte ; ma troisième, de jeter un rapide coup d'œil en coin dans le miroir du lavabo, histoire de m'assurer que j'avais halluciné Humpty Dumpty. Je n'aurais pas dû…

Je n'aurais pas dû, car ce qui m'est apparu dans le miroir était pire que Humpty Dumpty. J'y ai aperçu Winslow, Bob Winslow, l'unique, l'inégalé, la tache, qui me regardait avec ses grands yeux pervenche et sa grosse face amaigrie par un an de jeûne. Devant pareille horreur, n'importe qui d'autre se serait évanoui, mais ça commençait à faire et je me suis retenu, je devais regarder la réalité en face. Toute vérité…, a commencé Hortèse, mais je lui ai dit de la fermer et me suis approché du miroir avec une main devant les yeux, dont j'ai écarté le pouce et l'index, sinon je n'aurais rien vu. De plus près, c'était mieux dans un sens et pire dans l'autre. Mieux, parce que je ressemblais moins à Winslow si je me prenais morceau par morceau, si je détachais le nez des joues et les yeux du front, et pire parce que, en gros plan, ni Winslow ni moi n'étions beaux à voir. D'avoir à me scruter d'aussi près ne me plaisait pas particulièrement, mais la situation exigeait que je mette mes humeurs de côté.

J'ai donc entrepris un examen plus exhaustif du visage qui me faisait face et, avec un peu de mauvaise volonté, j'ai fini par me convaincre que j'étais moi. Ne nous étions-nous pas toujours un peu ressemblé, Winslow et moi, et ne m'avait-il pas toujours tapé sur les nerfs pour cette raison même ? Je n'avais jamais voulu l'admettre, mais ce gros tas, dans une autre vie et avec une centaine de livres en moins, aurait pu passer pour mon frère.

Pour me rassurer davantage, j'ai décidé de procéder scientifiquement à l'examen de mes dents, c'est comme les empreintes, les dents, ça ne ment pas, mais j'y suis allé un peu fort, celles-ci se sont détachées de mes gencives et je me suis ramassé avec le dentier de Winslow entre l'index et le majeur. Ce n'est pas grave, me suis-je dit en observant le dentier répugnant de Winslow entre mes doigts, don't panic, tu dors encore, ce dentier ne t'appartient pas, ce qu'a bien entendu contredit Anita en entrebâillant la porte des toilettes pour m'annoncer qu'elle était arrivée. À mi-chemin entre le dégoût et le découragement, je lui ai zozoté de m'attendre deux petites minutes, j'ai trouvé un cruchon d'eau de Javel derrière un rideau, en ai aspergé le dentier et suis sorti des toilettes avec un sourire crispé.

Anita m'a rejoint et s'est penché pour m'embrasser, mais elle a dévié son trajet : What the fuck did you eat, Bob? Soap, ai-je ironisé en pensant à Aurore. Aurore…, you know, the Quebecker battered child. La référence n'étant pas assez claire, j'ai mimé une fillette crachant des bulles de savon. Soit elle n'a pas compris, soit elle n'avait pas envie de rire, ma blague est tombée à plat. Qu'importe. Aurore ne s'en porterait pas plus mal. I told you things were bad, ai-je ajouté, puis, m'accrochant au bras d'Anita, je lui ai demandé de m'apporter mes vêtements. Le pantalon qu'elle m'a donné faisait au moins trois tailles au-dessus de la mienne, comme celle de Winslow, mais j'ai préféré croire qu'il s'agissait du pantalon du précédent comateux, qui s'était enfui sans prendre le temps de s'habiller ou était mort sans emporter son pantalon. Qu'importe, il fallait se presser, je m'arrangerais avec ça. J'ai noué la ceinture avec le fil de lampe que me tendait Anita, nous sommes sortis sur la pointe des pieds, tic-tic, tic-tic, et nous nous sommes précipités à cloche-pied, tic, tic-tic, tic, tic-tic, dans l'ascenseur où, placide, l'infirmière qui se prenait pour Kathy Bates attendait que nous montions, faut croire. N'écoutant que mon courage, je me suis réfugié dans les bras d'Anita et l'ai frenchée sur une distance de quatre étages en vue de préserver mon anonymat. Quand Bates est enfin sortie, Anita était sur le bord d'une intoxication au chlore. Pendant un instant, on a pensé aller à l'urgence, mais on a opté pour une bouffée d'air frais, qui s'est avéré être un air de juillet, première bonne nouvelle de la journée, voire de l'année.

Pendant qu'Anita allait chercher la voiture, je me suis assis sur un banc et j'ai laissé le soleil me chauffer le visage en ne pensant même pas aux ravages que peuvent provoquer les rayons UV sur une peau qui n'a pas vu la lumière du jour depuis des mois. J'ai mis mes angoisses sous le banc et me suis abandonné au simple plaisir d'être là, sous le soleil de juillet, dans l'odeur d'asphalte chauffé et de monoxyde de carbone. Il y avait longtemps, me semblait-il, que je ne m'étais pas permis une minute ou deux de pure relaxation. Puisque mon année dans le coma m'avait paru de la longueur d'une nuit, j'avais l'impression que les derniers événements de Mirror Lake s'étaient produits la veille ou l'avant-veille, et on ne pouvait pas prétendre que ma vie avait été calme depuis. Je ne méritais pas ça, mais Dieu n'était manifestement pas de cet avis et voulait me donner une leçon en me démontrant que la paix n'était pas de ce bas monde.

J'espérais au moins qu'en ma qualité de convalescent, on me laisserait souffler un peu lorsque j'arriverais à Mirror Lake et que j'aurais la chance de repartir à neuf, de reprendre les choses là où je les avais laissées, c'est-à-dire dans le plus total désordre, m'a dit la petite voix désagréable qui, non contente de me contrarier, s'était spécialisée dans la destruction de mes illusions. Pour en rajouter, le tas d'angoisses s'est mis à remuer sous le banc, d'où surgissaient toutes les questions que je n'avais pas résolues : Qui suis-je ? Celui que je suis est-il sain d'esprit ? Que me voulait Victor Morgan il y a cinquante ans ? Y a-t-il un sens à la vie qui ne soit pas la mort ou le coma ?

De toute façon, même les questions que j'avais résolues ne résolvaient rien. Qui était John Doe, par exemple. À quoi ça servait de le savoir ? John Doe n'était que… Baptême ! j'avais oublié qui était John Doe. Tu viens de dire que ça n'avait pas d'importance, m'a renvoyé la voix déplaisante avec son petit accent de teigne. Je mentais, lui ai-je répondu, j'essayais de me montrer zen devant les revers de l'existence, mais je ne suis pas zen ! Je ne suis pas zen, ai-je crié à l'intention du monde entier et d'Anita, qui arrivait au volant de ma voiture (que faisait-elle avec ma voiture, disparue depuis qu'Artie avait été réquisitionné par Picard ?). Je ne suis pas zen, Anita, je ne suis pas zen ! No, no, shtt, shtt, you're not zen, a-t-elle affirmé en me poussant dans la voiture avec ma petite valise d'angoisses et de points d'interrogation. You're not zen, Bob, absolutely not. So who am I, and who is John Doe, and who is Bob Winslow, and why do you call me Bob, my name is Robert, bordel ? Je pleurnichais, je pleurnichais, pendant qu'Anita se demandait si elle n'allait pas aller chercher Kathy Bates et sa seringue.

J'étais sur le point de me calmer quand j'ai remarqué la housse imitation léopard qui recouvrait la banquette. D'où ça vient, ça ? Woolworth, a répondu Anita, but Robert doesn't like it, et je n'ai eu droit à aucune autre explication. Robert, c'était moi, et il était vrai que je n'aimais pas ça, mais comment le savait-elle ? Robert who ? ai-je murmuré en grattant une petite saleté collée sur la fausse fourrure de Bamboo, une tache de ketchup, peut-être, ou de confiture de fraises, mais je préférais ne pas avoir de réponse à cette question, aussi ne l'ai-je pas posée deux fois.

Je n'ai pas ouvert la bouche durant le reste du trajet, sinon pour respirer et demander qui était John Doe, question qui me paraissait moins compromettante. John Doe is John Doe, me répétait stoïquement Anita, qui peut se montrer bouchée quand elle le veut, arguant que la nature même d'un John Doe est d'être un John Doe, qu'on n'en sort pas, qu'il faut accepter l'immuabilité de certaines vérités. Il avait bien été question d'un certain Bartolomeo Eustachi, mais Robert avait démenti cette rumeur.

Puisque Anita refusait de m'éclairer, je demanderais à Winslow si je n'étais pas Winslow. Et si j'étais Winslow, je me le demanderais, car je devais bien être quelque part, bordel! Tu dérailles, me disais-je en même temps, tu perds les pédales. Ça ne t'arrange pas, le coma. Tu penses comme toi, donc, tu es toi. C'est tout ce qui compte, ce qu'il y a à l'intérieur, l'âme, l'esprit, l'intrinsèque nature, la vérité de soi au-delà des apparences. Si j'étais Winslow, j'étais un Winslow de surface, sans plus. Ça m'a rappelé ce que me disait ma mère quand elle essayait de me pousser dans les bras tentaculaires de Ginette Rousseau, tout à fait consciente que je ne m'y jetterais jamais et que la morale serait sauve : elle est pas belle, mais c'est une bonne petite fille, à l'intérieur. L'argument ne m'avait pas convaincu à l'époque et je ne peux pas dire que mon opinion avait changé depuis, mais je m'arrangerais avec ça.

Quand l'image de Ginette Rousseau s'est effacée, nous quittions la grand-route pour le chemin qui nous mènerait à Mirror Lake, et j'ai senti ma nervosité monter d'un cran à l'idée de retrouver toutes mes affaires, mon chalet, mon lit, mes livres, mon Jeff. J'avais peur que mon univers se soit écroulé durant mon absence et de ne pas reconnaître Mirror Lake plus que je ne me reconnaissais dans un miroir. Quand Anita a pris l'embranchement qui descendait chez moi, preuve que j'étais moi, merci mon Dieu, sinon elle aurait continué jusqu'à l'embranchement de Winslow, j'ai fermé les yeux, à cause de l'émotion, mais aussi de la crainte, et ne les ai rouverts que quand elle a arrêté le moteur. Je n'ai pas eu le temps de voir grand-chose, car ils se sont immédiatement remplis d'eau devant la beauté de Mirror Lake. Ayant réponse à tout, Anita m'a tendu un mouchoir et nous sommes descendus de voiture.

Dehors, ça gazouillait, ça étincelait, ça bourdonnait, et j'ai pensé un instant que j'étais l'homme le plus chanceux de la foutue planète. J'ai voulu aller jusqu'au lac pour m'y tremper les orteils et Anita m'a soutenu, pendant que je lui demandais où était Jeff, lui disais que je voulais Jeff, lui répétais qu'il me fallait Jeff, à tout prix, que je devais vivre ce moment crucial entre tous avec lui. Elle m'a regardé avec un drôle d'air, les femmes sont toujours étonnées quand elles constatent qu'on peut avoir des sentiments, mais elle est allée le chercher dans le chalet, où la brave bête attendait sans aboyer. En m'apercevant, cette grosse tête heureuse s'est élancée, m'a sauté dessus et m'a fait basculer dans la flotte, ce dont je me foutais royalement, car j'étais heureux et Jeff aussi, qui n'en revenait pas de me voir là, de retour, enfin. Comme je n'en revenais pas non plus, je l'ai pris à bras-le-corps et on s'est roulés sur la plage, indifférents au sable qui nous collait aux poils, aux cheveux, aux vêtements, qui nous entrait dans les oreilles, tant pis, et on s'est promis de ne plus jamais se quitter. Nevermore, a croassé un corbeau, et j'ai relancé le corbeau en disant à Jeff que ce n'était pas ma faute, que j'avais été malade, et il a compris. Il s'est penché vers moi – j'étais étendu – et a léché mon visage, si bien que je me suis remis à pleurer. Voyant ça, Anita m'a tendu un autre mouchoir et nous sommes restés là, devant le lac où tout était intact, inchangé, thank God. Puis, alors que je reniflais un grand coup, j'ai entendu quelque chose s'apparentant à des pleurs d'enfant. What's that? ai-je demandé à Anita. What's what? a-t-elle répondu. Somebody's crying, ai-je précisé. Nobody's crying, a-t-elle nié en me fixant encore avec un drôle d'air, et elle avait raison, ça ne pleurait plus. Ça devait être un oiseau quelconque, une chouette rayée, peut-être, une petite nyctale égarée en plein soleil ou un autre souvenir de lecture qui cherchait à se manifester à travers mes larmes.

Are you hungry? a poursuivi Anita, et je me suis rendu compte que j'avais effectivement une faim de loup, que j'étais ravenous, like a raven, ai-je dit à Anita. Nevermore, nevermore, you know, crôa, crôa, mais elle n'a pas saisi. En plus d'être bornée, elle était parfois lente, mais on ne pouvait pas dire qu'elle était chiche. Elle avait tout prévu, la douce Anita. Elle m'avait préparé des petites choses, a-t-elle minaudé en m'entraînant vers le chalet, où je me suis dirigé avec une émotion non feinte, tellement j'étais content d'être là, et soulagé, surtout, que mes angoisses soient restées dans la voiture, où j'espérais que la chaleur allait les étouffer. Close your eyes, m'a-t-elle ordonné comme nous arrivions sur la galerie, et j'ai deviné qu'elle m'avait préparé une surprise, mais j'ai fait semblant de rien, pour ne pas briser sa joie. Elle a ensuite ouvert la porte, m'a aidé à enjamber le seuil, et j'ai retenu mon souffle jusqu'à ce qu'un tonitruant et cacophonique brouhaha m'accueille : Surprise!

J'ai recommencé à respirer, ce qui est une façon de parler, ce type d'accueil ne me donnant aucune envie de respirer calmement, et ils se sont tous jetés sur moi pour me donner de grandes tapes dans le dos et me souhaiter la bienvenue. Il y avait là Robbins et son inséparable acolyte, le jeune Jones, il y avait là Artie, réapparu je ne sais quand ni comment, puis un mec qui me ressemblait à s'y méprendre et se faisait appeler Robert. Il y avait aussi Bill, devenu un grand chien au cours de la dernière année, aussi grand que Jeff, pareil à Jeff, la seule chose qui les différenciait étant le foulard qu'on leur avait mis, un rouge pour Jeff, un vert pour Bill, et enfin un petit individu, un tout petit individu que je ne connaissais pas. It is Robert, a rougi Anita en me tendant le bébé qui s'est mis à pleurer, Robert Junior.

Là, j'ai dit qu'il me fallait une chaise, une bûche, ou une roche, que je n'étais pas certain de pouvoir rester debout. Quatre chaises se sont aussitôt précipitées vers moi, je n'en demandais pas tant, alors j'ai choisi de m'étendre au lieu de m'asseoir. Cinq grosses têtes, plus deux têtes de chien, se sont du même mouvement penchées sur moi, me privant du peu d'oxygène qu'il y avait dans ce chalet, et j'ai compris ce que doivent ressentir les bébés quand une flopée de matantes se penchent au-dessus de leur berceau. C'est à qui le ti-pit à tantine? À tantine, batêche, tu viens de le dire. Rien que ça, ça explique la hausse du taux de criminalité dans les grandes familles. Je n'avais lu ça nulle part, mais j'allais l'écrire. Avant de mourir d'asphyxie, je me suis précipitamment relevé et ma bosse de cocu gauche est entrée en collision avec la tête de celui qui se faisait appeler Robert et avait ma tête. Ouch! avons-nous juré de concert en nous regardant droit dans les yeux, comme si nous savions tous deux ce que l'autre ne savait pas. Cet usurpateur ne perdait rien pour attendre, mais je tenais d'abord à m'occuper du bébé, un problème à la fois.

And whose little Robert is that? ai-je enchaîné en désignant le bébé joufflu qui bavait dans les bras d'Anita. It's Robert's, a de nouveau rougi Anita en regardant Robert, dont le front s'ornait lentement d'une bosse semblable à celle que je devais à la roche de quatre cents millions d'années. J'aurais voulu demander qui était Robert, père de Robert, mais je n'ai pas osé, j'avais une autre fois trop peur de connaître la réponse. De toute façon, Anita ne m'a pas laissé le temps. En maman fière de sa progéniture, elle m'a fourré le petit Robert dans les bras, qui a gargouillé ababu, ziiiii, gg-gulle, et la fête a commencé. Anita a inséré un disque de Roger Whittaker dans le lecteur de CD apparu durant mon absence et, quand Robert s'est à demi retourné en murmurant Whittaker, baptême, je me suis reconnu comme si j'avais été dans un miroir, et ça m'a réjoui. Pour la première fois depuis mon arrivée, j'étais content de n'être pas Robert, puisque, apparemment, je n'étais pas Robert. Ababu, ai-je renvoyé au petit Robert, et je me suis mis à siffler avec Anita et Whittaker, rien que pour énerver le grand Robert. Ça a marché, car il m'a jeté un coup d'œil qui en disait long quant à son relatif plaisir de me voir de retour, et j'ai dû admettre qu'on me prenait bel et bien pour Winslow, ce qui était normal, puisque je n'étais pas Robert.

Pendant un moment, j'ai eu envie de me décourager, mais je n'ai pas pu, car Robbins arrivait en me tendant un verre de punch sans alcool. Vu les circonstances, j'aurais eu besoin d'un petit remontant, mais Anita avait décrété que puisqu'il y avait un enfant et un convalescent à cette fête, il n'y aurait pas d'alcool. La nouvelle Anita était devenue une nouvelle femme, et j'aurais mis ma main au feu qu'on n'avait pas le droit de fumer dans son chalet. Qu'importe, je ne fumais plus et savais où Robert cachait sa réserve de bourbon. Il s'y dirigeait d'ailleurs d'une démarche hypocrite, tout en jetant autour de lui des coups d'œil non moins sournois. Quant à moi, j'écoutais d'une oreille distraite Robbins me raconter comment j'étais tombé dans le coma et comment Robert, en effectuant un saut de l'ange, a fucking swallow dive, Bob, m'avait empêché de m'empaler sur un vieux piquet de clôture. Je ne m'étais pas empalé, mais j'étais tombé la tête la première sur la grosse roche de Robert, qu'Anita avait fait déménager parce qu'elle représentait un danger pour Junior.

You moved my stone! me suis-je écrié, et ils ont tous paru surpris que je considère cette roche comme la mienne, sauf Artie, qui savait qu'on pouvait s'attacher à certains objets et qui est venu vers moi pour me consoler, ce qui m'a fait penser à Ping, qui avait probablement fini sa vie dans une quiche. Poor Ping, ai-je murmuré, et Artie a répondu poor thing, en pensant à la roche, qu'il viendrait me montrer tout à l'heure, et j'ai changé de sujet pour lui demander ce qu'il l'avait ramené à Mirror Lake.

C'était une longue histoire. Après avoir déposé Picard au Three Jack's Bar, il avait décidé de quitter le monde interlope pour voir du pays et avait traversé douze États avec ma voiture, braquant ici et là une banque ou une ambassade, il fallait bien survivre. Pour passer le temps, il avait aussi commencé une collection d'oignons. On ne s'imagine pas, mais il existe une incroyable variété d'oignons. Il en avait trouvé des rouges, des jaunes, des blancs, des pointus, des qui ne font pas pleurer, il me montrerait tout à l'heure, avec la roche, puis, en clignant des yeux, il m'a sorti de sa poche un petit oignon jaune semblable à Ping. To welcome you, a-t-il dit en se tortillant, et j'ai encore eu envie de l'embrasser, ce gros idiot. Je me suis contenté de le remercier en lui disant que je le nommerais Ping Two, en souvenir de Ping, et lui ai redemandé pourquoi il était à Mirror Lake. C'était simple, au bout de quelques mois, il en avait eu marre de sa vie de vagabondage et avait voulu revoir le seul endroit sur terre où il avait senti qu'on se préoccupait de lui. Pendant que j'étais à l'hôpital, il s'était donc installé dans mon chalet, c'est-à-dire celui de Winslow, avec la bénédiction de Robert, qu'il considérait ni plus ni moins comme son père d'adoption. Mais je n'avais pas à m'inquiéter, il allait déménager dans l'un des camps de chasse disséminés dans les montagnes dès que possible, c'est-à-dire dès qu'il aurait assassiné son propriétaire, je suppose.

Ça commençait bien. Artie devait au bas mot être recherché par la police de douze États et j'allais l'avoir comme colocataire, à moins que je l'aide à occire l'heureux propriétaire de l'un des camps de chasse, que j'aurais le suprême plaisir de rencontrer avant que de l'éliminer quand viendrait l'automne. Et Robbins, dans tout ça ? Comment se faisait-il que Robbins ne l'ait pas arrêté ? C'était une autre longue histoire. Il avait sauvé la vie de Robbins durant un vol de banque auquel, pour une fois, il ne participait pas. Il léchait les vitrines dans une rue d'Augusta quand un grand mec masqué avait surgi d'une banque en courant. Immédiatement après, Robbins avait fait irruption au coin de la rue, le grand mec s'était retourné, avait dégainé, et Artie s'était jeté sur lui au moment où il tirait, déviant la trajectoire du projectile. Résultat, un pigeon avait été malchanceux, le grand mec était devenu un petit mec et Robbins était vivant. Artie était triste pour le pigeon, mais Robbins le voyait autrement et avait décidé de fermer les yeux sur les larcins d'Artie. Pas difficile, a gloussé celui-ci, vu qu'il a toujours ses lunettes noires.

Ce n'était pas la première fois qu'il la sortait, celle-là, mais il la trouvait tellement bonne qu'il n'a pas pu s'empêcher de me taper sur les cuisses, maudit fou, va, en glapissant comme un phoque heureux, xouak, xouak, réveillant du même coup le petit Robert, qui s'était endormi pour ne pas entendre nos conneries. Mécanisme d'autodéfense, me suis-je dit, il me ressemblait, cet enfant. Normal, puisque c'était probablement le mien. J'allais me laisser aller à la vague de tendresse qui me submergeait soudain devant le petit visage joufflu, quand Anita est arrivée en susurrant comment il va, le petit Bamboo à sa maman, comment il va, how do dedidedo? En entendant sa douce moitié appeler leur fils Bamboo, Robert a grincé, donc souri, tout en écrasant un insecte imaginaire, une fourmi ou une punaise, d'après moi, avec son talon. Bien fait pour lui, c'était ça ou être empalé. C'est étrange, mais je commençais à me sentir bien, dans la peau de Winslow.

Le problème, c'est qu'on était deux, dans cette peau, et que je m'y sentais tout de même un peu à l'étroit, malgré qu'elle fût lâche. Pour être franc, je manquais d'air, alors j'ai dit que je sortais, que la journée était trop belle pour rester enfermé. J'aurais voulu être seul avec Jeff, pour faire le point, mais tout le monde a suivi, avec le bol de punch dégueulasse, les canapés, le frisbee des chiens, la marchette du petit Robert, sa doudou, son Bambi, son Bamboo, son biberon, son sac de couches, sa capuche, son écran solaire, sa piscine, son train électrique, et j'ai demandé à Anita pourquoi elle ne prenait pas son snow suit. Elle n'a pas apprécié mon humour, mais elle est quand même allée lui chercher une petite laine pendant que Robbins et Robert s'allumaient une cigarette. Je ne m'étais pas trompé, la maternité avait métamorphosé Anita et, mécanisme d'auto-défense, je m'étais remis à fumer. Faudrait que je me parle.

En attendant, Artie me tirait par la manche pour me montrer le trou laissé par la roche de quatre cents millions d'années, qu'on avait recouvert de gravier, mais qui était aussi creux que ça, a montré Artie en ouvrant grand les bras. A fucking big stone. I know, I said, en lui montrant ma bosse gauche, et ce n'est qu'à ce moment que j'ai réalisé qu'elle était drôlement tenace, cette bosse. En trois cent quarante-deux jours, elle aurait dû disparaître, non ? Excuse me, Artie, I have to speak to Robert, et je me suis dirigé vers Robert aussi promptement que me le permettait mon état pour qu'il m'explique ce phénomène, car j'étais persuadé qu'il avait dû réfléchir à ça, lui aussi. Ce n'était pas compliqué, j'avais fait une chute en bas de mon lit la première fois que je m'étais réveillé, il y avait une semaine, incident qui m'avait aussitôt renvoyé dans le coma. C'était un peu court, comme explication, mais j'allais devoir m'arranger avec ça. Such is life, a ajouté Robert avec son sourire fendant, et j'ai compris pourquoi Robbins ne m'avait jamais aimé. Quand je prenais ce petit air supérieur, on avait vraiment envie de me frapper.

Such is life, ai-je seulement murmuré, et j'ai demandé à Robert, en prenant ma gueule attendrissante de Winslow, s'il ne voulait pas échanger son verre de punch arrosé de bourbon avec moi, et ça a marché, bien qu'il ait grincé. La première gorgée a plutôt mal passé. La deuxième a fait son possible. Et la troisième s'est arrangée pour que je la qualifie de divine. Pendant que je savourais mon élixir, on est restés deux minutes silencieux, parce qu'on ne savait pas quoi dire, et Robert m'a demandé comment c'était, le coma. Noir, lui ai-je avoué, ou blanc, c'est selon qu'on préfère le blanc ou le noir. Si on préfère le blanc, c'est noir, et si on préfère le noir, c'est blanc. Pas agréable. L'absence. Le vide. J'ai dû rêver, je suppose, avoir froid, avoir faim, avoir mal, mais je ne me souviens de rien. Nothing, Robert, a black hole, a white abyss, it all depends. On a encore observé quelques secondes de silence, parce que c'était profond, ce que je venais de dire, et j'ai enchaîné en avouant que mon dernier souvenir, si l'on excluait la visite qu'ils m'avaient rendue avec ma famille l'avant-veille, était celui de la roche de quatre cents millions d'années.

You have a family, Bob? m'a demandé Robert, et j'ai compris qu'il allait nier cette visite, ainsi que l'avait niée Kathy Bates, alors j'ai changé de sujet, je me suis informé de la roche. Comme ils ne savaient pas s'ils devaient s'en débarrasser, ils l'avaient transportée de l'autre côté du lac, au pied de la galerie de mon chalet. Ça me ferait un souvenir, a conclu Robert, et je ne suis pas parvenu à deviner si je me narguais ou si j'étais sérieux. Qu'importe, j'étais trop fatigué pour m'attarder à ça, chaque chose en son temps. J'ai plutôt pris des nouvelles de Ping, autant régler ça tout de suite. Il n'avait pas fini dans une quiche, contrairement à ce que je croyais, mais en rondelles. C'était une idée d'Anita, les onion Ping. J'espère qu'il avait trouvé ça drôle. Poor Ping, ai-je murmuré, et Artie est accouru pour me consoler pendant qu'Anita arrivait avec un gâteau en chantant « mon cher Bobby, c'est à ton tour », chanson que regrettait de lui avoir appris Robert, ça se lisait dans ses yeux.

J'ai fait mine d'être content et j'ai servi une part de gâteau à qui en voulait, même si ce n'était pas ma fête. Après, comme ça commençait à bâiller autour de moi, j'ai dit que j'allais rentrer et le brave Jeff m'a suivi, parce qu'il était le seul à savoir qui j'étais. Il était exclu que je le déçoive, ce chien, car je l'aimais, inconditionnellement, alors j'ai prétexté que ça me réconforterait d'avoir les deux chiens avec moi pour ma première nuit à Mirror Lake. C'était la seule façon d'amener Jeff sans créer toute une histoire, et Robert a accepté, même si j'aurais mis ma main au feu qu'il savait que j'allais intervertir les foulards, le vert pour Jeff, le rouge pour Bill. Avant qu'on monte dans la chaloupe, Artie, Jeff, Bill et moi, Anita m'a tendu le petit Robert pour que je lui donne un bisou, et je lui ai chuchoté à l'oreille de ne pas devenir comme son père, sans savoir si je parlais de moi ou de l'autre. Le petit a compris. Il s'est d'abord esclaffé, a-ga-gou-gull, puis, après m'avoir regardé bien attentivement, il s'est mis à hurler et Anita me l'a arraché des bras. Il me ressemblait, cet enfant.

Comme je demeurais perdu dans mes pensées, un sourire ému sur le visage à l'idée qu'on allait peut-être pouvoir arriver à quelque chose avec ce gamin, Artie m'a donné un petit coup de rame et je suis monté avec lui dans la chaloupe verte de Winslow, suivi de Bill et de Jeff, tout excités d'aller se promener sur l'eau. Puisque Artie ne voulait pas me laisser ramer, je me suis assis à l'arrière avec Jeff et j'ai laissé filer mes doigts dans l'eau fraîche en essayant de ne pas penser à ce qui m'arrivait, et qui n'avait aucun sens. Je me suis concentré sur mes doigts, sur les petits sillons qu'ils ouvraient dans le lac, sur les poissons qui devaient voir ces bouts de chair rose en se demandant si ça se mangeait, puis je me suis dit que si j'étais Winslow, j'irais pêcher le lendemain matin.

Je m'étais assez bien contrôlé, jusque-là, mais cette dernière réflexion a servi de déclencheur. Le flot de protestations que je retenais en moi est monté comme une vague de nausée et je me suis levé tout d'un coup en hurlant que je n'étais pas Bob Winslow. Zlow, zlow, zlow, ont répondu les montagnes, pendant qu'Artie donnait un coup de barre pour nous empêcher de chavirer et que trois paires de gros yeux ronds, appartenant respectivement à Artie, à Bill et à Jeff, me fixaient comme si j'étais un fou furieux. Mais je n'étais pas fou, s'il y avait quelqu'un de fou, dans ce trou perdu, ce n'était pas moi. Do you understand that, Artie? Une gang de malades, a fucking bunch of crazy people, et je me suis lancé dans ma théorie à la noix sur le cauchemar et la réalité. J'ai expliqué à Artie que, puisqu'on était dans un cauchemar, il n'était pas réel et ne devait pas avoir peur de tomber à la flotte. S'il se noyait, ce ne serait pas lui qui se noierait, mais l'image que j'avais de lui, et on serait tous téléportés dans un autre cauchemar où, avec un peu de chance, il serait devenu Jeff et moi Anita.

J'ai gueulé jusqu'à ce qu'on atteigne l'autre rive, inondant ce pauvre Artie d'un flot de paroles aussi vindicatives que désespérées. Et lui, il continuait de me fixer avec ses gros yeux de carpe muette, derrière lesquels je voyais parfois passer une lueur de compassion. Quand on a touché terre, il n'a rien dit non plus. Il est descendu de la chaloupe et est entré dans le chalet, me laissant terminer ma crise tout seul. J'étais à ce point crinqué que j'ai dû pester pendant une bonne demi-heure en arpentant la plage et en donnant des coups de pied sur toutes les roches qui avaient le malheur de se trouver sur mon chemin, jusqu'à ce que l'une d'elles, par sa forme, sa couleur, sa texture et, disons-le, son aspect buté, me rappelle la roche de quatre cents millions d'années, responsable de ce qui m'arrivait. Sans me rendre compte du ridicule de ma réaction, je me suis dirigé vers elle avec l'intention de lui révéler le fond de ma pensée mais, quand je l'ai vue qui dormait paisiblement à l'ombre du chalet, je me suis effondré, littéralement. Je suis tombé par terre et j'ai pleuré un bon coup, ça replace les esprits, puis j'ai tenté d'examiner la situation calmement, méthodiquement.

Un homme tombe dans le coma, ai-je exposé à Bill et à Jeff, qui s'étaient jusque-là tenus à l'écart. Un homme tombe dans le coma et, quand il se réveille, il n'est plus lui. Qui suis-je? Pas de réponse. Un homme tombe dans le coma. Quand il se réveille, il a un fils dont il n'est pas le père. Que s'est-il passé? Silence autour de moi. Un homme tombe dans le coma. Quand il se réveille, celui qu'il était ou croyait être dort avec la maîtresse du voisin de celui qu'il est devenu. Who is John Doe? J'ai continué comme ça pendant un certain temps mais, à chaque nouvelle question, le mystère s'épaississait. Ou j'étais effectivement devenu fou, ou je l'avais toujours été et ne l'étais plus, ou j'étais encore dans le coma, ou j'étais victime d'une vaste et diabolique machination, ainsi que je l'avais cru jadis, à cette époque bénie où je criais au cauchemar pour des peccadilles. Toutes ces hypothèses, cependant, ne m'avançaient pas d'un iota. Dans ces circonstances, aussi bien aller me coucher, puisque la nuit tombait et qu'elle porte conseil, paraît-il. C'est du moins ce que disait Hortèse quand une question la laissait coite. Elle attendait que la nuit tombe et elle envoyait la question se coucher avec celui qui l'avait posée.

J'étais à ce point découragé que je n'avais même pas envie de regarder les étoiles, qui étaient toujours aussi belles, pourtant, ni de me perdre dans la contemplation de la Grande Ourse et de la Petite Ourse, que j'appelais la veuve et l'orpheline, parce qu'on avait beau chercher le Grand Ours, il n'était pas là. M'interroger sur les énigmes de l'univers alors que je n'étais même pas foutu de savoir qui j'étais ne me disait rien. J'ai appelé les chiens, qui couraient après une luciole, hurry up guys, et je suis rentré.

Avant mon coma, je me serais attardé au sort de la luciole, je me serais demandé pourquoi les petits derrières phosphorescents de ces bestioles ne scintillaient pratiquement plus dans les sous-bois de l'est américain depuis quelques années, j'aurais accusé l'homme, ses pesticides, son incompréhensible désir d'illuminer la nuit en installant des lampadaires et des projecteurs partout, comme si la lumière était préférable à l'obscurité, mais j'étais trop fatigué, meurtri, abattu, alors j'ai laissé s'envoler celle qui était peut-être la dernière luciole de tous les temps, l'ultime survivante d'une époque où ses ancêtres folâtraient avec les feux follets, et j'ai refermé la porte sur la nuit.

La première chose que j'ai vue dans le chalet, c'est le livre de Victor Morgan, qui trônait sur la table basse du salon depuis un an, j'imagine, attendant de me révéler quelle serait ma destinée. Quant à Artie, il était dans sa chambre, d'où me parvenait le son étouffé d'un téléviseur. J'ai ouvert la porte pour m'excuser, je lui devais au moins ça, mais il a fait celui qui ne m'entendait pas. Il était bon dans ce genre de jeu. Il a continué à regarder ses cartoons sans broncher, même si le coyote venait de s'aplatir en bas de la falaise où l'avait entraîné Road Runner. En temps normal, il aurait ri, je le savais, mais il était blessé, ça se voyait, et il ne riait pas. Il marinait dans son orgueil blessé et voulait que ça se sache. Je me suis excusé de nouveau, mais Artie n'étant pas d'humeur à me pardonner, je lui ai souhaité bonne nuit, l'ai remercié pour son oignon, au cas où ça le ferait réagir, niet, et je suis allé m'asseoir sur la galerie avec *The Maine Attraction*, qui avait sûrement des choses à m'apprendre.

Je n'ai lu qu'une page ou deux, hypnotisé par la musique des chimes qui tintaient doucement, à côté du fanal, leur petite musique d'Orient. Je n'aurais pu mettre un titre sur l'air qu'ils jouaient, mais cet air évoquait des péniches sur le Yang-tsé, des frôlements d'éventails dans la moiteur du golfe du Tonkin, où je n'étais jamais allé et n'irais jamais, qu'importe, puisque la musique des chimes m'y emmenait, chargée des mille images que de généreux voyageurs avaient amassées pour moi en de lointaines contrées. Au fil des ans, je m'étais construit mon Orient à moi en assemblant les pièces que j'avais selon l'ordre qui me plaisait, tant pis pour la réalité géographique ou historique, et je défiais quiconque voulait rivaliser avec la beauté de mes rêveries orientales. Je suis resté là à regarder les péniches s'entrecroiser sur Mirror Lake, puis, quand la dernière péniche a glissé dans le mur d'obscurité se dressant aux confins du lac, je suis rentré m'enfermer dans la chambre de Winslow avec Bill et Jeff, laissant Victor Morgan sur le banc de la galerie, où il pouvait m'attendre jusqu'au lendemain. Avant de m'endormir, j'ai entendu derrière la cloison la grosse voix d'Artie dire good night, Bobby, et je suis tombé dans un sommeil sans rêves.

Il n'y a pas de doute, je suis Winslow, ai-je annoncé au miroir, qui faisait les mêmes gestes que moi, mais à l'envers, sans que ça paraisse, et je me suis demandé ce que ça donnerait si les miroirs ne renvoyaient pas seulement l'image, mais aussi le son. Est-ce qu'ils parleraient à l'envers? Est-ce que mon miroir aurait répété etuod ed sap a y'n li, wolsniW sius ej? Non… Probablement pas. Et qu'est-ce que j'en avais à foutre? La seule chose qui comptait, c'est que j'avais la gueule de Winslow, que la terre entière me prenait pour lui, sauf Jeff, et qu'un individu prétendant s'appeler Robert Moreau avait pris ma place de l'autre côté du lac. Mais cet individu était-il bien moi? En dehors du fait qu'il avait mon corps, cet homme avait-il aussi mon âme, mon esprit, ou faisait-il semblant d'être moi comme je feignais d'être Winslow parce que je n'avais pas le choix? Était-il possible que, par un phénomène inconnu de la science, il y ait eu substitution ou, plutôt, transmigration, au moment où Winslow et moi étions entrés en collision au-dessus du piquet de clôture et de la roche de quatre cents millions d'années, dans un ralenti qui aurait permis le transport de mon âme en son corps et vice versa?

Non, ça non plus, ce n'était pas possible. Je n'avais jamais cru à ces sornettes et ne commencerais pas à y prêter foi même si tout m'indiquait que certains prodiges échappaient à l'esprit cartésien. Et puis, de toute façon, Moreau ne me ressemblait pas que physiquement. Il réagissait exactement comme moi, donc, il était moi. S'il avait été Winslow, il aurait été amusé, voire ému qu'Anita appelle leur fils Bamboo, et il aurait lui-même affublé Anita d'un petit nom comme Chochotte, Toutoune ou Pitchounette. S'il avait été Winslow, il aurait été heureux, mais il ne l'était pas, ça paraissait, pas plus que je ne l'aurais été à sa place.

Ce constat supposait toutefois de troublantes énigmes. Si ni Robert Moreau ni moi n'étions Winslow, où était passé celui-ci? Flottait-il quelque part dans les limbes de Mirror Lake, à attendre que quelqu'un se casse la gueule pour se réincarner? Avait-il disparu de la surface du globe sans que personne ne s'en rende compte? Alors que je formulais ces légitimes questions, j'ai eu l'impression que Winslow clignait de l'œil dans le miroir et j'ai promptement éteint la lumière. Il y avait sûrement une explication logique à cette histoire, et j'allais la trouver.

Quand je suis arrivé dans la cuisine, Artie sortait de sa chambre et me faisait toujours la gueule. Pour alléger l'atmosphère, je me suis lancé dans de nouvelles excuses en attribuant mon comportement au coma et à la fatigue. I was upset, Artie, don't forget I'm a sick man. Mais ça ne suffisait pas. I like you very much, you know, ai-je donc ajouté, and I didn't want to hurt you. Tell me we're still friends? Quand j'ai prononcé le mot *friends*, toute la tristesse qui pesait sur ses immenses épaules a fondu, puis Artie a fondu sur moi en braillant you're my friend, Bobby, of course, you're my friend. Puis il m'a forcé à m'asseoir pendant qu'il préparait le déjeuner, because you're sick, Bobby, et j'ai eu l'étrange impression d'avoir déjà vécu cette scène quand le poussin figurant sur la boîte d'œufs a semblé cligner de l'œil à son tour.

Baptême! Se pouvait-il qu'Artie soit Winslow? Mais, dans ce cas, où était Artie? Ça faisait trop de questions pour un seul matin, alors j'ai décidé d'attaquer sans détour, il fallait que j'en aie le cœur net. Artie, tell me, are you Winslow? Pour seule réponse, il a écarquillé ses yeux globuleux. Je m'y suis donc pris autrement. Je lui ai d'abord assuré qu'il ne devait pas avoir peur de me livrer ses angoisses, que des choses très bizarres se produisaient à Mirror Lake depuis un certain temps et que j'étais capable de tout entendre, que s'il avait un secret, il pouvait me le confier. Puis j'ai attendu, dix secondes, vingt secondes, trente secondes, jusqu'à ce qu'Artie aille s'enfermer dans la salle de bain. De quelle indélicatesse m'étais-je de nouveau rendu coupable pour provoquer une telle réaction?... Peu importe, j'en avais ma claque, il était hors de question que je m'excuse encore. J'ai donc compté : vingt secondes, trente secondes, puis j'ai entendu Artie se moucher et fouiller dans la pharmacie de Winslow. Il n'allait tout de même pas avaler un flacon de somnifères, ce crétin? Mais non, une ou deux mouchées plus tard, il ressortait avec une bouteille d'Aspirin, qu'il a déposée devant moi, because you're really sick, puis il nous a servi nos œufs refroidis et j'ai constaté qu'il avait les yeux rouges, globuleux et rouges.

What's going on, Artie? I've got a secret, a-t-il murmuré en baissant la tête, et j'ai immédiatement avalé deux Aspirin, car je sentais que l'heure avait enfin sonné. Artie allait m'avouer qu'il était Winslow, je lui confesserais que j'étais Moreau, et on se mettrait ensemble à la recherche d'Artie. Yes, Artie, I'm listening to you... I'm in love with Anita, a bafouillé ce gros crétin, mais il était trop tard pour recracher mes Aspirin. She's so pretty, so nice, so beautiful. I love her, Bobby.

Tout compte fait, aussi bien que les Aspirin soient passées, car j'avais un gros problème sur les bras, là. Artie en amour... Don't cry, Artie, I'm sure she loves you too. You're sure? s'est-il écrié pendant que son visage s'illuminait d'un innocent espoir. I mean, I'm sure she loves you like a friend, a great friend, Artie, a very great friend. Aren't you lucky to have a friend like her? Il ne semblait pas d'accord, alors, pendant que les œufs se solidifiaient, j'ai tenté de le consoler comme j'ai pu jusqu'à ce que, tout à coup, un petit sourire revienne ensoleiller ses traits.

It's Robert, a-t-il lancé en regardant par-dessus mon épaule et, en me retournant, j'ai vu Moreau qui s'amenait dans sa chaloupe rouge. Décidément, je ne comprenais pas la complexe nature d'Artie, qui se réjouissait de voir arriver son rival. En ce qui me concernait, la venue de Moreau ne me donnait pas envie de sourire. L'un des avantages d'être Winslow, de mon point de vue, était que je pouvais rester tranquille chez moi en étant certain que personne ne viendrait m'emmerder puisque, traditionnellement, c'était moi le crampon, et voilà que cet autre con me volait mon rôle. À quoi il jouait, Moreau?

En disant ça, je me suis rendu compte que je commençais à me voir comme une personne distincte, que, petit à petit, je considérais Moreau comme Moreau, et non plus comme moi. Mais dans ce cas, qui étais-je? Arrête, m'a ordonné l'une des petites voix qui passent leur vie à me surveiller, t'es en train de virer fou. N'empêche, il y avait quelque chose de particulièrement troublant dans le fait de penser que j'étais deux. C'était comme de souffrir d'un dédoublement de la personnalité où la deuxième personnalité est identique à la première. À quoi ça sert? Était-il possible, après tout, que Moreau soit Winslow? Shut up! m'a de nouveau ordonné la voix de service, et la voix qui se posait des questions s'est tue. OK, j'arrête, mais je retourne ce crétin sur sa rive nord dès qu'il a accosté.

Ça n'a pas été possible. Artie m'a devancé en se précipitant dehors avant moi pour accueillir Moreau et le mettre en garde contre mon humeur. Angry, a-t-il chuchoté, puis sick, puis Aspirin. Le temps qu'il déballe ses secrets, je me suis étendu sur le banc de la galerie et me suis aperçu que le livre de Morgan n'était plus là. Étrange, j'avais pourtant l'impression de l'y avoir laissé. Je devais me tromper. Quelques minutes et des poussières plus tard, j'étais assis avec Moreau près de la roche de quatre cents millions d'années pendant qu'Artie faisait la vaisselle. I liked this stone, a dit Moreau en tapotant ce qui pouvait passer pour la tête de la roche, et j'ai compris ce qu'il voulait dire. J'ai aussi compris qu'il n'était pas d'accord avec la décision d'Anita de déménager la roche. Tant qu'à y être, a-t-il ajouté, pourquoi ne pas raser la forêt, remplir le lac, acheter des meubles en caoutchouc et de la vaisselle en carton ? Pourquoi ne pas arrêter de respirer, tiens, elle n'y a pas pensé, à ça, si on arrêtait tous de respirer, hein, on ne pourrait pas transmettre de microbes à Junior ? Et si on arrêtait de baiser, au cas où nos gémissements entraveraient son développement émotif, crée-raient des traumatismes irréparables, perturberaient son Œdipe, le laisseraient coincé au beau milieu de sa phase anale ?

Ça y était, il était parti, les digues étaient ouvertes. Moreau avait rongé son frein pendant près d'un an devant les aléas de la vie conjugale, sans personne à qui se confier, il avait enduré les nuits blanches, les couches sales, les crises d'Anita, ses lubies, ses récriminations, et là, il n'en pouvait plus, il allait sauter une coche, alors il saluait ma résurrection, c'est le mot qu'il a employé, comme un signe et un cadeau du ciel, même s'il ne l'avait pas laissé voir la veille devant Anita. Bref, si j'avais bien compris, il se félicitait de mon retour parce qu'il aurait quelqu'un sur qui déverser sa rancœur quand ça irait mal. Et moi, j'allais devoir négocier entre un gars qui était secrètement amoureux d'Anita et un autre qui regrettait de l'avoir été.

But don't think I don't love her, a précisé Moreau, parce qu'on était sur la même longueur d'onde, lui et moi, que je le veuille ou non, mais il préférait l'aimer de loin, comme avant. Avant, ça signifiait avant sa grossesse, mon coma, notre petit

Robert. Le bon vieux temps, quoi. Mais que répondre à ça ? Que j'étais d'accord ? Que rien ne valait la solitude ? Que je préférais l'époque où on se soûlait entre hommes en dégueulant sous les étoiles ?

Qu'aurait dit Winslow ? Il aurait conseillé à Moreau de prendre son mal en patience, lui aurait fait comprendre qu'Anita aussi devait être à bout de nerfs, qu'il fallait lui laisser le temps, et il serait allé chercher la bouteille de gin. Mais outre qu'il était un peu tôt pour le gin, je n'avais pas envie de consoler Moreau. En fait, je n'éprouvais aucune compassion pour ce type qui endurait ce que j'aurais dû endurer sans l'intervention de la roche de quatre cents millions d'années. En somme, je ne m'aimais pas, ce que je savais inconsciemment depuis toujours, même s'il était particulièrement désagréable de l'apprendre de façon aussi radicale. En définitive, si je ne m'aimais pas, c'est parce que j'étais encore moi et que je n'avais jamais aimé personne. Si j'avais été Winslow, je me serais aimé, ainsi que Winslow m'aimait. Car il avait de la sympathie pour moi, Winslow, non ? Mais il était où, ce gros con, quand on avait besoin de lui ?

Au moment où je me faisais cette réflexion, les chiens se sont mis à grogner, on a entendu quelque chose qui remuait dans les branchages, à côté du chalet, et Moreau est devenu blanc comme un drap. Si on avait été dans ma chambre d'hôpital, il se serait confondu avec les murs. Seuls deux yeux se seraient détachés de l'incommensurable étendue de blanc et ça aurait ressemblé à un autre putain de cauchemar. Heureusement qu'on était dehors. What's happening ? ai-je chuchoté, mais il ne pouvait pas répondre, il était tétanisé par la chose qui, selon l'orientation de son regard fixe, se trouvait derrière moi. What do you see ? ai-je insisté, et la pupille démesurément agrandie de ses yeux pervenche m'a conseillé de ne pas bouger. Quant aux chiens, ils grognaient toujours, mais d'un peu plus loin.

Ils auraient vu un revenant qu'ils ne se seraient pas comportés autrement.

Et voilà! j'avais ma réponse, ils voyaient un revenant. La chose qui se tenait derrière moi, si l'on peut parler de chose, n'était nulle autre que Winslow, si bien que les chiens et Moreau voyaient deux Winslow, un maigre et un gros, et se demandaient s'ils perdaient la boule ou s'ils étaient dans un remake d'*Adaptation*, avec Nicolas Cage dans le rôle des deux frères, le mince et le gros, le séduisant et le laid, ou dans *Face/ Off*, avec Nicolas Cage dans le rôle de Sean Archer et de Castor Troy, le bon et le méchant. Pendant qu'ils pensaient à ça, j'ai cru pour ma part qu'on m'avait transféré dans une version remaniée de *Family Man*, avec Nicolas Cage dans le rôle du gars qui rencontre une espèce de génie et voit ce qu'aurait été sa vie s'il avait épousé son ancienne petite amie et était devenu père de famille. D'ailleurs, si on me regardait attentivement, on pouvait percevoir une légère ressemblance entre Cage et moi, faudrait que je repense à ça. Don't panic, ai-je néanmoins recommandé aux chiens et à Moreau, there's an explanation, et je me suis lentement retourné, sans savoir comment je réagirais devant Winslow, qui serait ni plus ni moins comme un deuxième double de moi-même. Si je ne piquais pas une crise d'identité dans les minutes qui allaient suivre, j'étais bon pour l'asile. Don't panic, ai-je répété intérieurement, comme un mantra, don't panic, don't panic, don't panic, don't panic, puis j'ai fermé les yeux, histoire d'atténuer le choc. Quand je les ai rouverts, la chose qui piétinait devant moi ressemblait effectivement à Winslow, mais en plus petit. Grrrr! a-t-elle grogné férocement, si bien que j'ai bondi en arrière, me suis enfargé et suis tombé sur quelque chose de dur, pendant que des dizaines d'étoiles envahissaient le ciel diurne.

Lorsque je me suis éveillé, j'étais entouré d'une impénétrable étendue de noir qui ne me disait rien de bon, parce que le coma, c'est tout blanc ou tout noir, selon votre disposition d'esprit, ainsi que je l'avais expliqué à Moreau. J'avais par contre un mal de tête épouvantable, ce qui m'assurait au moins que je n'étais pas mort. J'ai ouvert les yeux un peu plus grands, puis j'ai aperçu une masse qui remuait, noire sur fond noir, dans ce qui m'a paru être l'extrémité de l'incommensurable étendue de noir. Winslow ? ai-je murmuré, mais la masse ne m'a pas répondu. Alors j'ai tâtonné autour de moi, faisant tomber quelques objets, en l'occurrence un dentier, un verre d'eau, une bouteille d'Aspirin et un oignon, et la masse a bondi. Help ! ai-je hurlé et, au même moment, une lampe s'est allumée, une porte s'est ouverte, deux chiens ont aboyé : j'étais de retour à la vie.

Combien, combien de temps ? ai-je demandé à Moreau, dont le visage blême s'encadrait dans la porte, et à Artie, qui brandissait sur moi une lampe de poche. A few… a commencé Moreau, qui a été interrompu par l'intrusion de Jeff, qui s'est précipité sur le lit pour me lécher le visage. A few what, Moreau ? A few… a-t-il recommencé, et cette fois, c'est Bill qui a bondi sur le lit, parce qu'elle me prenait pour Winslow, cette pauvre bête. A few hours, a-t-il lâché dans un souffle avant qu'un troisième chien arrive, on ne sait jamais, et je me suis enfin détendu.

Dix minutes après, on était tous les trois assis autour de la table de la cuisine avec une bouteille de gin et un bol de chips, dont je préférais ignorer la marque, et Artie me racontait que, par la fenêtre de la cuisine, il avait vu l'ours me renifler, me donner un coup de patte dans le dos et retourner lentement dans le bois en dandinant son gros derrière. Un ours gentil, insistait Artie, pas méchant pour deux sous, mais ce n'était pas ça qui me préoccupait. Ce qui me travaillait, c'était la couleur des yeux de l'ours. As-tu vu ses yeux ? ai-je demandé à Moreau. Oui, il avait vu ses yeux. De quelle couleur étaient-ils ?

Bruns, je suppose, de quelle couleur veux-tu qu'ils aient été ?
C'était un ours noir, il avait les yeux bruns. T'es sûr qu'ils
étaient pas bleus ? Non, Bob, cet ours avait les yeux bruns,
a-t-il confirmé, mais vu qu'il avait été pétrifié par la vision de
l'ours, Moreau n'était pas une source fiable. And you, Artie,
did you see the bear's eyes ? Mais Artie ne m'écoutait pas. Il
plissait le front comme s'il essayait de résoudre un problème
de logique particulièrement complexe.

What's happening, Artie ? me suis-je inquiété. You speak
french, Bob, perfectly, m'a-t-il répondu en me fixant comme
si j'étais une erreur de la nature. C'était vrai, il avait raison, je
m'étais adressé à Moreau dans un impeccable français, autre
irréfutable preuve que j'étais moi. Pour rassurer Artie, qui
avait parfois d'incompréhensibles éclairs de lucidité, je lui ai
expliqué que c'était à cause de tous les coups que je recevais
sur la tête, puis j'ai clos la discussion avant que Moreau s'en
mêle, mais celui-ci semblait considérer mon soudain bilin-
guisme comme tout à fait normal. Il savait des choses, ce type,
que j'aurais dû savoir.

Ne trouvant pas de sujet de conversation, j'ai choisi un sujet
pratique, la roche de quatre cents millions d'années, qui avait
cette fois laissé au milieu de mon front une bosse en creux
pareille à un œil de cyclope ou à un troisième œil, et j'ai dit
que, si c'était un troisième œil, j'aurais peut-être un don de
voyance, comme Johnny Smith dans *The Dead Zone*. Je disais
ça pour blaguer mais, en y réfléchissant calmement, je me suis
rendu compte qu'il y avait plusieurs points communs entre
mon destin et celui de Johnny Smith.

J'ai dû perdre contact avec la terre – « Odyssey, this is
Houston, do you read me ? » – pendant que je réfléchissais aux
malheurs que Johnny Smith et moi avions en commun, car j'ai
tout à coup aperçu une main qui s'agitait devant mes yeux :
Bob, Bob, are you here ? Je n'ai pas su quoi répondre à ça parce

que, dans les faits, Bob n'était pas là, puis, soudainement, j'ai mesuré le poids de mon immense solitude. J'étais le détenteur d'un secret qu'il m'était impossible de partager et je ne m'étais jamais senti aussi délaissé, isolé et incompris de toute ma vie. Jeff était le seul être au monde à qui je pouvais me confier, et Jeff se foutait qu'on me prenne pour Winslow ou non. Pour lui, l'apparence n'avait aucune importance et il avait entièrement raison. J'aurais dû me fier à sa sagesse et demeurer moi-même, malgré les conseils de la nuit, qui m'avait recommandé, dès mon retour à Mirror Lake, de ne pas faire de vagues et de me comporter comme Winslow, que c'était la solution la plus simple en attendant que la vérité montre enfin sa grande face blême.

La veille, après avoir sombré dans un sommeil sans rêves, je m'étais en effet réveillé vers les trois ou quatre heures, un peu perdu dans la chambre de Winslow, et j'avais entendu la nuit, qui avait la voix d'Hortèse, me chuchoter à l'oreille qu'il ne fallait pas déshabiller Pierre pour habiller Paul. Comme le message de la nuit était pour le moins sibyllin, je lui avais demandé d'être plus claire. Elle avait ajouté qu'un clou finissait par chasser l'autre, que faute de grives, on mange des merles, que de deux maux, il valait mieux choisir le moindre, et ce genre de conneries. Bref, elle me recommandait de me fermer la gueule. Avant qu'elle me sorte rira bien qui rira le dernier, je lui avais ordonné de se taire et je m'étais enfoncé la tête sous l'oreiller.

J'avais toujours cru, me fiant en cela à une certaine mythologie, que la nuit avait une voix chaude et sensuelle, qui se glissait lascivement dans vos rêves pour chatouiller vos fantasmes et vous couvrir d'une sueur bénie parce qu'issue du péché. Qu'on se détrompe, il n'en est rien ! La nuit a une voix de crécelle, identique à celle d'Hortèse, qui nourrit les cauchemars, l'angoisse, la culpabilité, qui vous empêche de

dormir et vous fait des poches sous les yeux. Rien à voir avec
le voluptueux murmure de l'amante ni avec les berceuses que
vous serine Morphée. Quand la nuit vous parle, ce n'est ni
pour vous rassurer ni pour vous allumer, mais pour vous
rappeler que vous avez des problèmes, des gros problèmes,
dont l'obscurité vous révèle les véritables dimensions. Car
c'est ce que m'avait dit la nuit, écrase, fais le mort, ça va assez
mal comme ça.

C'était assez déprimant, et j'ai dit à Artie et à Moreau, sur
le ton du gars qui veut être seul, tant qu'à être seul, que je
sortais avec les chiens. Puis je suis descendu m'asseoir près du
lac, où la lune ondulait doucement, mais où les étoiles ne se
reflétaient pas, parce qu'elles sont trop loin, les étoiles, trop
petites, trop mortes pour avoir un reflet, comme les vampires, même si elles n'ont de vampirique que l'irrésistible attrait
qu'elles exercent sur vous. Qu'importe, je me suis étendu sur
le dos, prêt à me laisser vampiriser, et j'ai regardé la portion
d'univers visible de Mirror Lake s'enfoncer dans le temps inter-
sidéral. Après leur tour de reconnaissance habituel, les chiens
sont venus se coucher près de moi et, quand j'ai mis la main
sur la tête de Jeff, j'ai vu son avenir, comme Johnny Smith
voyait l'avenir des gens qu'il touchait. En fait, disons plutôt
que j'ai vu son rêve, notre rêve d'avenir, dessiné à l'intérieur
de la même grosse bulle, au-dessus de nos têtes.

Nous étions sur une plage par une nuit étoilée de juillet.
Dans les bois, un hibou hululait. À nos pieds, des petites vagues
soupiraient d'aise dans le sable et nous entendions le vent
chuinter dans les sapins. Les plus beaux bruits du monde, Jeff,
avec ceux de la pluie sur un toit de bardeaux, d'un huard
perdu dans la brume, qui faisaient également partie de ce rêve
sans fin où la pluie succédait au hibou, le hibou au merle, le
merle au huard, le brouillard à la pluie, et le soleil, enfin, aux
nuages qui se détachaient du lac avec la légèreté de qui a bien

dormi, là, la joue contre l'eau fraîche. Et nous étions bien, et nous étions seuls.

Ce n'était pas si compliqué, pourtant, de réaliser un tel rêve. Tout ce dont nous avions besoin se trouvait là. Le problème, c'est que d'autres s'y trouvaient aussi, à la recherche du même paradis que nous, forçant le paradis à reculer plus loin, toujours plus loin. Conclusion, le paradis était un attrape-nigaud, ainsi que Dieu avait voulu me le démontrer en me catapultant dans la peau de Winslow. Mais peut-être qu'il voulait aussi me prouver que j'étais bien, en Robert Moreau, que j'aurais dû me contenter de ce que j'avais au lieu de passer mon temps à me plaindre pendant que les trois quarts de la planète crevaient de faim ou recevaient des bombes sur la tête à tour de rôle. Et depuis quand est-ce que j'avais renoué avec Dieu, moi? Depuis que j'étais Bob Winslow, je présume, ou depuis que seule une intervention divine pouvait expliquer ce qui m'arrivait.

À propos d'intervention divine, ça s'est mis à remuer dans les branchages, à côté du chalet, et on s'est relevés d'un bond, Bill, Jeff et moi, certains que l'ours revenait nous visiter, mais c'était un raton laveur qui effectuait sa tournée des poubelles. Pendant que Bill et Jeff détalaient derrière lui et que le masque de la petite bête disparaissait prestement sous le chalet, je me suis rappelé que je n'avais pas eu ma réponse, à propos de l'ours. Cet ours avait-il ou non les yeux de Winslow, ainsi qu'il m'avait semblé avant de m'évanouir, ou est-ce que j'avais imaginé ça? Il n'y avait qu'une façon de le savoir. Retrouver l'ours ou attendre qu'il revienne. Je m'occuperais de ça le lendemain, si on me laissait souffler un peu, et je ferais peut-être un petit saut en ville pour me procurer *The Dead Zone* et essayer de comprendre comment Johnny Smith avait abouti dans mon histoire.

Je n'ai jamais pu me procurer *The Dead Zone*, ce qui n'a aucune importance, parce que non seulement je connaissais l'histoire de Johnny Smith, mais comprenais ce qu'il ressentait, ce type, la douloureuse solitude de qui est directement connecté à l'invisible, de qui est bombardé d'images que le commun des mortels ne peut percevoir, de qui n'est pas normal, quoi, un phénomène de foire qui fascine et effraie à la fois. La seule différence entre Smith et moi, c'est que personne ne savait qui j'étais, à commencer par moi.

J'avais quand même l'intention de l'acheter, ce livre. Je m'apprêtais d'ailleurs à me rendre en ville quand j'ai entendu Anita, de l'autre côté du lac, crier des mots pas gentils du genre *bastard*, *irresponsible*, *selfish*, puis encore *bastard*, le tout adressé à Moreau. Elle y allait un peu fort, Anita, Moreau pouvait être difficile à endurer, mais le traiter de bâtard, c'était insulter sa mère, donc la mienne, ce que je n'acceptais pas. Faudrait que je lui parle. Immédiatement après, la porte claquait derrière un Moreau qui n'en menait pas large. Il est demeuré quelques instants sur la galerie à regarder le bout de ses chaussures, comme si elles pouvaient l'encourager, mais la seule chose qu'arrivent à faire les chaussures, c'est marcher, si on les aide un peu, écraser des bestioles ou donner de grands coups sur les murs, les cannettes vides ou les cailloux, si elles n'aiment pas les cailloux. Celles de Moreau ont décidé de

marcher, projetant devant elles quelques innocentes petites
roches au passage, puis je les ai vus se diriger, elles et Moreau,
vers la chaloupe rouge attachée au quai.

J'ai aussitôt fait demi-tour pour aviser Artie que je partais en
ville et ne serais pas de retour avant la nuit, voire avant le mois
suivant, mais ce balourd avait entendu Anita hurler et sautait
déjà dans la voiture de Winslow, c'est-à-dire la mienne, pour
lui porter secours ou la consoler, selon ses besoins, et je suis
resté là, les bras ballants, à fixer alternativement le bout de mes
chaussures, qui avaient besoin d'un bon nettoyage, et l'auto qui
s'éloignait dans la poussière. Baptême. Pour me défouler, j'ai
frappé quelques cailloux qui n'avaient qu'à ne pas s'établir
dans le Maine, et j'ai attendu Moreau. J'aurais pu m'enfuir,
me cacher dans le bois ou en dessous du chalet, avec le raton
laveur, mais Moreau m'aurait trouvé, c'était écrit ou ça allait
l'être. It's your destiny, m'a rappelé Darth Vader, qui a momentanément surgi de mon esprit assombri, et le destin, on ne peut
rien contre. On peut toujours choisir de se suicider, mais c'est
encore du destin, ça ne change rien. Aussi bien s'accommoder
de celui qui nous empoisonne la vie tout en nous la laissant.
Je me suis donc assis sur la roche de quatre cents millions
d'années, hi stone, auprès de laquelle je me suis excusé d'avoir
donné des coups de pied sur la tête de ses petites sœurs, mais,
soit elle était insensible, soit elle boudait, soit elle n'avait pas
l'esprit de famille, ça ne lui a pas fait un pli. J'espérais qu'elle
allait sauter sur l'occasion pour s'excuser à son tour de m'avoir
frappé, mais elle est demeurée de marbre, le verbe *to apologize*
ne figurait pas dans son vocabulaire.

Je suis néanmoins resté assis sur elle et j'ai regardé Moreau
s'en venir. Je pourrais aussi dire que je l'ai écouté s'en venir,
parce qu'il fredonnait *I'm a Man of Constant Sorrow*, des Soggy
Bottom Boys. C'est ce que j'aurais choisi aussi, parce que j'étais
Moreau, que je connaissais la bande sonore de *O Brother*,

Where Art Thou? par cœur et que j'étais soudainement et immensément triste devant les montagnes, «des millénaires de montagnes», ainsi que l'avait si bien écrit Élise Turcotte, contre lesquelles allait se répercuter en titubant la voix défaite de Moreau, qui n'avait pas le cœur à la légèreté. Quand il a accosté, je suis descendu l'aider à haler sa chaloupe sur le sable, mais ce sans-dessein m'a posé une main sur l'épaule pour ne pas perdre l'équilibre en débarquant et j'ai vu son destin, c'est le destin, exactement comme Johnny Smith, bordel! Lorsqu'il m'a touché, la zone morte de mon cerveau s'est activée, faut croire, je me suis mis à trembler et à voir des éclairs, des formes bizarres, puis l'image s'est stabilisée et j'ai été catapulté sur la rive nord, par un bel après-midi du mois d'août, penché près du lac à essayer de rouler un macchabée sur la grève avec Winslow.

Sur le coup, j'ai pensé que j'avais un flash-back, que je revivais le jour où Winslow et moi on avait repêché John Doe et que j'allais enfin savoir qui était ce mec. C'est quand Anita est entrée en scène que le récit est devenu confus. Winslow et moi, on harponnait John Doe avec nos branches lorsque Anita s'est pointée pour nous avertir qu'elle emmenait Junior chez sa mère, qu'elle ne voulait pas qu'il soit témoin de ce spectacle. Je lui ai rétorqué qu'on n'allait pas inviter le mort à prendre le thé, mais elle m'a envoyé promener en invoquant l'atmosphère malsaine, les ondes morbides qu'émettait le cadavre, l'odeur d'hommes anxieux que nous dégagions, toutes choses qui risquaient de laisser des traces indélébiles mais indéchiffrables dans le cerveau du petit Robert qui, au mieux, nous coûterait une psychanalyse à douze ans ou, au pire, deviendrait un tueur en série, un putain de malade qui enfoncerait la tête de ses petites amies sous l'eau du bain et ferait chavirer ses vieux parents au milieu du lac avec un sourire carnassier sur le visage. Is that what you want, Robert? De toute façon, si Junior tournait mal, ce serait de ma faute, alors ? Let her go, m'a conseillé Winslow, she's still rather fragile, et je l'ai laissée aller.

Le reste de la vision ressemblait à peu près à ce que nous avions vécu, Winslow et moi, un an auparavant. Tim Robbins arrivait sur les chapeaux de roues accompagné de Conan, le légiste, qui essuyait ses lunettes dans son sarrau. Un peu plus tard, ce sont les Dalton qui débarquaient, suivis de près par la mère d'Anita, une sorte d'ersatz de Ma Dalton qui me dévisageait comme si c'était moi qui avais noyé John Doe, ce à quoi je répondais par un sourire carnassier. Le tout dégénérait en bagarre pour un motif nébuleux et je me retrouvais embroché sur le piquet de clôture réapparu en bas de ma galerie. Fin de la vision, et je ne savais toujours pas qui était John Doe.

Ça n'a duré que quelques secondes. Quand je suis revenu en temps réel, Moreau finissait de débarquer de sa chaloupe en jurant parce qu'il avait mis son Doc Martens gauche dans la flotte. Are you OK ? m'a-t-il demandé en relevant la tête, car je devais avoir l'air un peu sonné. I'm OK, ai-je répondu, et j'ai eu envie d'ajouter qu'il pouvait me parler en français, ce qu'il savait pertinemment, mais ce détail n'avait aucune importance auprès de ce qui venait de m'arriver.

Si cette vision en était bien une, ça signifiait qu'il y avait un autre John Doe dans le lac ou que quelqu'un allait bientôt se noyer. Ça signifiait aussi que Winslow reviendrait ou que je prendrais une centaine de livres et deviendrais un vrai Winslow. Ça voulait également dire, enfin, qu'Anita avait une mère et que je mourrais empalé. Mais était-ce bien moi qui mourrais ? Si Winslow revenait, est-ce que j'allais me réintégrer ? Et qui était le vrai Robert Moreau ? Moi ou celui qui tordait son soulier à côté de moi en me racontant qu'Anita l'avait foutu à la porte et que, si ça ne me dérangeait pas, il allait passer un jour ou deux chez moi, le temps que la tempête se calme ?

Oui, ça me dérangeait, mais vu que je n'étais pas moi, je devais manifester ma joie. C'est ainsi qu'aurait agi Winslow, et il m'aurait donné une grande tape dans le dos, ce que j'ai fait, un peu innocemment. Au contact de Moreau, ma zone morte a remis ça avant que je puisse porter plainte, réciter une prière ou dire à Dieu qu'il exagérait un peu. Cette fois, au moins, j'ai eu droit à une vision réjouissante.

Ça se passait le soir même. Moreau, Bill, Jeff et moi, on était assis autour d'un feu de camp, comme dans le bon vieux temps, avec une ou deux bouteilles vides à nos côtés. Moreau faisait griller des saucisses et moi, sur un ton poétique, je disais red, red as red roses. «A rose is a rose is a rose is a rose», déclamait Moreau pour avoir l'air intelligent, puis je poursuivais avec red, red as strawberries, as raspberries, as cranberries, red as cherries, tomatoes and MacIntosh apples, Cortland apples et *tutti frutti*. Tous les fruits y passaient, petits ou grands, mangeables ou pas, tout ce que la terre portait de rouge, y compris la colère et les bouts de chiffon. La Pink Lady était de retour, pour notre plus grand plaisir et celui des chiens, qui s'ennuyaient de la félicité de nos soirs d'ivresse. Quand le jeu a été terminé, on s'est tournés vers le ciel, on a respiré un grand coup, on a souri, et je me suis vu demander à Moreau qui était John Doe. You don't remember? s'est esclaffé cet imbécile. Je lui ai répondu que non, que j'avais une espèce de blanc à ce sujet. Ça tombait mal, car il était trop ivre pour se souvenir. Fin de la deuxième vision.

Are you OK? m'a redemandé Moreau, et j'ai marmonné no, I'm not. Who is John Doe? *A priori*, je savais ma question inutile, car l'avenir m'avait appris que, lorsque la nuit tomberait sur Mirror Lake, j'ignorerais toujours l'identité de l'homme par lequel le malheur était arrivé, mais j'ai pris une chance, au cas où l'avenir serait moins têtu que le destin. Dans ce cas, il était peut-être possible de le changer. Je jouais un jeu dangereux, j'en étais conscient, vouloir modifier le cours des choses équivalant à se prendre pour Dieu ou l'un de ses subalternes, qui ne font pas toujours de la belle ouvrage. Et puis, on ne sait jamais quelle série de catastrophes on peut enclencher quand on se mêle de ce qui ne nous concerne pas. Arthur Bolduc, le père de Ti-Ron, le savait, lui. Un jour, il avait jeté dans le fossé un cap de roue qui traînait au milieu de la route, dans le croche du Cordon, pour éviter que cet objet cause un accident. Une heure plus tard, Julienne Lessard, aveuglée par un rayon de soleil qui s'était accroché au cap de roue, fonçait dans le clos avec la Chrysler flambant neuve de Grégoire, son mari. *Requiem in pace*, Julienne. Poussé par l'affliction et le remords, Arthur était retourné chercher le damné cap de roue et l'avait remis au milieu de la route. Le lendemain, c'est Damien Jutras qui se cassait la gueule en dérapant dessus avec sa moto. Morale de cette histoire : chaque chose à sa place et les moutons seront bien gardés, ainsi que l'avait décrété Hortèse, comme la majorité des gens du village, qui avaient enjoint à Arthur de ne plus tenter de contrecarrer le destin, à l'avenir. Mêle-toé de tes maudites affaires, Arthur !

Cette histoire avait de quoi faire réfléchir, mais ma curiosité était trop forte, il fallait que je sache qui se dissimulait sous le pseudonyme de John Doe. WHO IS JOHN DOE ? ai-je répété à Moreau, qui a reculé devant le ton intempestif de ma question. Who is John Doe ? Who is John Doe ? C'est moi qui aurais dû savoir qui était ce type. C'est moi qui avais fouillé son portefeuille, pas lui. À part Tim Robbins, moi, et peut-être Conan, personne ne savait qui était John Doe. Au dire de Robbins, c'était quelqu'un de très important, dont on ne pourrait révéler l'identité qu'une fois l'enquête terminée, et elle piétinait, cette enquête, il n'y avait pas à dire.

Je ne l'ai pas cru. Je ne l'ai pas cru pour la simple et bonne raison qu'il allait m'avouer le soir même avoir oublié le véritable nom de John Doe. Or, comment peut-on oublier quelque chose qu'on ignore? Peux-tu m'expliquer ça, Moreau? Et une minute, là, ce n'était pas Winslow qui s'était emparé du portefeuille, mais lui, Moreau. Pouvait-il me dire pourquoi il me mentait? Non, il ne pouvait pas m'éclairer là-dessus, parce que c'est moi qui l'avais pris, ce foutu porte-feuille. On s'est renvoyé la balle comme ça durant dix ou douze minutes au cours desquelles le ton n'a cessé de monter. On en serait même venus aux mains si un grognement, émis dans le sous-bois, n'était parvenu à nos oreilles. On s'est arrêtés net et j'ai dit l'ours, bordel, l'ours, l'ours, the bear, auquel il me fallait parler dans le blanc ou le bleu des yeux.

Laissant Moreau s'obstiner tout seul, je me suis rué dans le sous-bois en criant tout bas, c'est possible, Winslow, pars pas, je t'ai reconnu, don't move, Winslow, stay there, I know you're the bear, mais j'ai dû l'effrayer. Tout ce que j'ai pu entrevoir, c'est un gros derrière brun avec une petite tache blanche sur la fesse gauche qui disparaissait entre les branches basses. J'ai par contre aperçu un objet coloré, sur le sol, à côté des pistes de l'ours, un objet qui m'était familier et que j'avais récemment égaré. Au moment où je me suis penché pour le ramasser, un grognement féroce a fait se taire les oiseaux, dont je ne m'étais pas rendu compte qu'ils étaient si nombreux à gazouiller, et un silence de mort est tombé sur la forêt… L'ours ne voulait pas que je récupère l'objet… J'aurais été dans un film, les spectateurs auraient eu peur, la fille assise dans la dernière rangée aurait enfoncé ses ongles dans la cuisse de Peter, son ami, qui aurait légitimement crié et renversé son pop-corn, soulevant de ce fait un vent de panique parmi les hystériques éparpillés dans la salle, au nombre desquels il fallait compter la fille aux ongles affûtés, Pierrette, mais je ne me suis pas laissé impressionner. N'écoutant que mon cou-rage, j'ai saisi le livre de Victor Morgan, malgré qu'il fût tout baveux et complètement déchiqueté, et je suis sorti du bois en courant. J'avais maintenant la preuve qu'il me fallait, cet ours était bien Winslow, pas seulement parce qu'il avait voulu détruire *The Maine Attraction*, mais parce que, peureux comme ça, ça ne pouvait être que Winslow.

Look what I found near the bear's tracks, ai-je crié à Moreau en brandissant l'objet. This bear is not a normal bear. He wanted this book, Robert, he wanted this fucking book. He stole it from me. Il a cru que je déraillais, bien entendu, c'est ce que j'aurais cru si j'avais été à sa place, que j'occupais presque. Est-ce que ce mec est aussi dérangé qu'il le laisse paraître – bien que ce type de démonstration soit inconscient – ou est-ce qu'il se moque de moi ? devait-il conjecturer. Qu'il conjecture. Je savais, moi, que l'ours et Winslow ne faisaient qu'un. J'aurais d'ailleurs parié que c'était écrit dans le livre, autre raison pour laquelle Winslow voulait le mettre en pièces, par désir de vengeance ou parce qu'il espérait ainsi annuler le sortilège dont il était victime.

You should be happy, m'a dit Moreau en voyant mon air dépité devant l'état du livre. Premièrement, ce roman est pourri. Deuxièmement, il ne nous a toujours apporté que des malheurs. Et puis, à quoi ça sert de connaître son avenir si c'est pour apprendre qu'on va mourir ? On le sait déjà. J'étais d'accord avec lui, mais en partie seulement, car je voulais savoir quel chemin je prendrais pour arriver jusqu'au piquet de clôture – qui serait en l'occurrence le dernier piquet jalonnant mon existence, mon dernier piquet, quoi –, au cas où il y aurait moyen d'emprunter un détour, et j'avais dans l'idée que Victor Morgan pourrait m'aider dans cette entreprise.

Sans m'occuper de Moreau, j'ai emporté le livre en lambeaux sur la roche de quatre cents millions d'années, où j'ai essayé de le reconstituer. Peine perdue. Il manquait des morceaux, la fin avait disparu et on ne pouvait rien faire avec le reste. Une ruine.

Where's your copy, Robert? Il ne l'avait plus, il l'avait brûlée, sur les ordres d'Anita, qui avait décrété que ce livre avait sur lui une influence néfaste. So you read it, Robert? So you know the end? Non. Il ne connaissait pas la fin. Il n'avait jamais pu aller au-delà de la page 94. Toutes les semaines, il avait recommencé sa lecture et, toutes les semaines, il s'était arrêté à la page 94. Pour une fois, Anita avait raison, ce livre le rendait fou. But don't you want to know the end, Robert?

On tournait en rond. Moreau ne voulait pas apprendre de quelle façon se terminait cette histoire. On l'apprendra bien assez vite était son argument final, mais je n'étais pas d'accord avec lui. J'irais en ville dès qu'Artie serait de retour et j'achèterais un autre exemplaire de *The Maine Attraction*, avec *The Dead Zone*, tant qu'à y être, quoi qu'en dise Moreau. D'ici là, puisque j'avais Moreau sur les bras, autant en profiter. On a donc passé la journée à nettoyer le terrain, à ramasser des branches, à déblayer le sous-bois, à jeter un tas de vieux trucs qui traînaient sous la galerie. On a même déniché un berceau un peu déglingué, mais réparable, que Moreau a récupéré pour Junior.

Do you have children? m'a demandé Moreau quand il a exhumé le berceau, qui dormait sous une pile de planches. Bonne question. Est-ce que Winslow avait des enfants? Si je me fiais à nos conversations, il n'en avait pas, à moins qu'il soit brouillé avec eux, ce qui ne lui ressemblait pas, ou que leur mère, une femme d'une grande beauté mais d'une froide intransigeance, ne les ait amenés loin de lui des années auparavant, brisant le cœur du pauvre Winslow, qui avait alors tenté de noyer sa peine dans l'alcool et la nourriture, s'était mis à grossir, à devenir con, et avait préféré taire l'existence de ses enfants, même si, au fond de lui, saignait une blessure qui ne se cicatriserait jamais.

Yes, I had one, me suis-je entendu murmurer, puis je me suis tu, pour accentuer l'effet dramatique, et j'ai caressé le bois du berceau. A little guy named Bobby, Bobby Junior, ai-je ajouté, et je me suis encore tu, l'évocation de cet hypothétique enfant me rendant plus triste que je ne l'aurais imaginé, puis j'ai raconté l'histoire de Bobby à Moreau. À la fin de mon récit, on pleurait tous les deux, Moreau parce qu'il avait peur qu'Anita s'en aille avec le petit Robert, moi parce que j'avais deux fils que je ne connaissais pas, un vrai et un faux, Robert et Bobby, Junior and Junior. Pour nous consoler et nous récompenser d'avoir bien travaillé, je suis allé nous chercher deux bières, que nous avons bues à la mémoire de Bobby Junior qui, s'il avait bien tourné, soignait des sidéens au Zimbabwe ou avait joint les rangs de Greenpeace ou de quelque autre organisme défendant de grandes causes, à moins qu'il n'ait consacré sa vie à enseigner à des petits morveux la différence entre un pingouin et un manchot, tâche ingrate dont il se reposait le dimanche en jouant au baseball avec son propre fils, car j'étais peut-être grand-père, qui sait, d'un Babe Ruth en puissance dont je n'aurais jamais le bonheur d'ébouriffer la petite tête blonde. Il ne nous en fallait pas plus pour vouer une détestation sans bornes à la mère de Bobby Junior, la pire putain d'égoïste que la terre ait portée, qui n'avait d'ailleurs épousé Winslow que par intérêt – lequel ? nous avons glissé là-dessus – après lui avoir fait payer ses études. Elle n'avait pas le droit de priver Bobby d'un père qui avait tant à lui apprendre et elle le regretterait un jour, mais il serait trop tard, bien fait pour elle, fucking selfish, mais pas pour Bobby. Poor Bobby. À la deuxième bière, on a changé de sujet, ça me faisait trop mal de penser à mon fils disparu. J'étais à ce point bon acteur que je me croyais. Je me suis même demandé si Winslow n'avait pas réellement un fils et si je n'étais pas en train de devenir Winslow à travers le souvenir attendri de ce fils. Faudrait que je demande à l'ours.

Un peu plus tard, on a allumé un feu avec les branches qu'on avait ramassées, on a lavé des patates pour les mettre sur

la braise, ça serait bon avec des saucisses, puis, alors que l'obscurité s'installait lentement sur Mirror Lake et que les papillons
de nuit sortaient nourrir les chauves-souris, on a compris qu'on
était copains, Moreau et moi, à la vie à la mort, on n'avait pas
le choix. Si le sang ne nous avait pas foutu une telle trouille à
tous les deux, on se serait même entaillé les poignets pour faire
un pacte. Puis est venue l'heure des étoiles, celle de la Pink Lady,
que nous avons habillée de rouge, puis celle, enfin, de John
Doe. Who is John Doe? ai-je demandé à Moreau. Et cet imbécile
s'est esclaffé you don't remember? Exactement comme dans
ma vision. Exactement comme si je n'avais pas changé l'avenir.
Exactement comme si Arthur Bolduc avait laissé le cap de roue
dans le croche du Cordon.

Le lendemain, Artie était de retour et il pleuvait, une belle pluie chaude qui tambourinait sur le toit de tôle et nous interprétait une pièce qu'aucune partition n'égalera jamais. Artie était rentré au milieu de la nuit, sans faire de bruit, et était allé se coucher sur le divan pendant que, dans sa chambre, Moreau ronflait comme un ange tombé des cieux, avec ses ailes brisées, ses jours de tristesse, sa nostalgie du paradis. Un ange pas déchu pour autant, non, juste un peu pitoyable, perdu devant l'immensité du firmament et de la douleur terrestre, qu'il n'aurait jamais imaginée telle. Un ange déçu, quoi.

À sept heures, Artie malmenait déjà les casseroles et j'en ai déduit qu'il n'était pas content. Quand je suis arrivé dans la cuisine avec mes quelques cheveux en broussaille, j'ai vu qu'il n'avait mis la table que pour deux. Étais-je le deuxième convive ou est-ce à moi qu'il en voulait? Son sourire m'a dit que non, il ne m'en voulait pas. Dommage, je n'avais absolument pas faim, mais comme je ne désirais pas le contrarier davantage, je me suis assis à ma place en spécifiant que je ne prendrais pas de saucisses, pas ce matin, de grâce. Il m'a lancé un regard noir, noir et globuleux, et j'ai dit d'accord, Artie, mais une toute petite. Ça lui a fait plaisir.

On a d'abord mangé en silence, mais je voyais bien que quelque chose le tracassait, alors je l'ai invité à se confier, en espérant que ça ne deviendrait pas une habitude entre nous, ces épanchements matinaux. It's Robert, a-t-il commencé. Yes, I know, je m'en doute, ai-je enchaîné, poursuis, Artie, et j'ai pris la pose du psy attentif. He slept in my bed...

He slept in my bed... C'est vrai que, dit comme ça, il a dormi dans mon lit, Robert a dormi dans mon lit, Bobby a volé mon lit, c'est assez dramatique. Devais-je rire ou pleurer?... Ni l'un ni l'autre, m'ont répondu les grands yeux d'Artie, alors j'ai pris la défense de Moreau, on était copains ou on ne l'était pas. On a cru que tu allais dormir de l'autre côté du lac, Artie, with Anita, c'est pour ça que Moreau a pris ton lit, mais on va changer les draps, don't worry. Je n'aurais pas dû dire with Anita, il l'a mal pris. Il n'était pas ce genre d'homme qui profite de la faiblesse momentanée des femmes pour leur sauter dessus, m'a-t-il renvoyé. Il les respectait trop, les femmes, et Anita en premier. She's so smart, so beautiful, so nice... Si je croyais qu'il avait couché avec, j'étais un salaud, a fucking bastard, un nul. En dix secondes, je suis devenu le méchant, mon assiette a disparu, son contenu a fini dans le bol des chiens, et j'ai eu l'air fou. J'ai tenté de m'expliquer, puis j'ai changé d'idée, je n'avais rien à expliquer. J'ai enfilé ma chemise à carreaux, ma calotte, mes running, j'ai brossé mon dentier et je suis sorti.

Il tombait l'une de ces magnifiques pluies d'été, comme je les aime. Une pluie chaude et tranquille qui allégeait l'atmosphère et lavait les arbres, les fleurs, les pierres. Le monde entier prenait sa douche en souriant, la bouche grande ouverte, jusqu'à la roche de quatre cents millions d'années, qui offrait sa grosse tête grise à la douceur de la pluie en exhalant une légère vapeur de contentement, pendant que, sur le lac, les gouttes rebondissaient sans se presser. Cette pluie était si reposante que je n'ai pas pensé aux milliers et milliers de John Doe que pouvaient représenter ces petits personnages anonymes, non, j'ai plutôt pensé à des milliers et des milliers de minuscules et jolies Chinoises courant sous leurs ombrelles ou leurs chapeaux de paille dans les rues de Shanghai ou de Pékin, les chimes étant toujours dans leur période orientale. Même les moustiques paraissaient sympathiques, qui s'étaient rassemblés dans un coin de la galerie et y folâtraient en atten-dant que la pluie cesse. Nulle trace de l'ours, cependant, auquel j'avais laissé une saucisse et une patate. C'est le raton laveur qui avait dû s'en emparer, mais je ne lui en voulais pas, la journée était trop belle pour qu'on se fâche, et puis, n'était-ce pas l'une des incontournables lois de la nature, premier arrivé, premier servi? Winslow n'avait qu'à se grouiller.

En temps normal, j'aurais joui de cette journée. Je serais allé me baigner avec Jeff, c'est si bon de se baigner sous la pluie, ou je serais allé pêcher, puisque Winslow aimait ça et que ça mord toujours plus quand il pleut, mais le temps était anormal, comme d'habitude, et j'avais des courses à faire. J'ai sifflé Jeff, Bill est arrivé, je lui ai demandé où était Jeff, il a répondu dans le chalet, je suis allé le chercher, j'ai pris deux Aspirin, pour le mal de tête, je n'ai pas salué Artie et nous avons filé, les chiens et moi, direction Augusta, dans la pluie fine et la grisaille qui murmuraient des airs de blues.

Dans la première librairie où je me suis présenté, le libraire, un jeune, ne connaissait pas Victor Morgan et ne tenait pas *The Dead Zone* dans son fonds. Dans la deuxième librairie, même scénario, on ne connaissait pas Victor Morgan et on avait vendu le dernier exemplaire du roman de King dix minutes avant que je me présente, quelle ironie! Dans la troisième librairie, j'ai demandé à voir le gérant, qui m'a pris pour un cinglé mais était poli. Il m'a offert de vérifier avec moi si on trouvait encore des livres de Victor Morgan sur le marché, tout en précisant qu'il n'avait jamais entendu parler de cet écrivain. An American? a-t-il demandé en laissant glisser son point d'interrogation sur une note de soupçon, manière de mettre en doute ma mémoire. Non, un Zoulou, connard, et je l'ai intérieurement traité d'ignare. Je me suis néanmoins assis avec lui devant l'écran d'un ordinateur et, après avoir visité le site de tous les distributeurs, éditeurs et entrepôts possibles, j'ai compris que l'ordinateur non plus ne connaissait pas Victor Morgan. Rien. Aucune trace de Victor Morgan, à croire qu'il n'avait jamais existé. Quant à *The Dead Zone*, il n'en restait plus un seul exemplaire dans tout l'État du Maine.

Quand je suis sorti, la pluie avait redoublé d'ardeur et je n'ai rien trouvé de mieux que de mettre les pieds dans un énorme trou d'eau, comme Bill Murray dans *Le jour de la marmotte*, soulevant du même coup l'hilarité des chiens, dont les deux grosses faces jaunes s'encadraient dans les vitres de la voiture, de l'autre côté de la rue. Étant donné que les chiens riaient, j'ai décidé de me montrer zen, j'ai marché dans un autre trou d'eau, j'ai récité un haïku et je suis allé téléphoner à Stephen King pour lui dire qu'il avait intérêt à surveiller son agent. Ni Stephen ni Tabitha n'étant à la maison, j'ai laissé un message et j'ai raccroché en jurant. J'ai ensuite cherché le nom de Victor Morgan dans l'annuaire. Ça devait être mon jour de chance, il y en avait un. Je me foutais du fait que ce ne soit pas le bon Victor Morgan, il fallait que quelqu'un paie pour la disparition de l'autre Morgan. Sa mère n'avait qu'à marier un Polonais ou à le baptiser Gérard. C'était son problème, pas le mien. Je lui ai donc téléphoné et l'ai engueulé comme du poisson pourri. Je n'avais jamais vu un poisson, pourri ou autre, se faire remettre à sa place, mais j'imaginais que ça ne devait pas être beau. Alors j'y ai mis le paquet, je l'ai traité de tous les noms de poisson qui me sont passés par la tête, fish eyes, fish cock, fish face, barbotte, perchaude, requin, poor salmon, va! En raccrochant, je me sentais un peu mieux. Lorsque je suis revenu à la voiture, j'ai pris soin de remarcher dans mes deux trous d'eau, pour amuser les chiens qui, ayant vu *Le jour de la marmotte*, n'attendaient que ça.

Une fois dans la voiture, je me suis déshabillé, mais j'ai gardé ma calotte, pour ne pas rameuter la police des mœurs. En fouillant dans la boîte à gants, où j'espérais trouver de quoi m'éponger le visage, je suis tombé sur une cassette de Johnny Cash et on est revenus à Mirror Lake, Bill, Jeff et moi, en écoutant des vieux succès comme *Cry, Cry, Cry, Get Rhythm, I Walk the Line* et *Folsom Prison Blues*. J'avais découvert Cash sur le tard, mieux vaut tard que jamais, et je me demandais comment j'avais pu ignorer ce géant, parce que c'est géant, Cash, du genre inoubliable, qui va chercher le lonesome cow-boy en vous et vous met un goût de fer et de poussière dans la bouche. Écouter du Cash, c'est comme écouter le cœur vibrant des États-Unis d'Amérique, avec ses hommes au visage buriné, sa nostalgie des espaces sauvages, ses femmes qui fendent du bois en accouchant. Ça sent le crottin et la sécheresse, ça sent bon les champs désolés à perte de mémoire, la misère et l'amour, toutes odeurs qui se perdent dans le soleil couchant, quand la silhouette du lonesome cow-boy disparaît à l'horizon ou se fait percer la peau d'une balle de Remington juste avant le générique et la musique finale. Ça me procurait un bien énorme, d'écouter du Cash, même si ça me rendait mélancolique, je n'en étais pas à une contradiction près, et heureusement que le soleil a percé les nuages au moment où nous arrivions à Mirror Lake, parce que je me serais mis à brailler comme un veau, un tout petit veau perdu dans les espaces sauvages où sa mère venait de succomber à la chaleur.

Qu'est-ce que tu fais tout nu ? m'a demandé Moreau quand je suis descendu de voiture, mais je l'ai ignoré. Je me suis dirigé droit vers le lac, je m'y suis plongé et j'ai laissé l'eau fraîche s'occuper du reste, effacer pour quelques instants les visages disparus mais ô combien obsédants de John Doe, Victor

Morgan et Bob Winslow. Après quelques coups de brasse en compagnie de Bill et Jeff, je suis rentré dans le chalet, ignorant toujours Moreau, que je tenais soudain pour responsable de tous mes malheurs. Sans me laisser le temps d'aller m'habiller, Artie m'est tombé dessus. Il voulait savoir d'où j'arrivais, si j'avais rendu visite à Anita, si elle allait bien, si elle m'avait parlé de lui avec un tremblement dans la voix, just a little one, she's so nice, so beautiful, so pretty… Probablement parce que j'étais d'humeur massacrante, je lui ai répondu qu'Anita avait un amant et que j'avais joué au golf avec Stephen King.

Il n'a semblé retenir que la deuxième partie de ma réponse, ce qui, d'un point de vue psychanalytique, signifiait qu'il avait désexualisé l'image d'Anita en platonisant son amour et que ses tympans cessaient de vibrer dès qu'on utilisait un mot susceptible d'évoquer l'appareil génital de celle qu'il adulait. Il a carrément ignoré le potentiel amant d'Anita pour s'intéresser à Stephen King.

Je lui ai donc narré en détail notre partie de golf, que j'ai enjolivée de tout ce qui peut enjoliver une scène fictive. Au moment où je lui décrivais l'exceptionnel swing de King, j'ai constaté qu'Artie me fixait de ses grands yeux ronds, ronds et globuleux, dont les pupilles démesurément ouvertes se perdaient dans un visage blanc, aussi blanc qu'une première neige, d'une pâleur d'hiver naissant, la bouche ouverte sur une question qui s'était figée avant que d'être née au bord de ses lèvres humides, charnues et humides. What's going on, Artie? Mais il demeurait pétrifié, hypnotisé par un petit point apparemment situé au milieu de mon visage, sur mon nez ou à côté de mon troisième œil, qui n'était pas tout à fait centré. What's going on? ai-je répété, mais ses yeux, qui avaient quitté mon visage pour se poser sur un autre point perdu dans le coin de la pièce, mouche morte, crotte de souris ou miette de biscuit, ne semblaient pas en état de parler.

Le temps qu'il dégèle, je suis allé m'habiller en me disant que j'avais peut-être cogné un peu fort en calomniant Anita. J'avais également dû me gourer dans mon analyse psychanalytique en prêtant à Artie des intentions d'une pureté qui n'est pas à la portée du premier innocent venu. À mon retour, l'attitude d'Artie a confirmé que, finalement, j'étais assez perspicace en matière psychanalytique, car son cerveau avait non seulement escamoté ma remarque à propos d'Anita, mais il m'avait ni plus ni moins fait entrer dans son panthéon. J'étais un dieu, un dieu qui fréquentait d'autres dieux, et il voulait savoir quand j'allais inviter King à déjeuner. C'était sa spécialité, les déjeuners, et il avait déjà son menu en tête. Pour ne pas le décevoir, je lui ai dit qu'on l'inviterait la semaine suivante. Je n'aurais pas dû, mais ça partait d'une bonne intention et j'avais d'autres préoccupations, en l'occurrence, mettre la main sur l'ours dans lequel Winslow s'était réincarné. Puisque Winslow était le seul être connu sur cette terre à avoir lu *The Maine Attraction* au complet, puisqu'il était la mémoire vivante de Victor Morgan, il fallait que je trouve un moyen d'attirer cet ours et de l'obliger à parler.

Je devais néanmoins résoudre d'abord quelques problèmes logistiques. Question numéro un : Comment attirer un ours? Question numéro deux : Comment attirer Winslow? Avec du poisson, m'a suggéré mon implacable sens pratique. Question numéro trois : Y avait-il du poisson dans le frigo? No, m'a dit Artie. Dans le congélateur? No. Est-ce qu'il n'irait pas me chercher quelques petits filets en ville? Mais le lac, il en est plein, de poissons, m'a répondu ce mongol, et il était trop tard pour aller en ville, les épiceries seraient fermées. C'est vrai qu'il commençait à se faire tard, avec toutes ces histoires, je n'avais pas remarqué. Le lac se teintait d'ailleurs des roses d'un couchant que j'aurais eu le bonheur de voir en pleine face si j'avais été chez moi, de l'autre côté du lac. Devant ce déplorable revers du destin, une nouvelle vague de tristesse a déferlé en moi, quelques larmes ont perlé dans mes yeux pervenche et Artie a tenté de me consoler en me promettant qu'il irait m'acheter du poisson frais le lendemain, à la première heure, après le déjeuner. Pour ce soir, il nous restait des saucisses, qu'il ferait cuire sur le feu que Moreau allumait à l'instant.

Moreau! J'avais quelques mots à lui dire, à celui-là. J'ai remercié Artie, ce brave Artie, et je suis sorti rejoindre Moreau avec l'intention de lui parler une fois pour toutes. Ça avait assez duré, je n'étais pas Winslow et ne voulais pas l'être. Tout ce que je voulais, c'était retrouver le passé, mon chalet, ma rive nord, mon lit, mon Jeff, mes livres, ma paix. Il savait des choses, Moreau, et c'est ce soir qu'il me les révélerait. Comme il n'était pas préparé à ça, j'ai choisi de l'attaquer de front.

You know I'm not Winslow, lui ai-je tout de go lancé en le regardant droit dans les yeux. Il a soutenu mon regard et, après un moment de réflexion, il m'a avoué qu'en effet, je ne semblais pas moi-même depuis mon retour à Mirror Lake. That's not what I mean, Moreau. I'm not Bob Winslow and you know that. Il a réfléchi un peu plus longuement, puis a fini par lâcher que ma vie privée ne le concernait pas, qu'il ne voulait même pas savoir quel était mon vrai nom et que, de toute façon, ça ne changeait rien, que dans son cœur, je serais toujours Bob Winslow, ce bon vieux Bobby. Là, j'ai failli hurler. Non, je n'ai pas failli, je l'ai fait. J'ai hurlé que mon véritable nom était Robert Moreau, bordel, que son fils était le mien, qu'il avait profité de ce que j'avais le dos tourné pour transformer Winslow en ours et me voler ma place. Il m'a pris pour un fou, un vrai fou, il a eu peur, il s'est sauvé, je l'ai rattrapé, lui ai sauté dessus, lui ai enfoncé le nez dans le sable et, sans l'intervention d'Artie, je ne donnais pas cher de sa peau, qui était la mienne.

Après qu'Artie nous eut séparés, on est restés un petit moment couchés sur le sable, à se fixer encore dans le blanc des yeux tout en reprenant notre souffle, et j'ai vu un éclair passer dans son regard, une forme de lueur m'indiquant qu'il venait peut-être de comprendre quelque chose. Il m'a alors avoué qu'il avait maintes fois rêvé d'être à ma place quand il avait appris qu'Anita était enceinte de lui, mais qu'il préférait être à la sienne, parce que j'étais malade, pas à peu près. Il a ensuite ajouté qu'il retournait sur-le-champ sur ma rive nord, ce que je lui ai interdit. On avait des choses à régler et il n'allait pas s'en tirer comme ça. On était sur le point de se bagarrer de nouveau quand Artie a saisi le collet de nos chemises respectives, à carreaux pour moi, à rayures pour Moreau, et nous a amenés près du feu, l'un à gauche, l'autre à droite. Ensuite, il s'est assis au milieu et a dit qu'on faisait la paix. On a tous deux grimacé un sourire et Artie s'est lancé dans la cuisson des saucisses en nous traitant de pas fins.

La Grande Ourse a eu le temps de traverser un méridien au complet avant qu'on prononce un mot qui en valait la peine. Oui, disait parfois Moreau. No, soufflais-je parfois en réponse à une question d'Artie à propos de Stephen King. Artie n'avait pas lu ses livres, mais il avait vu *It* et *The Shining* à la télé et il voulait tout savoir sur lui, pour ne pas passer pour un ignorant quand il viendrait déjeuner. En évoquant *The Shining*, il s'est levé et s'est lancé dans une imitation de Danny, l'enfant de Nicholson, le gamin qui voit des putains de jumelles affreuses partout, avec des grands fronts et des grands cheveux frisés, pareilles aux poupées de mes sœurs, Vicky et Nicky, qui surveillaient la porte de ma chambre, quand j'étais petit, avec leurs méchants petits yeux de plastique. Redrum, redrum, a-t-il grogné, le regard figé dans une espèce de transe, et je lui ai demandé s'il ne pouvait pas imiter Nicholson à la place, ou encore Donald Duck, parce que cet enfant me donnait froid dans le dos. Redrum, redrum, a-t-il poursuivi en faisant le tour du feu et en allant se mirer dans le lac, redrum, redrum, redrum.

Quand il est enfin revenu près du feu, il a continué à nous bombarder de questions en écrivant à l'envers sur le sable. À part sa voix, on n'entendait que le crépitement du feu, le cri d'un hibou et le froufroutement, parfois, des ailes d'un papillon nocturne. Faut croire que ça agaçait Moreau, car celui-ci en a attrapé un au vol pour l'écraser entre ses deux mains, déclenchant la colère immédiate d'Artie, qui a crié qu'on n'avait pas le droit de tuer d'innocentes bestioles sans raison. L'autre lui a rétorqué qu'il mangeait bien de la saucisse et que, de la saucisse, c'était fait avec d'innocentes bestioles. Il n'aurait pas dû. C'est comme s'il avait donné un coup de couteau en plein cœur de ce pauvre Artie, qui est parti en répétant redrum, redrum, redrum, et est allé dégueuler derrière le chalet.

Le reste de la soirée s'est déroulé dans cette atmosphère lugubre. On a regardé le feu s'éteindre lentement en ne prononçant que des paroles inutiles. Yes, no, maybe. *Yes, no* et *maybe* ne sont pas toujours des mots inutiles, je sais, ils peuvent même être pratiques, mais ce soir-là, ils ne servaient à rien. On est ensuite allés se coucher le dos courbé, les épaules voûtées, indifférents à la Pink Lady qui attendait à l'orée de la forêt dans la belle robe jaune de princesse ou de fée des bois qu'elle avait revêtue rien que pour nous. Avant d'éteindre la lumière, j'ai entendu Artie murmurer good night, Bobby, good night Robert, puis grogner enfin good night Tony, comme le putain de fils de Nicholson quand il parle à son petit doigt, et je ne me suis pas endormi. J'ai compté les craques du plafond jusqu'aux petites heures en me demandant comment cette histoire se terminerait et si j'allais redevenir moi-même un jour.

J'ai quand même dû dormir ne serait-ce qu'une minute ou deux, cette nuit-là, parce que j'ai fait un putain de cauchemar. Je sais d'expérience qu'il n'est pas nécessaire de dormir pour évoluer clopin-clopant dans les sentiers tortueux de l'horreur, mais le type de cauchemar dont il est ici question nécessite qu'on dorme, sinon plus rien n'a de sens.

J'étais redevenu moi et j'avais eu la brillante idée de prendre des vacances avec Winslow dans les Rocheuses, ne me demandez pas pourquoi. Afin d'assurer notre tranquillité, on avait choisi l'Overlook Hotel, celui-là même où Jack Torrance tente d'assassiner sa femme et son fils dans le roman de King, j'ai le chic pour dénicher des lieux paisibles. Poursuivis dès notre arrivée par les hurlements ensanglantés de Jack Nicholson, impayable dans le rôle de Torrance, on s'était réfugiés dans le labyrinthe de Kubrick, que je nomme ainsi parce qu'il n'est pas dans le roman, où on avait essayé de brouiller nos pistes en marchant à reculons dans la neige artificielle. On les avait si bien brouillées qu'on s'était perdus, ce qui avait donné lieu à un affrontement épique où Winslow criait gauche quand je hurlais droite et vice versa. On est arrivés par la gauche, faut repartir par la droite, arguait Winslow, selon qui les labyrinthes étaient conçus pour que le chemin qu'on croyait le bon soit le mauvais, ce à quoi je rétorquais que si on tournait toujours du même côté, soit en rond, on devait logiquement arriver au centre, qu'on n'avait donc qu'à tourner dans le sens inverse pour gagner la sortie. Winslow n'étant pas d'accord, je lui avais dit prends donc le bord que tu veux, innocent, et j'étais parti de mon côté. On avait dû se croiser au moins vingt fois en se lançant des regards haineux quand Nicholson nous a rejoints, suivi de près par un Humpty Dumpty enragé, et je me suis réveillé juste avant que l'un d'eux me décapite.

Près du chalet, quelques oiseaux gazouillaient, deux ou trois corneilles croassaient et un Moreau sifflait un air qui m'était inconnu, ce qui était impossible, à moins qu'il l'ait appris durant mon année de coma. Qu'importe. Je me suis enfermé dans la salle de bain, je me suis passé la tête à l'eau froide et j'ai pris deux Aspirin prophylactiques, manière de prévenir les maux de tête à venir. Quand je suis entré dans la cuisine, Artie était devenu végétarien et tentait de composer un menu sans viande pour notre déjeuner avec Stephen King. Il m'a également annoncé qu'il ne pouvait plus aller me chercher du poisson en ville, que ça allait dorénavant contre ses principes. Et mon ours, qu'est-ce que je vais lui donner à manger? Blueberries, m'a-t-il répondu, et ç'a été son dernier mot. J'aurais pu aller en ville moi-même, mais j'étais trop fatigué. Quant à pêcher : no way. Je me suis donc muni d'une chaudière et je suis parti aux bleuets. La saison des bleuets ne battant pas encore son plein, j'ai dû me contenter d'un quart de chaudière de framboises molles. Pour les petits fruits, le début du mois d'août, c'est le pire moment. Le temps des fraises est fini, les framboises agonisent, les bleuets sont blêmes. C'est d'une tristesse.

En revenant au chalet, j'ai renversé mon huitième de chaudière de framboises, les framboises en question ayant foulé, sur la roche de quatre cents millions d'années, je suis allé chercher un pot de miel liquide dont j'ai arrosé les framboises, je me suis caché derrière un arbre et j'ai attendu Winslow. Une heure plus tard, la roche grouillait de fourmis, moi aussi, mais il n'y avait toujours pas d'ours en vue. What are you doing behind that tree? m'a demandé Artie en sortant secouer la nappe du dîner. I'm waiting for my bear, ai-je répondu, et il a levé les yeux au ciel, histoire de me signifier que, selon lui, je l'attendrais longtemps. Il avait raison. Je l'ai attendu pendant deux semaines, mais pas derrière l'arbre. Tous les matins, je lui déposais un petit quelque chose à grignoter sur la roche, près du lac ou dans le sous-bois, mais c'est toujours les fourmis et le raton laveur qui se régalaient.

En dehors de ça, la vie poursuivait son cours tranquille. Artie ne se décidant pas à assassiner le propriétaire de l'un des camps de chasse, il s'incrustait chez moi et me demandait tous les matins si j'avais téléphoné à Stephen King. Moreau venait nous rendre visite si d'aventure il se querellait avec Anita, c'est-à-dire tous les deux jours. Le lendemain, c'est moi qui y allais, parce que j'avais pris la décision de me comporter comme Winslow en attendant que celui-ci se manifeste. Je dois avouer que je m'attachais aussi au petit Robert, qui faisait ce qu'il voulait de mon cœur de père rien qu'en ouvrant la bouche. Il n'avait qu'à gazouiller agagu et je fondais. J'aurais pris un billet pour le Groenland aller-retour à genoux s'il me l'avait demandé, ce petit morveux. Comme je ne pouvais pas lui avouer que j'étais son père et qu'il était trop jeune pour qu'on l'expose à de tels traumatismes, je jouais à l'oncle gâteau et lui passais tous ses caprices. J'ai même tenté de lui apprendre les paroles de *Yankee Doodle*, juste pour faire enrager Moreau. Il était bien entendu incapable de mémoriser toutes les paroles, mais il a retenu Doodle. Chaque fois qu'il me voyait arriver, il s'écriait dad-daddu-doodle, en laissant perler une jolie bulle de bave sur ses lèvres de petit morveux. Anita disait qu'il m'appelait uncle Doodle, mais moi, je savais qu'il m'appelait papa, papy, daddy Doodle.

Au contact de cet enfant, je m'amollissais un peu, mais tant pis. Je suis même devenu copain avec le raton laveur, au grand déplaisir des chiens, qui avaient tous deux emménagé avec Artie et moi, ce qui arrangeait Anita. Je parie d'ailleurs que c'est pour ça que Moreau se chicanait si souvent avec elle, pour avoir l'occasion de rendre visite à Jeff, parce qu'il l'aimait, ce chien, je le savais, inconditionnellement. Pour revenir au raton laveur, que j'avais surnommé Albert, Albert Leraton, il se postait tous les matins au coin du chalet pour voir où j'irais déposer son déjeuner. Hi Albert, disais-je en sortant, hi stone, hi lake, et j'allais porter les restes de la veille près du lac, dans le sous-bois ou sur la roche, qui en avait un peu marre, je crois. Après avoir mangé, Albert me racontait sa nuit, puis il allait se coucher.

La vie suivait son cours tranquille, donc, sans incident notable, sauf qu'un soir, Artie a mis Ping Two par erreur dans un ragoût de légumes. J'ai eu de la difficulté à le consoler, mais j'y suis parvenu en lui certifiant que Ping Two allait continuer à vivre en nous, qu'il y aurait un peu de Ping Two dans nos âmes. Sa crise passée, il a voulu m'offrir un troisième Ping, mais j'ai refusé, prétextant que ça faisait trop mal quand il fallait s'en séparer. On avait eu deux Ping, ça suffisait.

Puis, un matin, est arrivé ce qui devait arriver, l'ours s'est pointé, juste après mon orignal. Je rentrais du bois sous la galerie quand j'ai aperçu une forme sombre, sur le lac. J'ai d'abord pensé à John Doe, un grand frisson m'a parcouru et j'ai voulu me sauver. Pendant ce temps, mon cerveau a décelé le caractère inoffensif de la chose et m'a enjoint de me calmer. Si ce n'était pas un autre des innombrables John Doe dont pullulait ce lac, ça ne pouvait être que l'ours, mon ours, Winslow ! L'ours, ai-je chuchoté à Jeff, et je suis lentement descendu sur la grève, à petits pas silencieux sur mes jambes tremblantes, pour me rendre compte qu'il ne s'agissait pas de l'ours, mais de l'orignal, notre orignal, quand même, Jeff, regarde, notre orignal, shut up, on ne jappe pas. J'aurais pu être déçu, et je l'étais un peu, pour être franc, mais il était tellement beau, ce vieux buck, tellement majestueux avec son dos bossu, que j'ai remis le cas de l'ours à plus tard. J'ai posé mes fesses sur le sable, Jeff s'est assis à côté de moi, Bill nous a rejoints, et on a admiré la grosse bête qui s'avançait superbement sur le lac en ouvrant derrière elle un sillon qui se refermait aussitôt formé, si bien que, dans quelques secondes, il ne subsisterait du passage de cet animal que les traces qu'il aurait laissées dans les yeux émerveillés de ceux qui l'observaient de la grève, Bill, Jeff, moi et le raton laveur.

Albert?… Qu'est-ce qu'il faisait là, celui-là? Ce n'était pas son heure. Il a sifflé une phrase en raton et, si j'avais mieux compris le raton, j'aurais su de quoi il parlait. J'aurais su qu'il parlait de l'ours, qui s'était installé une vingtaine de pieds derrière nous en attendant sagement qu'on arrête de se pâmer sur l'orignal.

C'est Jeff qui l'a vu en premier, ou Bill, je ne sais plus, et qui s'est mis à grogner pendant que son poil se dressait sur son dos. Je n'ai pas eu besoin de dessin pour deviner que ma patience serait enfin récompensée. J'ai dit aux chiens que tout allait bien, qu'il n'y avait pas lieu de s'alarmer, et je me suis lentement, très lentement retourné, demi-torsion des épaules, mouvement rotatif du bassin, flexion des genoux, soulèvement du pied droit – je tournais vers la droite –, atterrissage du pied droit…

C'était gros, inquiétant, brun, poilu, gros, et, à côté, il y avait une moyenne créature, brune, moyenne et poilue, en l'occurrence un bébé ours, un jeune ours, enfin, un ours de l'année. Pendant un instant, j'ai cru que l'ours qui se tenait devant nous n'était pas le bon ours, mais j'ai reconnu la petite tache blanche sur sa fesse gauche. Si j'avais été capable de faire la différence entre un phoque et une otarie, j'aurais noté bien avant que c'était une ourse. Ainsi donc, Winslow s'était réincarné en femme et avait eu un petit Winslow, un Winnie, contribuant ainsi avec Anita à l'augmentation du taux de surpopulation de Mirror Lake.

Congratulations, Winslow, ai-je soufflé entre mes dents, puis j'ai senti mes joues se gonfler, mauvais signe, et j'ai été envahi par un irrépressible fou rire, ce qui est en soi un pléonasme. Ce n'était pas le moment, je sais, mais quand c'est irrépressible, c'est incontrôlable, et j'avais envie de pisser, en plus. Pour qu'il n'y ait pas de fuite, je me suis mis à me dandiner et j'ai essayé de penser à quelque chose de triste, inutilement, c'était irrépressible, je l'ai dit. La mère Winslow, pour sa part, n'avait pas le sens de l'humour. Elle s'est dressée sur ses deux pattes de derrière et a désigné Albert, le raton laveur. Qu'est-ce qu'elle lui voulait, au raton ? J'ai d'abord eu un doute, puis j'ai compris qu'elle ne lui voulait rien, mais qu'elle le voulait, lui, Leraton, probablement parce qu'il lui piquait ses déjeuners depuis deux semaines. C'est ainsi que j'ai interprété sa rage.

J'ai toujours eu pour principe qu'un ami, c'est sacré, et j'étais confronté à un grave dilemme. Si je laissais l'ourse prendre le raton, j'abandonnais lâchement un ami dans le besoin, car on avait tissé des liens, Albert et moi. Par contre, Winslow aussi était mon ami, en fin de compte, et il n'apprécierait pas que je le trahisse. Cela dit, la vie de Winslow n'était pas en danger. Celle d'Albert, oui. Or si je protégeais le raton, c'est ma peau que j'offrais à l'ours. Est-ce que Winslow était à ce point devenu ours que son instinct le pousserait à me déchiqueter si je défendais Albert ? Autre dilemme. Pendant que je réfléchissais à ça, tout le monde grognait autour de moi, Winslow, Winnie, Bill, Jeff, et peut-être une ou deux autres bestioles égarées, et moi, je n'arrivais pas à me concentrer. Quant à Albert, il essayait de se faire oublier.

Silence! ai-je enfin hurlé, et mon cri a produit son effet car, pendant une seconde ou deux, on n'a plus entendu que l'anxieux clapotis des vagues, qui ne peuvent devenir silencieuses d'un instant à l'autre, sans préavis. J'ai à peine eu le temps de dire bon – je voulais dire, bon, on ne s'énerve pas, on récapitule – que ça se remettait à grogner et à s'agiter. J'étais sur le point de tirer Albert dans le lac et de m'y jeter à sa suite en sifflant les chiens quand Artie a ouvert la porte du chalet pour s'extasier a baby bear! A baby bear, Bobby! A baby bear! Comme si je ne l'avais pas vu. Cet imbécile a cependant réussi à faire diversion le temps nécessaire pour qu'Albert se pousse et que j'ordonne aux chiens de rentrer. J'avais des choses à régler avec l'ourse et ils créaient des interférences.

Je me suis donné du mal pour rien parce que Winnie a eu peur d'Artie et a foncé dans le bois, entraînant Winslow à sa suite, c'est ainsi que réagit une mère. Pars pas, Winslow, faut que je te parle! Winslow, bordel, arrête de jouer au fou… Trop tard. Il était parti. En plus, dans l'énervement, je n'avais pas remarqué la couleur de ses foutus yeux. Wrrrik, wrrik, a sifflé le raton qui était revenu se poster à mes pieds, l'air de dire on l'a échappé belle ou désolé, je ne sais pas, puis il a souri timidement. Quant à moi, je n'avais aucune envie de sourire. Je suis allé pisser, je me suis enfermé dans la chambre de Winslow et j'ai déchiré sa calotte. Ça m'a soulagé.

Quand je suis ressorti de la chambre, le soleil était couché depuis… bof, lurette, soit depuis une petite heure, pas belle du tout. J'ai donc décidé d'aller voir les étoiles, qui ne brillent que la nuit. En bas de la galerie, Albert m'attendait à côté de la roche de quatre cents millions d'années. Qu'est-ce que tu fous là, Albert? J'ai rien à te donner. Il ne voulait rien, c'est ce qu'il m'a répondu, puis il a attendu que j'aperçoive l'objet blanc, blanc sale, qu'il avait déterré. Un extrait du livre de Morgan, baptême! Albert avait déterré quelques pages à peu près intactes de *The Maine Attraction* qui avaient échappé à l'œuvre destructrice de Winslow. J'ai remercié Albert sans noter ce que la situation avait d'étrange et je suis rapidement remonté sur la galerie pour examiner les pages à la lumière du fanal. Quand j'ai constaté qu'il s'agissait des pages 216 à 221, un voile noir, entièrement opaque, est tombé devant mes yeux, recouvrant le ciel étoilé, les reflets lunaires sur la surface à peine agitée du lac et la grosse face d'Artie, qui se penchait vers moi pour m'offrir un thé.

Il avait découvert le Earl Gray en même temps que le végétarisme et il en faisait une maladie. No, Artie, ai-je murmuré du fond de ma cécité, wanna bourbon. Pendant qu'il allait me chercher mon bourbon, je me suis remémoré le contenu des pages 216 à 221 et me suis souvenu que l'action narrée dans ces pages avait lieu le 17 août d'une année bissextile. Si je soustrayais trois cent quarante-deux, durée de mon coma, de trois cent soixante-cinq, durée d'une année, puis comptais à reculons sur mes doigts jusqu'à ma sortie de l'hôpital, plus deux, pour les deux jours passés dans l'incommensurable étendue de blanc, ça tombait pile, on était le 17 août, ce qui voulait dire que les événements du roman de Morgan se passaient le lendemain.

J'aurais pu boucler mes valises et quitter Mirror Lake avant le lever du prochain jour ou, mieux encore, partir immédiatement, sans valises, sans adieux, mais une force obscure et implacable m'aurait ramené sur mes pas, puisque mon destin se trouvait ici, à Mirror Lake, et que le destin, c'est comme la bêtise, on ne peut rien contre.

L'atmosphère chargée de mystère régnant sur Mirror Lake le 18 août, que je nommerai le 17, pour qu'il n'y ait pas de confusion, ne venait pas de ma simple imagination. Ça regarde mal, me suis-je dit en entrouvrant les rideaux de ma chambre, la journée va être longue. Puis, pour me prouver que j'avais raison, je me suis levé, malgré que l'obscurité m'indiquât que je pouvais m'enfoncer la tête sous l'oreiller deux ou trois heures encore sans me sentir coupable. Je me suis préparé un café bien tassé et je suis sorti, laissant Artie enfouir ses ronflements dans les profondeurs d'une innocence qu'il perdrait peut-être ce jour-là. L'aube, contrairement à moi, n'était pas encore levée, et les oiseaux les plus matinaux, parmi lesquels se trouvaient sûrement quelques insomniaques, lançaient de timides pépiements pour saluer l'arrivée prochaine de la lumière, dont ils perçoivent l'imminence en vertu de je ne sais quelle faculté de mesurer le passage du temps, à moins que leur dialogue matutinal ne soit qu'une façon de repousser l'ennui né de l'insomnie.

Excepté le craintif gazouillement de quelques moineaux neurasthéniques, le silence était presque total, et la couche de brume qui recouvrait Mirror Lake était à ce point dense qu'on ne voyait même pas qu'il y avait un lac devant soi. Quelqu'un qui aurait ignoré l'existence de Mirror Lake et aurait eu envie de se promener se serait donc dirigé tout droit dans la flotte, en dépit du faible et angoissé clapotis qui s'en élevait. Quant à ceux qui connaissaient l'existence de Mirror Lake, ils risquaient de s'enfarger dans n'importe quoi et, moins chanceux, de se casser la gueule. Connaître un lieu n'est pas une garantie de sécurité. Ne voulant pas mettre le sort au défi, j'ai essuyé le banc de la galerie avec ma manche de chemise et m'y suis installé, pendant que Bill et Jeff, conscients que quelque chose se tramait derrière la brume, restaient sagement assis près de moi, l'oreille aux aguets, le regard fixé sur l'impénétrable voile nous entourant.

Tout ce qu'on pouvait apercevoir était gris et mouillé, paré des teintes lugubres annonçant le malheur. Ed Wood et, plus près de nous, John Carpenter, auraient trouvé là un décor idéal pour un film d'horreur. Hô hô, hâ hâ hâ, a hululé une chouette rayée pour compléter le tableau, et nous nous sommes tous trois braqués, prêts à bondir sur quiconque, homme ou animal, déchirerait le voile pour nous assaillir. Puis j'ai dit aux chiens que ce serait une très longue journée et que, peu importe ce qui s'y produirait, ils ne devaient pas oublier que je les aimais – oui, toi aussi, Bill – et continuerais de les aimer même si je devais disparaître dans les limbes de Mirror Lake ou dans celles créées par Victor Morgan. Ils ont compris, je crois, car leurs grands yeux bruns se sont couverts d'une petite eau triste, mélange d'amour, d'espoir et d'impuissance.

Pendant ce temps, d'autres oiseaux s'étaient éveillés et avaient joint leurs cris à ceux des moineaux dépressifs. J'en ai dénombré une vingtaine, dispersés autour du chalet, qui semblaient se demander si ça valait la peine de se réveiller et s'ils n'étaient pas mieux de retourner au nid avec un temps pareil. Puis ç'a été au tour de mon huard, que je n'avais pas entendu depuis si longtemps, d'ajouter sa voix à cet hésitant concert. Hou, hou, ouûûou, tourloulou, tourloulou, tourloulou, a-t-il hué et turluté avec une mélancolie telle que les chiens se sont mis à pleurer pour de bon, pendant que je me demandais pourquoi la tristesse était parfois si belle, pourquoi elle se parait trois fois sur quatre des attributs de la beauté. Je voguais sur le spleen né de cette interrogation quand la petite voix qui m'énerve mais n'en demeure pas moins mienne a rétorqué que la laideur n'avait rien de particulièrement drôle non plus, puis elle m'a cité le cas de Cyrano et de Quasimodo. Elle avait raison. Quoi de plus déchirant que la douleur d'un laid? On éprouve toujours une certaine compassion pour la souffrance du laid, malgré son côté repoussant, alors que celle du beau, si on est un peu méchant et pas très beau soi-même, nous réjouit secrètement. Vu sous cet angle, on se demande ce que les laids ont à se plaindre, mais c'est oublier que la condamnation du laid a ceci d'atroce que la laideur, ça ne bouge pas, sauf pour empirer.

Tu commences à être lourd, a ajouté la petite voix, secoue-toi, mais je n'ai pas eu besoin de le faire. Le soleil s'en est chargé, dont les premiers rayons perçaient délicatement le brouillard, là, devant nous, sur le lac où huait moins mélancoliquement le huard. Puis, peu à peu, le voile s'est dissipé et le lac est réapparu. La chaleur montante a mis des images sur le son, les chants qui se transportaient de branche en branche ont réintégré leurs oiseaux et les chiens, heureux de pouvoir oublier les frissons de l'aube, ont couru jusqu'au lac.

Moi aussi, j'étais content que le soleil se montre enfin. J'ai beau aimer la pluie, je n'aurais pas supporté qu'il pleuve ce jour-là. Il me fallait un maximum de lumière pour m'orienter dans l'obscur dédale où j'allais m'engager avec Moreau. Il était d'ailleurs en retard, celui-là. Si je me reportais au 17 août de l'année précédente, il était venu cogner à ma porte, soit à la porte de Winslow, avant le lever du soleil. Je devais néanmoins tenir compte du brouillard, du fait qu'il était père et de cette vérité incontournable qu'il y avait maintenant une femme dans son lit. Les choses ne se passeraient pas exactement comme l'année d'avant, c'était évident, c'était impossible, et je ne savais pas encore si je devais m'en féliciter.

Enfin, puisque le soleil était là, autant en profiter pendant que j'étais encore de ce monde. Je suis descendu rejoindre les chiens près du lac, j'ai enlevé mes running et j'ai marché sur la bande de sable moelleux où les gens qui ne veulent pas laisser d'empreintes ne s'aventurent jamais, puis j'ai relevé mon pantalon et me suis avancé dans l'eau fraîche. Au milieu du lac, un petit résidu de brume s'étirait langoureusement près du pan de brouillard qui masquait encore la rive nord, alors que, de ce côté-ci, le lac était comme un miroir, jamais expression ne m'avait paru plus juste. Mes jambes se reflétaient devant moi, un peu tordues par la diffraction causée par les légers remous que créaient mes pas. Plus haut, le reflet de ma chemise à carreaux ondoyait, puis, plus haut encore, mon visage bouffi par le manque de sommeil. Quelque chose, cependant, me semblait avoir changé dans ce visage. Mon troisième œil aurait-il disparu durant la nuit ? Pour en avoir le cœur net, je me suis accroupi et me suis regardé de plus près.

J'avais beau m'attendre à tout au cours de cette journée, je n'étais pas préparé à ça. L'image que me renvoyait le lac n'était plus celle de Bob Winslow, mais la mienne, celle de Robert Moreau ! Afin de vérifier la chose dans un miroir plus crédible, je me suis précipité dans le chalet où Artie, levé depuis peu, m'a engueulé parce que je mettais de l'eau et du sable sur le plancher. Je l'ai laissé fulminer et me suis enfermé à double tour dans la salle de bain. Avant de regarder la vérité en face, je me suis assis sur le bord du bain et j'ai tâté mon pouls, pour constater que je me tapais une authentique crise de tachycardie. Tant qu'à y être, j'ai également pris ma pression, et je n'allais pas bien.

Comme je refusais de mourir avant de savoir qui j'étais, j'ai avalé deux Aspirin et me suis posté devant le miroir.

Dans une conversation, la déception peut se manifester de différentes façons. On peut conjuguer le verbe *décevoir* à tous les temps, avoir recours à des synonymes, à des phrases comme *ça me fait de la peine*, à des mots comme *flûte*, *dommage* ou *shit*, ou encore à des interjections du genre *hooon! flûte!* ou *shit!* Sur un visage, c'est toujours pareil. En état de déception, il tombe. Le mien est donc tombé, mais pas assez pour que je ne me reconnaisse pas. Mon troisième œil avait bel et bien pâli, mais j'étais indubitablement Bob Winslow. Si je m'observais de près, je pouvais déceler des ressemblances plus évidentes avec moi, mais si je me prenais globalement, j'étais Winslow, d'autant plus Winslow que j'avais recommencé à prendre du poids.

Qui suis-je? ai-je demandé à Artie en sortant des toilettes. Peu habitué à se faire poser de telles questions au saut du lit et pas très porté sur la philo, Artie, en poussant un grand soupir, y est allé au plus simple. Bob Winslow, you're Bob Winslow, Bobby, and your eggs are ready. It's important, Artie. Don't you think I look like Robert, this morning? No, you don't look like Robert. You look like Bob, and your eggs will cool down. Puisque aucun échange sérieux n'était possible avec Artie, je suis redescendu au lac, me suis de nouveau accroupi, et j'ai vu ce que Mirror Lake m'avait montré quelques minutes plus tôt: moi. Je suis ensuite allé demander une contre-expertise au miroir de la salle de bain, suis redescendu, suis remonté, trois ou quatre fois d'affilée, pour conclure enfin que le lac ne voyait pas la même chose que le miroir. Lequel des deux se trompait? Mystère. Si c'était le miroir, ça voulait dire qu'Artie aussi était dans l'erreur. Si c'était le lac, ça signifiait que je devenais myope ou que ce lac ne savait plus miroiter. Il me fallait une troisième opinion, que Moreau pourrait me donner quand il arriverait enfin.

En attendant qu'il rapplique, j'ai ramassé des cailloux et les ai classés par ordre de grosseur et par couleur, pour aboutir à un résultat que je connaissais déjà : les roches roses sont les plus rares et les blanches ne sont pas si rares ni si belles qu'on le croit. Les plus belles, ce sont les rayées, celles qui ont une fine ligne pâle au centre. C'est ce que je crois. Et ceux qui ne sont pas d'accord sont des ignares, ai-je décrété ce matin-là en donnant un coup de pied dans mon troisième tas de roches, pour qu'on comprenne bien que ce n'était pas le moment de me contrarier, des béotiens ! Puis, quand j'en ai eu assez des cailloux, j'ai joué au tic-tac-toe sur la roche de quatre cents millions d'années, j'ai tracé un jeu de marelle dans le sable et j'ai failli me casser trois fois la figure en sautant au ciel. J'ai raconté une histoire à Jeff, une autre à Bill, j'ai regardé ma montre et j'ai dit wô, ça va faire ! Si cet abruti n'arrivait pas, c'est moi qui irais à sa rencontre. J'ai crié à Artie que j'allais chercher Moreau, qu'on serait de retour dans une petite heure, j'ai sifflé les chiens et, au moment de monter dans la chaloupe, j'ai aperçu le raton laveur qui nous observait, à demi caché derrière le tas de bûches que je n'avais pas fini de corder sous la galerie. Je vais passer pour un idiot, mais j'ai eu l'impression qu'il rigolait. J'étais néanmoins trop pressé pour m'occuper de lui. On verrait ça à mon retour.

Durant la traversée, j'ai quand même réfléchi à son attitude. Et si je m'étais gouré sur toute la ligne ? Était-il possible… Était-il possible qu'Albert soit Winslow et que l'ours n'ait été qu'une ourse ? Il avait les yeux de quelle couleur, déjà, Albert ? C'est stupide, mais il y a des gens, comme ça, que je fréquente depuis un certain temps et dont je ne peux déterminer la couleur des yeux si on me le demande. C'était le cas d'Albert. Inutile de me demander. Je verrais ça à mon retour. Si je revenais. Pour l'instant, je ne voyais rien. On venait d'entrer dans le banc de brouillard qui enveloppait la rive nord, en dépit de toute logique météorologique, et je n'ai su qu'on était arrivés que quand la chaloupe a fait crrshsh sur le sable et que j'ai été propulsé sur Bill par le contrecoup, éraflant au passage mon troisième œil sur le bord de la chaloupe. Flûte!

Pour éviter de m'ouvrir le front une quatrième fois, j'ai rampé jusqu'à la galerie, monté l'escalier à quatre pattes et suis arrivé face à face avec Junior. Doodle, s'est écrié ce petit morveux, juste après quoi Anita, qui tricotait dans le brouillard, s'est exclamée Bob, what are you doing here? Voilà, j'avais mes troisième et quatrième opinions, j'étais Winslow, alias Doodle, aux yeux du monde entier, sauf aux miens et à ceux du lac. Hi, Anita, I have to see Robert, it's urgent. Elle m'a désigné l'intérieur du chalet avec sa broche à tricoter et j'y suis entré. En me voyant arriver à quatre pattes avec du sang sur le front, Moreau a levé les sourcils, c'est le mieux qu'il pouvait m'offrir en matière de compassion, et il a attendu que je m'explique. J'ai sorti les pages du roman de Morgan de ma poche et lui ai raconté comment je les avais obtenues. Pendant qu'il les examinait, je lui ai également rappelé qu'on était le 18 août d'une année non bissextile, soit le 17 août d'une année bissextile. Ces précisions étaient inutiles, il avait commencé à pâlir en tripotant les pages que je lui avais tendues. Qu'est-ce qu'on fait? m'a-t-il demandé. On traverse chez moi, on surveille l'apparition du macchabée, on retraverse pour le repêcher, on appelle Robbins et on attend la suite. Ça ne serait pas plus simple de guetter le noyé ici? a-t-il commencé. Puis il s'est ravisé et a dit wô, là, stop, un instant, cette entrée en matière pour me faire comprendre qu'on paniquait inutilement, qu'on avait repêché John Doe l'année d'avant et qu'il n'allait pas réapparaître juste parce qu'on était le 18 août d'une année non bissextile, bordel. En plus, comment apercevoir un noyé dans un brouillard où l'on ne retrouverait même pas son ombre ? Son dernier argument ne tenait pas debout, mais je n'ai pas relevé.

Je l'ai laissé terminer, je lui ai montré mon troisième œil saignant et je lui ai parlé de Johnny Smith et de ma vision. Un rayon de soleil s'est alors jeté à nos pieds et on a entendu Anita crier que le brouillard se levait. On a avalé de travers, on s'est regardés et on a répété qu'est-ce qu'on fait ? Moreau était d'avis qu'on devait se pousser, prendre Anita, Junior, les chiens, un peu de bouffe, deux ou trois bouteilles de bourbon et aller se réfugier dans un motel sordide d'où on téléphonerait à Robbins et à Conan après s'être inscrits sous de faux noms devant l'œil torve et concupiscent de la réceptionniste. J'étais sur le point de lui donner mon assentiment quand Anita a ouvert la porte à toute volée pour nous aviser qu'il y avait une forme sombre, sur le lac. It looks like a moose, a-t-elle ajouté, mais j'ai entendu mouse, ce qui, les nerfs aidant, m'a jeté dans un nouvel accès d'hilarité. Une souris, bordel, une putain de souris, et là, j'ai fait mon Winslow, je suis tombé de ma chaise. A moose, a clairement articulé Anita en me tendant un mouchoir pour éponger l'éraflure apparue près de mon troisième œil au terme de ma chute, qui m'avait projeté sur la voiturette chromée de Junior. Il fallait que cette histoire finisse, absolument, sinon j'allais manquer de front.

Je me suis relevé en examinant le motif formé par mon sang sur le mouchoir, une sorte de Z à la Zorro, très stylisé mais sans intérêt, et j'ai suivi Anita et Moreau dehors en rejetant ma cape sur mes épaules. Il y avait bel et bien une forme sombre, sur le lac, a dark figure, mais ce n'était pas un orignal, ni un ours, ni une putain de souris, ni un banc de castors ou de morues. C'était un John Doe, il n'y avait pas de doute là-dessus, mais il était de l'autre côté du lac, contrairement à l'année précédente. Comme la roche de quatre cents millions d'années, m'a dit ma petite voix désagréable. Fallait qu'on y aille, sinon, Doe nous échapperait. Ayant compris de quoi il s'agissait, Anita a attrapé Junior et nous a annoncé qu'elle partait chez sa mère. Ça ne se passait pas exactement comme dans ma vision, mais ça s'en rapprochait suffisamment pour augmenter ma nervosité. J'ai donc serré la main de Junior et caressé la tête d'Anita en leur souhaitant bonne chance, Moreau a fait de même et, pour le reste, on n'a pas eu besoin de se concerter. On a sauté dans la chaloupe avec les chiens, Jeff à l'arrière, Bill à l'avant, poupe et proue, stern and prow, chacun vers sa rive, et on a ramé à s'en faire péter les biceps en écorchant *Po Lazarus* comme on ne l'avait jamais écorché auparavant. De la belle ouvrage. Pour être franc, on était parfaits, les frères Coen ne nous auraient pas mieux dirigés si on avait été dans un de leurs films. Si je m'en sortais vivant, j'aillais d'ailleurs leur passer un coup de fil pour leur proposer mes services ou un scénario.

Quand on a touché terre, Moreau est allé chercher des branches, moi, des foulards et Artie, puis on est revenus près du lac, parfaitement synchrones, et on s'est mis à trois pour sortir le mort de l'eau. Avant de téléphoner à Robbins, on a fouillé le cadavre du bout de nos branches pour trouver son portefeuille. Il n'en avait pas. Par contre, il avait des dents, ce qui serait pratique et m'éviterait de tirer mon dentier dans ce lac pourri. Pour détendre l'atmosphère, j'ai tenté de l'enlever, avec l'intention de le jeter avec désinvolture dans le sous-bois, mais il s'était apparemment soudé à mes gencives, car je n'arrivais plus à me l'extirper de la bouche. Je m'y étais pris à deux mains en appuyant mes pieds contre une souche quand Winslow a voulu savoir ce que j'essayais de faire. Winslow?… WINSLOW!

Je me suis prestement relevé et suis allé le palper en lui demandant d'où il arrivait. J'étais tellement content de voir ce gros abruti que je n'ai pas attendu sa réponse. Je lui ai sauté au cou, je l'ai embrassé et je lui ai arraché son dentier pour être sûr que je ne me trompais pas. Winslow, baptême! Winslow était de retour, je n'en croyais pas mes yeux. Il avait même sa calotte, ce gros con. Et moi, j'étais redevenu moi, faut croire, sinon Winslow et Artie auraient remarqué que je n'étais pas moi. Mais wô, là, stop, un instant. Comment savoir si j'étais réellement redevenu moi puisque je l'avais toujours été, ni plus ni moins? Comment savoir si je n'étais pas le Moreau qui avait toujours été Moreau, et s'il n'y avait pas encore un Moreau à l'intérieur de Winslow? Comment être persuadé que je n'étais pas encore un tout petit peu Winslow?

Sans me soucier du regard médusé de Bob, Bill, Jeff et Artie, j'ai prétexté une course urgente et suis allé m'enfermer dans la salle de bain, où le miroir qui commençait à en avoir marre m'a confirmé que j'étais moi. Ça ne répondait pas à toutes mes interrogations, mais ça me suffisait pour l'instant. Je n'allais pas rester dans ce lieu diabolique une minute de plus. Si tout se passait comme me l'avait annoncé ma vision, j'allais recevoir un autre coup sur la tête et j'entrerais dans un cercle infernal qui se perpétuerait de 18 août en 18 août, de 18 en 17 tous les quatre ans, dans une putain de boucle qui se reboucerait chaque année, je glisserais sur la queue d'un foutu serpent qui se la mordrait aux douze mois et je ne voulais plus de ça, jamais, autant crever. Je m'apprêtais à m'évader par la fenêtre de la chambre de Winslow quand celui-ci est venu m'annoncer que Robbins était arrivé avec Conan. And what are you doing on the window ledge? Il y a quatre choses qu'on peut faire sur le bord d'une fenêtre : préparer minutieusement sa prochaine tentative de suicide, laver les vitres, planifier une évasion ou jouer de la guitare. Je lui ai répondu que je mesurais la longueur des rideaux et j'ai soupiré. Mon destin avait une sacrée volonté et, cela étant, aussi bien l'affronter courageusement. Je suis descendu du rebord de la fenêtre, je l'ai épousseté et j'ai suivi Winslow en priant.

La première chose que j'ai vue en sortant, c'est la roche de quatre cents millions d'années, qui attendait que mon destin s'accomplisse. La première chose que j'ai entendue, c'est Conan qui criait, tout en essuyant ses lunettes dans son sarrau, I found his wallet. Comme Winslow, Artie et moi on n'avait pas trouvé le portefeuille de John Doe, j'ai pensé que celui-ci avait dû l'avaler, ça arrive. Pas souvent, mais ça arrive. Avant que la situation dégénère, je suis allé me poster près du lac et, en regardant à mes pieds, j'ai constaté que celui-ci me renvoyait l'image de Winslow, comme quoi on ne peut plus se fier à personne.

Le reste n'a pas vraiment de sens mais est conforme au sens de l'histoire. Mirror Lake a disparu dans une nouvelle nappe d'impénétrable brouillard d'où surgissait parfois une jambe, un bras, un poing, un visage rouge ou blanc, selon son humeur et l'état de son propriétaire. Je me rappelle avoir vu débarquer les Dalton, puis la mère d'Anita, que je n'avais pas eu le plaisir de rencontrer, on ne peut pas tout faire. Il est même possible que Stephen King ait suivi en s'excusant d'être en retard pour le déjeuner. Un vrai bordel. Puis, quand la valse de Strauss a retenti dans le brouillard, je me suis vu planer au ralenti, exactement au-dessus de l'un des X que j'avais tracés sur la roche de quatre cents millions d'années en jouant au tic-tac-toe, c'est à peine croyable ce qui nous passe par la tête quand on est au ralenti. Après l'impact, je me souviens d'avoir ouvert la bouche pour gargouiller John Doe is… is…, puis j'ai été propulsé là où il est inutile de connaître ses couleurs, parce qu'il n'y en a pas.

Il n'y a qu'un passé. Et il n'existe qu'un seul présent.
Par contre, il y a une multitude de futurs.
Mais seul l'un d'eux se réalise.

Philippe Geluck,
Le chat

Quand les étoiles s'éteignent, on peut à juste titre croire que c'est la fin des temps. Quand elles se rallument, on a plusieurs choix. Ça dépend de l'endroit où l'on se trouve. Si l'on ouvre les yeux sur la chimérique splendeur de Mirror Lake, on peut se dire qu'on est dans un rêve ou dans un cauchemar et personne ne nous contredira. J'habite à Mirror Lake depuis vingt ans et je n'ai pas encore réussi à déterminer si je suis mort et si je suis en enfer, au paradis ou dans un lieu transitoire que l'on pourrait nommer le purgatoire.

Lorsque je suis revenu des limbes le lendemain du 18 août, trois cent quarante-deux jours que je n'avais pas eu le bonheur ou le malheur de vivre s'étaient écoulés, mais, au moins, j'étais Robert Moreau. Le petit Robert avait vieilli d'un an, Anita avait pris quelques rides au coin des yeux, ce qui ne l'en rendait que plus belle, et le visage de Winslow s'était un peu avachi, mais il s'agissait sans contredit de ce bon vieux Winslow, que je préférais voir devant moi que dans mon miroir.

Durant les semaines qui ont suivi, j'ai essayé de lui faire avouer qu'il avait été Albert, le raton laveur, mais cette andouille n'en a pas démordu. Il n'avait jamais connu de raton répondant au nom d'Albert. L'ourse, dans ce cas? Answer me, Winslow, for god's sake. If you were not the racoon, it means you were the bear? Toutes mes interrogations sont restées lettre morte. Winslow niait catégoriquement avoir été quelqu'un d'autre que

lui-même. Quand j'ai voulu lui soutirer quelques renseigne-
ments à propos du roman de Victor Morgan, il a prétendu
avoir une espèce de trou de mémoire à ce sujet. Je l'ai traité
de menteur mais ça ne l'a pas affecté. Winslow ne m'étant
d'aucun secours, j'ai effectué d'autres recherches pour tenter
de retrouver Morgan, mais il semble que cet écrivain soit tombé
dans un oubli à ce point total que toute trace de son passage
sur terre ait été effacée. Qu'importe, j'ai toujours avec moi les
pages 216 à 221 de *The Maine Attraction*, qui prouvent hors
de tout doute l'existence du roman. Or, s'il y a roman, c'est qu'il
y a romancier. On n'en sort pas.

Quant à Anita, elle était heureuse de me savoir de retour,
ça paraissait, et on a essayé de ne pas trop s'engueuler. On a
repris le jeu qu'on avait inventé juste pour nous deux et,
selon que la soirée était triste ou languide, on se glissait dans
la peau de Marlon Brando, Lana Turner, Fred Astaire ou
Elizabeth Taylor. Anita était exceptionnelle dans le rôle de
Martha, l'hystérique de *Who's afraid of Virginia Woolf?* Elle a
aussi accepté, un jour, d'interpréter pour moi la Lolita de
Juliette Lewis. Après ça, je n'ai plus jamais rêvé de Juliette Lewis.
C'est Anita, l'immense Anita Swanson, qui a pris sa place dans
mes fantasmes les plus inavouables.

Le petit Robert, lui, me ressemblait davantage de jour en
jour. Je le regardais et c'est comme si j'avais été devant un
miroir, mais un miroir qui rajeunit, vous permet de traverser
le temps à la vitesse de l'éclair et de voir que vous n'étiez pas
si moche, il y a quelques années, que vous auriez pu ne pas
devenir trop con si la vie ne s'était chargée de vous massacrer.
Mais ça ne se produirait pas avec lui, je serais là pour le protéger,
c'est ce que je prétendais, comme tous les parents, pour oublier
qu'il m'échapperait et que viendrait un moment où je ne
pourrais plus rien pour lui, qu'il n'en ferait qu'à sa tête de
pioche, point à la ligne.

Et puis, ce qui devait arriver est arrivé. L'inexorable cours du temps nous a conduits au 17 août, John Doe a surgi des profondeurs abyssales de Mirror Lake, j'ai fait un vol plané, je me suis pété le front, une oreille attentive, en l'occurrence celle d'Artie, s'est penchée sur moi et, trois cent quarante-deux jours plus tard, j'étais Artie. Le matin du 17 août, cette année-là, je n'ai pas pris de chance, j'ai dit à tout le monde que, si par hasard Moreau se fracassait le crâne le lendemain sur la roche de quatre cents millions d'années, personne ne devait s'approcher de lui. J'ai inventé une histoire à propos des connexions entre les neurones et les synapses quand on reçoit un coup sur la tête et ils ont gobé ça, à moins qu'ils aient voulu faire plaisir à Artie. Malheureusement, le raton laveur a raté mes explications et, avant que la valse de Strauss se termine, j'ai senti quatre petites pattes s'agripper à ma chemise. À mon réveil, j'étais donc Albert.

Ça présente quand même des avantages, d'être un raton laveur. On est peinard, on se fait servir son déjeuner tous les matins et personne ne nous emmerde, personne n'ayant intérêt à empoisonner la vie d'un pacifique raton. J'ai bien essayé, pendant que j'étais Albert, de faire déménager la roche de quatre cents millions d'années, mais je n'ai pas réussi. Si ça se trouve, cette roche sera encore là quand la surface du globe aura été dévastée par une guerre atomique ou une invasion de Klingons.

En deux décennies, suivant un cycle que j'ai renoncé à comprendre, j'ai été Winslow, moi, Artie, Albert, Jeff, moi, Junior, moi, Robbins, Bill, les frères Dalton – à tour de rôle –, Conan, Jones, Winslow, moi, etc. La seule personne en laquelle je ne me suis jamais réincarné, c'est Anita. Dommage, car j'aurais bien aimé, au moins une fois dans ma vie, habiter le corps d'une femme, particulièrement celui d'Anita, pour savoir à quoi je ressemblais dans ses yeux et comment il est possible que le poids de ses seins, si pleins de son histoire de femme, lui pèse parfois à ce point. Ça m'aurait peut-être permis de la consoler quand son passé traverse en coup de vent son visage, entre deux sourires désolés qui semblent s'excuser de tout, de la vie, de la misère, des horreurs qu'il nous faut endurer pour un peu de beauté. Si Anita a souvent été contrainte de troquer son corps contre quelques dollars, il faut croire que son âme ne se laisse pas si facilement ravir.

Les autres y sont cependant tous passés, à l'exception de John Doe, qui ressort de la brume une fois par année, rien que pour me narguer. Le pire moment a été celui où je me suis transformé en Robbins. J'ai été obligé de mâcher un cure-dents et de voir le monde en brun pendant vingt-trois jours et vingt-trois nuits car, je peux le confirmer maintenant, Robbins n'enlève pas ses lunettes pour dormir. Elles sont fixées à sa tête. Il va mourir avec. Le plus beau moment, par contre, ce sont les quelques semaines où j'ai été Jeff. Je n'avais d'autre souci que celui de jouer, me reposer, manger, guetter les écureuils et m'occuper de mon maître, en l'occurrence, moi. Je me regardais et je me trouvais beau. Je me regardais et je me trouvais intelligent. Je me regardais et je m'aimais, inconditionnellement. De plus, c'est la seule fois de ma vie où je suis parvenu à comprendre le sens du mot *zen*, qui se détachait en lettres capitales devant moi lorsque je me perdais dans la contemplation du rien. L'année Jeff a été une année de félicité, une année de grâce, non seulement pour mon *ego*, mais pour ce que je nommerai mon humble connaissance du monde, mais ça n'a pas duré assez longtemps, comme tout ce qui est bon.

Ce qu'il y a de désastreux, dans ma situation, c'est que je ne vis en somme que vingt-trois jours par année. Si j'étais bouddhiste, je prétendrais qu'il s'agit de mon samsara et que je traverse des états successifs qui ne me mènent nulle part pour la simple raison que je suis trop lent ou pas assez bouddhiste pour accéder à l'illumination. Ne m'étant jamais réincarné en moine tibétain et préférant ne pas savoir quelle allure a mon karma, je mets ça sur le dos de la fatalité et je profite de mes vingt-trois jours. Le reste du temps, je le passe dans le noir ou le blanc total, c'est selon les années. Quant à ceux dont j'emprunte l'identité, je ne suis pas encore parvenu à déterminer dans quels limbes ils disparaissaient pendant que j'occupe leur place. Cela dit, je n'ai pas non plus la moindre idée de ce qui se passe dans ma tête quand je n'y suis pas. Lorsque je redeviens moi, tout souvenir de cet espace-temps parallèle est effacé. J'essaie quand même de voir le bon côté des choses, je n'ai pas le choix. Je me dis que, de cette façon, je ne vieillis pas vite et ne connais qu'une saison, la plus belle, celle de l'été et des Perséides.

Cette année, je suis moi, mais j'ignore qui je serai au lendemain du 17 août. Peut-être la roche de quatre cents millions d'années, dont le vertigineux savoir complétera les enseignements de Jeff et me permettra d'atteindre mon nirvana. J'ai en effet l'impression que, si je deviens roche un jour, il s'agira du dernier cycle de mes réincarnations et que je serai toujours là dans quelques millions d'années, à me geler sous la croûte d'une ère glaciaire ou à servir de roche d'atterrissage à des vaisseaux extraterrestres. Je parierais d'ailleurs qu'il y a un autre mec, enfermé dans cette roche depuis quatre ou cinq siècles avec son tomahawk, qui en a marre de se faire marcher dessus et attend stoïquement que quelqu'un le délivre.

Si cela doit se produire, il est probable que ce sera bientôt, car les berges de Mirror Lake se dépeuplent. Jeff est mort il y a longtemps, par le jour ensoleillé le plus triste de mon existence, en me promettant qu'il m'attendrait de l'autre côté. De l'autre côté du lac? De l'autre côté du miroir? Je ne sais pas, je verrai. Nous venions d'aller marcher dans le bois, bien lentement, parce que ses vieux os le faisaient souffrir. Lorsque nous nous sommes assis sur la plage pour nous reposer un peu, il a posé sa grosse tête sur ma cuisse, et j'ai vu dans ses yeux mouillés qu'il était à bout de forces, que son amour de chien ne pouvait le maintenir plus longtemps en vie. Laisse-moi aller, disaient ses yeux las, alors j'ai répondu OK, Jeff, cours, va chercher une étoile, et c'est là qu'il est allé, vers le ciel constellé de lumières infinies. Avant de partir, il m'a toutefois assuré qu'il ne serait jamais loin quand ma solitude d'homme m'assénerait ses grands coups de sabre en plein sternum. Il a ensuite empli son regard de Mirror Lake, devenu pour lui le paradis terrestre, s'est retourné vers moi, a souri de son douloureux sourire de chien fatigué, et voilà, il ne souffrait plus. Il s'en est allé en caressant au passage les larmes inondant mon visage, auxquelles se mêlaient celles autrefois versées pour Alfie, le premier chien de ma vie.

Bill a eu un chagrin immense, mais il s'en est sorti, comme nous tous, malgré la cicatrice. Il est allé rejoindre Jeff quelques années après, par une autre journée d'une indicible tristesse, et Mirror Lake n'a plus jamais été pareil. Junior est pour sa part entré à l'université et ne vient nous visiter que de temps à autre, Anita et moi. Quant à ce gros imbécile de Winslow, il a passé l'arme à gauche l'année dernière de façon plutôt tragique. J'étais à son chevet quand il a expiré, et ses dernières paroles ont été : No! No! Humpty Dumpty is not a potato, he's an egg. Il a ensuite poussé un grand râle, et il n'était plus. Quand le pire de la douleur a été passé, je me suis procuré un jeu de fléchettes, j'ai dessiné Humpty Dumpty sur la cible et je me suis vidé le cœur; ça m'avait fait trop mal de savoir que cette patate avait hanté les dernières secondes de Winslow.

Anita, Artie, Junior et moi, on lui a fait un enterrement de première, à Winslow. On l'a inhumé derrière le chalet, avec sa calotte, sa chemise à carreaux, sa canne à pêche, juste à côté des chiens, ainsi qu'il l'avait demandé, et il m'arrive d'avoir l'impression de le voir rôder près du lac. C'est le sentiment que j'ai eu, hier soir, pendant que les montagnes se fondaient à l'obscurité. J'ai eu la certitude qu'il était là, à côté de moi, avec les chiens. Yellow as a star, a-t-il commencé, et j'ai enchaîné avec yellow as the sun, yellow as Jeff, yellow as Bill… Et il m'a entendu, je sais qu'il m'a entendu, tout comme Jeff et Bill, dont les grosses queues se sont mises à battre contre le bois du quai, pour exprimer leur joie de nous savoir réunis. Regarde, Jeff, ai-je chuchoté, c'est là que j'irai bientôt te rejoindre, tout là-haut, dans le souvenir du temps, et Jeff a léché ma main, mon cou, mon visage, ramassant quelques larmes au passage.

Je suis demeuré jusqu'à l'aube avec eux, puis, quand l'un des descendants de mon huard a lancé sa plainte dans le jour naissant, je me suis levé, j'ai tourné le dos au lac et j'ai murmuré see you soon, racoon.

Montréal, devant le parc Baldwin,
juillet 2005-juin 2006

Remerciements

J'aimerais d'abord remercier mon chum, Pierre, pour sa présence, ses patientes lectures, ses commentaires, ses suggestions et, bien entendu, son lac. Je voudrais aussi remercier ma sœur Viviane, qui m'a inspiré l'histoire de Ping et, conséquemment, de Ping Two, ainsi que mon neveu Éric (mon hydrogéologue préféré), qui m'a donné de précieuses informations sur l'univers des roches en général et sur la roche de quatre cents millions d'années en particulier.

Mille mercis à Guy, mon dépanneur linguistique attitré, de même qu'à Bernard, Élise, Jacques, Louise, Sylvain et Viviane encore, qui ont fait travailler leurs méninges pour m'aider à choisir une image évoquant Mirror Lake ou pour me donner un coup de pouce quand il s'est agi de trouver un titre à ce roman, que j'ai tout compte fait décidé d'intituler *Mirror Lake*, parce que c'est son titre, on n'en sort pas, bien que le mot *mirror* soit imprononçable.

Mes remerciements vont également M. Jacques Fortin, président des Éditions Québec Amérique, pour son indéfectible soutien, à mon directeur littéraire, Normand de Bellefeuille, à sa complice, Isabelle Longpré, à Raphaelle D'Amours, qui a supervisé l'édition de poche de ce roman, ainsi qu'à toute l'équipe de Québec Amérique, dont l'enthousiasme communicatif est le meilleur antidote à la migraine de l'écrivain.

Je remercie enfin le Conseil des arts et des lettres du Québec et les membres du jury qui m'ont accordé une bourse pour l'écriture de ce roman.

Note

Tous les personnages de ce roman et tous les événements qui y sont narrés sont entièrement fictifs. Il en va de même pour Mirror Lake, qui est le simple fruit de mon imagination, bien qu'il existe dans le Maine deux lacs portant ce nom, mais que je n'ai jamais eu le plaisir (ou le malheur) de visiter.

Je tiens aussi à préciser que j'ai la plus vive admiration pour le talent de Tim Robbins, dont je me suis permis d'emprunter le nom et les traits pour créer mon personnage de shérif; aucun autre que Tim Robbins n'aurait pu mieux tenir ce rôle.

Chutes et rechutes – jets et rejets
Suppléments

SCÈNES COUPÉES À L'IMPRESSION

Scène coupée nº 1 : Winslow s'absente

Winslow étant miraculeusement et providentiellement absent pour la journée – affaire de famille, m'avait-il dit, puisque même les types comme Winslow ont une mère et, conséquemment, une grand-mère, des oncles, des cousines, etc. , incontournable réalité qui m'avait poussé à me demander quel genre de femme pouvait être madame Winslow mère, question fort épineuse, car je n'arrivais à m'imaginer celle-ci qu'en copie conforme de Winslow, avec des cheveux légèrement bouclés, toutefois, mais à l'ancienne mode, style Jack Lemmon dans *Some Like it Hot*, et des seins un peu plus ronds que ceux flasques de son fils, je dirais même un peu plus imposants, du genre on se pousse quand je me pointe, alors que Flora Winslow, c'est le petit nom que je lui avais donné, n'était peut-être que l'image inversée de son fils, devenu la limace souriante qu'il était par simple esprit de contradiction ou par volonté de s'opposer à l'autoritarisme maternel en optant pour l'inertie, ce qui, dans un cas comme dans l'autre, faisait de Flora Winslow une femme désagréable, d'où l'épinosité de la question, car on m'avait appris à ne jamais dire de mal d'une mère, fût-elle celle de Jack l'Éventreur, affaire que j'avais résolue en me promettant de demander à Winslow une photo de sa mère dès que j'aurais l'incroyable plaisir de le revoir – bref, Winslow étant parti voir sa mère ou sa sœur, dont je n'essayai pas de me représenter le repoussant visage ni l'opulente poitrine, je m'étais promis une journée à moi seul sur le lac, seul avec Jeff, s'entend, une journée de rêve, que dans mon emportement je qualifiais de paradisiaque, mais dont les quelques nuages qui s'accumulaient à l'ouest tendaient à contredire l'espérée perfection.

Je me suis quand même enduit de crème solaire, j'ai calé mon chapeau sur ma calvitie naissante, j'ai crié come on, Jeff, en me gonflant de l'assurance du gars qui ne va pas se laisser démonter par un ou deux nuages, et me suis dirigé vers le lac en me promettant que si les prévisions météo s'avéraient aussi nulles que d'habitude, j'irais de ce pas séquestrer le bonhomme météo pour lui faire avaler toute la flotte qu'il m'avait fait tomber dessus depuis mon enfance, en y ajoutant quelques pelletées de neige sale, avant de l'enfermer dans un congélateur scellé dont je ne ferais sauter la serrure qu'au moment où il crierait grâce et accepterait un poste dans le Sahara, où il ne risquait pas de proférer trop d'âneries et de pousser les Touaregs à l'hystérie. Car si cette journée que j'attendais depuis des mois avec la fébrilité chancelante de l'enfant qui s'apprête à écrire au père Noël pour lui dire de le garder, son maudit train, et lui souhaiter une mort atroce dans la gueule d'un ours polaire affamé par la fonte des glaciers et la pénurie de phoques s'ensuivant, car si cette journée, dis-je, était gâchée par l'arrivée impromptue de quelques nuages qui auraient en principe dû se diriger vers le Québec pour ensuite débouler à l'envers vers le pôle Nord et inciter Rudolph, à bout de nerfs, à piétiner le père Noël de ses sabots verglacés, quelqu'un allait le payer cher, et ce n'était pas moi, car j'étais d'une humeur splendide.

Scène coupée n° 2 : Un air de famille

Je n'aurais pas dû demander à Winslow de me montrer une photo de sa mère, car j'ai en fait eu droit à l'album de famille au complet, ce qui m'a appris que les traits ingrats de Winslow lui venaient de sa grand-mère maternelle, grandma Roberta, a susurré cet imbécile avec ce type de sourire qui vous donne envie de dire du mal des grands-mères, alors que son physique s'apparentait plutôt à celui de son grand-père paternel, Roberto, ainsi nommé parce que l'arrière-grand-mère aimait le bel canto, ce qui a entraîné Winslow dans une interprétation pour le moins éprouvante d'*O' Marenariello*, trémolos à l'appui, auquel l'écho se répercutant sur la montagne a répondu *ello, ello, ello*, pendant que les chiens hurlaient malgré l'absence de lune, on était en plein jour, et qu'un vol de canards pourtant calme se dispersait vers les abris les plus proches.

Quant à moi, j'en ai été quitte pour quelques cauchemars dans lesquels grandma Roberta, habillée en Winslow, chantait l'*Ave Maria* de Schubert avec Humpty Dumpty, qui cherchait à se donner un petit air postmoderne en exécutant quelques pas de claquettes sur « aus diesem Felsen starr und wild », soit, pour les incultes, « de ce rocher immobile et sauvage », inconscient, le double con, qu'il était ici question d'une immobilité pareille à celle de la roche de quatre cents millions d'années, ce que je lui faisais inutilement remarquer, car cet imbécile n'écoutait que sa bêtise, la voix mélodieuse de grandma Roberta et le son des claquettes se répercutant sur la montagne : *ello, ello, ello…*

***

Scène coupée n° 3 : Tante Hortèse

Il allait de soi qu'après avoir été confronté à l'image peu avenante de tous les membres de la famille Winslow nés après l'invention de la photographie, ma propre famille allait se manifester, ce qu'elle fit sous les traits d'Hortèse, laconique pythie dont les oracles avaient provoqué maintes catastrophes familiales et extrafamiliales, qui a surgi d'un buisson de genévrier par un matin frisquet pour m'annoncer qu'il y avait un noyé dans le lac, ce que tout le monde savait déjà, si bien que je l'ai envoyée promener, pour la voir réapparaître aussitôt, dans un buisson de gui, cette fois, et proférer d'un doigt menaçant « qui se noie noiera » en se volatilisant avec la rosée.

Légèrement alarmé par toutes les possibilités offertes par cette sibylline maxime – Hortèse avait-elle voulu dire que toute personne victime de noyade y prend goût et tente par la suite de se renoyer, question de faire durer le plaisir, ou avait-elle voulu m'avertir que les noyés ont l'esprit vengeur et essaient de noyer quiconque respire encore –, j'ai appelé Hortèse deux ou trois fois pour qu'elle revienne m'en expliquer le sens et me dise si elle n'avait pas par hasard oublié un pronom personnel devant la deuxième occurrence du verbe *noyer*, « qui se noie se noiera », par exemple, mais outre qu'Hortèse était avare d'explications, elle avait la tête dure et ne se matérialiserait de nouveau, je le savais, qu'au moment où sa prophétie se réaliserait, c'est-à-dire, si je comprenais bien, quand le noyé se renoierait ou, pire encore, quand le noyé noierait quelqu'un, ce qui n'avait aucun sens et risquait pour cette exacte raison de se produire. J'ai quand même ruminé la sentence d'Hortèse une partie de la journée, au cas où il faudrait en mélanger les lettres ou la prendre à l'envers, ce qui ne changeait pas grand-chose, sauf le cours du temps, pour enfin conclure qu'Hortèse en avait reperdu depuis qu'elle voguait dans cet au-delà avec lequel elle ne communiquait plus puisqu'elle baignait dedans – on ne téléphone pas à sa sœur si on est assis en face d'elle –, et qu'il n'y avait pas lieu de prendre au sérieux les élucubrations d'une femme qui avait rendu l'âme en murmurant « la clé est sous le paillasson », formule énigmatique entre toutes que mon oncle Galbert, frère d'Hortèse, avait résolu en découvrant qu'il y avait bel et bien une clé sous le paillasson d'Hortèse, ce qui ne nous renseignait cependant pas sur les raisons de la présence de cette clé sous le paillasson, Hortèse ne verrouillant jamais ses portes puisqu'elle savait d'avance qui allait venir et repoussait les intrus en se berçant toute nue sur sa galerie, ni sur l'utilité de la clé en question, à laquelle la famille entière s'était ingéniée en pure perte à trouver une serrure appropriée, se rendant même en Abitibi et au Texas, où agonisaient d'anciens amants d'Hortèse, jusqu'à ce qu'un innocent la perde, en l'occurrence le cousin Clande, eh oui, Clande, qui n'avait pas inventé le bouton à quatre trous mais avait fait breveter la fermeture éclair à air comprimé et le bouton de porte auto-nettoyant, provoquant ainsi un autre divorce et une résurrection dont tout le monde se serait passé.

N'empêche, j'ai surveillé le lac pendant quelques jours d'un œil ombrageux, au cas où le noyé aurait la glauque idée de nous ménager une bonne blague de revenant avec la complicité d'Hortèse, qui se chargerait de noyer Winslow pendant que le noyé se renoierait.

***

Scène coupée n° 4 : Il bouge, prise 2

Hortèse avait raison. Peu de temps après que Mirror Lake ait recraché John Doe dans un hoquet de vive répulsion, j'étais assis sur ma galerie avec Winslow, face au mur, c'est-à-dire dos au mort, sur lequel on n'avait pas trop envie de laisser errer notre regard, quand Winslow, qui avait une imagination débordante malgré son quotient intellectuel déficient, a entendu un bruit de succion, c'est ce qu'il m'a dit après coup, et a risqué un œil vers le noyé.

— Il bouge, a-t-il lâché en expirant un son rauque que je situerais entre le feulement et le soupir d'agonie.

— Qui ça ? ai-je demandé sur un ton anodin, même si je savais pertinemment de qui il parlait.

— Le mort, a-t-il refeulé rauquement.

— Quel mort ? ai-je rétorqué, ajoutant une bonne couche de déni à mon refus de regarder la répugnante réalité en pleine face.

Winslow a alors tracé quelques points de suspension avec son regard globuleux, points qui pouvaient tout aussi bien signifier tu te moques de moi ou es-tu fou que, de manière plus plausible, est-ce que je perds la tête, question sous-entendant que le prétendu noyé reposant sur la plage n'était peut-être issu que de son étonnante et débordante imagination.

Je l'ai laissé pointiller quelques instants, histoire de me faire à l'idée qu'un noyé peut se renoyer, ainsi que l'avait suggéré Hortèse, et, de ce fait, préalablement bouger, mouvement qui lui permettait également, si je ne m'abusais, d'attraper quelqu'un par le collet pour le noyer dans les eaux calmes, après quoi j'ai demi-tourné la tête pour constater que Winslow ne virait pas fou : le mort bougeait !

Je me suis laissé le temps de compter jusqu'à trois, chiffre tout à fait arbitraire mais ô combien pratique et rapidement accessible, et j'ai chuchoté je sacre mon camp. Sans que je l'y aie invité, Winslow m'a suivi à petits pas, mais de dos, question de garder un œil sur le mort, cette fois, au cas où il déciderait de ramper dans notre direction et d'éventuellement nous saisir aux chevilles, on ne sait pas de quoi sont capables les mecs morts dans d'atroces souffrances ou de délicieuses extases, la gueule de John Doe, Donovan ou Doolittle n'étant pas en état de nous renseigner là-dessus, puis on s'est barricadés dans le chalet avec Jeff et Bill, qui ne s'étaient rendu compte de rien, probablement parce que les chiens, contrairement aux chats, ne peuvent voir des morts que ce qui leur donne leur qualité de morts, soit leur totale et supposée immobilité. S'enfermer dans un lieu plein de courants d'air n'est peut-être pas la méthode idéale pour se protéger d'un zombie, tout le monde sait que les morts traversent les murs, mais que vouliez-vous qu'on fasse ? Rien. Et attendre. On a donc attendu les renforts, personnifiés ici par Tim Robbins, qu'on avait appelé un peu plus tôt mais qui tardait juste pour nous faire suer, et par une ambulance dont nous ne connaissions pas encore les occupants, que nous ne pouvions de ce fait nommer clairement.

Les deux véhicules, soit la voiture de Robbins et l'ambulance de je ne sais qui, sont arrivés toutes sirènes hurlantes au moment où Winslow finissait d'installer un peu partout dans le chalet des croix de fortune fabriquées avec des couteaux, des crayons, des bas roulés dans le sens de la longueur, confondant vampires et zombies, ce que je n'allais pas lui reprocher, tous les moyens me semblant alors bons pour repousser la chose hideuse qui salissait ma plage en rampant vers nous sur sa quasi-absence de bras.

Quand Winslow et moi on est ressortis du chalet, les ambulanciers, dont nous ne connaîtrions jamais les noms, avaient sanglé John Doe sur une civière, si bien qu'il ne pouvait plus bouger, sauf les orteils et les doigts si l'envie lui en prenait, et l'avaient abrié des pieds à la tête d'une couverture, signe qu'il ne bougeait plus ou qu'ils l'avaient rachevé. On a quand même surveillé attentivement la couverture, à l'affût du moindre mouvement, puis John Doe a décollé sur les chapeaux de roue avec l'ambulance, nous laissant ainsi dans l'ignorance, puisque nous ne saurions jamais si son bras n'avait répondu qu'à la poussée des vagues, si c'est un animal nécrophage, genre corneille, qui farfouillait dans ce qui lui restait de chair, si John Doe avait bel et bien tenté de se relever pour se renoyer ou, dans sa rage spectrale contre l'injustice du monde, essayé de noyer quelqu'un d'autre, cela pour des motifs qui nous échappaient et que nous avions plus ou moins envie de connaître.

Quant à Tim Robbins, il nous a lancé un regard d'outre-Ray Ban reflétant l'immense sympathie qu'il éprouvait pour notre duo, a craché son cure-dent, que je serais obligé de ramasser avec des gants avant de le faire fondre dans l'acide, et s'en est retourné sans un mot, ce qui en disait long sur la faiblesse de Robbins en matière de répartie.

Ce soir-là, Winslow a dormi sur mon divan, que j'aurais auparavant saupoudré de strychnine si les circonstances m'en avaient laissé le loisir.

***

Scène coupée n° 5 : Où Moreau prend les grands moyens

Conscient que je ne pourrais me débarrasser de Winslow par ma seule force de persuasion et que l'aide plus ou moins souhaitable d'un mort bougeant ou d'un noyé rampant ne m'était que d'un relatif secours, m'est revenu en mémoire, un matin où je regardais Winslow s'empêtrer dans sa canne à pêche, un épisode de *Bozo le clown* au terme duquel n'importe quel être normalement constitué ne pouvait avoir qu'une idée en tête : trucider du clown. Je savais pertinemment que Winslow n'était pas un être normalement constitué, mais opposer un bozo à un autre bozo, selon la théorie que j'échafaudais lentement, risquait d'avoir cet effet miraculeux que produit la rencontre de deux trous noirs, soit l'absorption de l'un par l'autre.

Je me suis donc précipité sur l'annuaire en vue d'y chercher une agence de clowns. Aucune agence de la sorte n'étant répertoriée dans le Bangor Area Directory, ce qui confirmait mon opinion sur la désorganisation crasse des clowns, je me suis rabattu sur les petites annonces d'une feuille de chou locale ayant probablement abouti chez moi avec le panier à pique-nique de Winslow et ses petits pots de beurre empoisonnés. Dans la colonne « Services offerts », figurait l'adresse d'un type qui portait le surnom très prometteur d'Edward the Deadly Clown et se spécialisait apparemment dans la géronto-thérapie en visitant des hospices où il donnait le coup de grâce à quelques malheureux vieillards n'ayant jamais demandé à voir un clown avant de descendre dans les feux d'une géhenne où celui-ci les poursuivrait.

Ne faisant ni une ni deux, j'ai composé son numéro de téléphone et suis tombé sur un message vocal dans lequel Edward, sur le mode don't call us we'll call you et autres facéties du genre, m'invitait à lui faire part de l'objet de mon appel. Je lui ai donc expliqué que j'avais un urgent besoin de ses services, I need you, Edward, et apprécierais grandement qu'il me rappelle tout aussi urgemment. J'ai ensuite raccroché et j'ai attendu pendant que Winslow, de l'autre côté du lac, était en voie de se momifier avec son fil à pêche, ce qui m'éviterait peut-être quelques frais de clown s'il expirait avant l'arrivée de la cavalerie. Je l'ai laissé à ses activités suicidaires pour river mon œil sur le téléphone, dont j'apprécie généralement le lénifiant silence, sauf quand ma santé mentale est en cause et ne tient qu'au coup de fil d'un clown.

Au bout de dix minutes, le téléphone commençant à rougir sous l'intensité de mon regard, j'ai fermé les yeux afin d'inciter mentalement Edward the Deadly Clown à me rappeler illico. Ce sont les gémissements de Jeff, inquiet de me voir rougir à mon tour, qui m'ont sorti de ma transe un quart d'heure et des poussières plus tard, sitôt suivis d'une sonnerie qui n'a pas eu le temps d'arriver au bout de son trémolo avant que j'arrache le combiné de son socle et lance un hi! Edward enjoué laissant croire que j'avais frayé toute ma vie avec une bande de clowns, ce qui, en fin de compte, n'était pas loin d'être vrai.

Peu amène, Edward a d'abord prétendu qu'il était en congé, comme si un clown pouvait être plus ou moins clown selon les jours, mais le miroitement des quelques dollars dont j'étais prêt à allonger son tarif l'a convaincu de me recevoir, ce qu'il ferait dès qu'il aurait terminé son repas. Je lui ai souhaité bon appétit en l'imaginant s'enduire le visage de tarte à la crème, j'ai sauté dans ma voiture avec Jeff, toujours heureux de baver sur mes sièges, et nous avons pris la route en direction de la demeure d'Eddie le comique. En arrivant devant le 3304 Eddie Lane, j'ai pris le soin de vérifier l'adresse, car la demeure en question ne correspondait absolument pas à l'idée qu'on peut se faire d'une maison de clown. Pas de couleurs vives, pas de visage aux lèvres démesurées peint à grands traits sur la devanture, pas même une toiture en forme de chapeau d'anniversaire. Rien. Que des couleurs neutres. Question marketing, Eddie the Clown était nul et j'espérais qu'il saurait se rattraper en m'accueillant. Je m'attendais en effet à recevoir un seau d'eau sur la tête ou un coup de gant de boxe en plein visage en entrant, mais là non plus, rien. Eddie ne m'a même pas arrosé avec la fleur qu'il aurait dû porter à sa boutonnière, vu qu'il portait un t-shirt clamant « J'aime ma femme », ce qui constituait peut-être une forme d'humour, mais en fait de clown, j'avais déjà vu mieux. Je déchantais un peu, mais bon, on ne sait jamais ce que nous réserve un clown.

Après m'avoir serré la main, que j'ai prestement retirée au cas où, Eddie m'a invité à passer au salon en insistant pour que je m'assoie dans le fauteuil d'angle, le plus confortable selon lui, et c'est là que j'ai fait un clin d'œil à Jeff, persuadé que le fauteuil en question émettrait une série de pets tonitruants dès que j'y poserais les fesses, mais je n'ai entendu que le léger soupir du coussin sous l'assaut de mon poids. Je me suis donc relevé et rassis, au cas où le mécanisme n'aurait pas fonctionné la première fois, puis relevé et agenouillé pour vérifier sous le coussin, sous le fauteuil, sous la carpette, mais tout semblait normal, sauf moi. Eddie m'a demandé si quelque chose clochait, ce qui m'a obligé à lui mentir en prétextant que je croyais avoir perdu ma montre, que j'ai prestement escamotée pour la glisser dans ma poche, tel un prestidigitateur, puis je suis passé aux choses sérieuses, expliquant à Eddie que je comptais sur lui pour égayer l'atmosphère d'une petite fête entre amis qui aurait lieu le lendemain. M'interrompant dans mon envolée, Eddie a levé la main pour m'objecter qu'il n'était pas de service ce dimanche-là. Je suis resté un moment silencieux. Depuis quand les clowns qui se respectent ne travaillaient-ils pas le dimanche, jour mortel entre tous, quand les gens qui sont encore capables de supporter leur hilarante compagnie en ont impérieusement besoin? Clause 77. 4 de la convention du Syndicat des clowns de la Nouvelle-Angleterre, a-t-il rétorqué, qui obligeait les clowns et autres amuseurs publics d'expérience à prendre huit dimanches par année, question de laisser un peu de place aux jeunes clowns. Le lendemain était donc réservé aux clowns débutants et aux aspirants clowns. On a fini par s'entendre pour le mardi, le lundi 8 août ayant été décrété Journée mondiale du clown, comment n'étais-je pas au courant, mais Eddie, perspicace, m'a demandé si la fête ne risquait pas d'être finie, ce à quoi j'ai répondu que c'était mon problème et on s'est attaqués au menu: qu'avait-il à me proposer au rayon farces méchantes quoique désopilantes?

Rien du tout. Eddie avait remisé son habit de clown cynique dans la penderie le jour où il avait provoqué le suicide d'un de ses collègues, preuve que son numéro était à point, ai-je rétorqué, et qu'il n'avait qu'à le rafraîchir un peu pour l'adapter à Winslow, mais il n'a rien voulu entendre. Un mort sur la conscience lui suffisait. J'ai tenté de lui faire comprendre à demi-mot que Winslow était un coriace et que j'endosserais la responsabilité entière des événements si la situation dégénérait en ma faveur et poussait Winslow à des actes irréparables. Ce scénario ne plaisait pas du tout à Eddie, qui est soudainement devenu suspicieux, m'accusant de vouloir me servir de l'art clownesque pour abréger les souffrances d'un innocent, ce qui était tout à fait vrai si l'on considérait que c'était moi l'innocent et que c'était moi qui souffrais, mais l'argument n'a pas porté. Ce n'était pas la première fois qu'un malotru essayait d'exploiter la candeur légendaire du clown, un autre de ses collègues s'était suicidé après avoir accepté d'ajouter un peu de beurre d'arachide dans le gâteau d'anniversaire d'un mec dont le voisin, qui s'était évidemment invité à la fête, était allergique à tout ce qui ressemblait de près ou de loin à une plante de la famille des fabacées, autrefois nommées légumineuses, ce qui portait le taux de suicide chez les clowns bien au-delà de la moyenne nationale, alors pas question qu'il embarque dans ma combine. J'ai tenté de me rattraper avec une pirouette sophistiquée, arguant que si tous les voisins s'appellent Winslow et que si tous les Winslow sont des voisins, le coup du beurre d'arachide était justifié et que son collègue s'était sûrement zigouillé pour d'autres motifs profondément enfouis dans son subconscient, exhumés par la robe à volants d'une nymphette présente à la fête, qui avait fait ressurgir l'innocence des jours à jamais perdus et mis en évidence l'inutilité de continuer dans le sens contraire d'une pureté disparue, mais je n'ai eu droit pour toute réponse qu'à un doigt pointant vers la porte d'entrée.

Répondant alors à une impulsion dont j'avais retenu la violence chaque fois que j'avais croisé un clown au cours de ma brève existence, j'ai sauté sur Eddie, et le reste de la scène n'a été qu'entremêlement de bras et de jambes d'où sortait parfois un cri ou une tête de chien, celle de Jeff, en l'occurrence, trop heureux de se farcir un clown, les chiens n'aiment pas les clowns, puis je suis sorti tête première de la maison, pour y rentrer aussitôt et en ressortir dignement puisque, dans cette histoire, ce n'était tout de même pas moi le bouffon. Après ça, Jeff et moi on est retournés à Mirror Lake. On se passerait de clown pour cette fois.

GAGS DÉSOPILANTS ET GAFFES LITTÉRAIRES NON MOINS TORDANTES, ACCOMPAGNÉS DE QUELQUES COMMENTAIRES DE L'AUTEURE

Gag n° 1 : Quand Moreau vole au secours de Winslow, se fend le crâne sur la roche de quatre cents millions d'années (page 331), et que l'auteure s'amuse (mardi 3 mai 2005)

« Grâce à la valse de Strauss, tout cela se déroulait néanmoins au ralenti. N'écoutant que mon courage, j'ai ouvert la porte à toute volée… et Anita se l'est prise dans le front. » *Stop ! On recommence.*

« N'écoutant que mon courage, j'ai ouvert la porte à toute volée et me suis enfargé dans le tapis. » *Shit ! Michaud. Essaie de te concentrer un peu.*

« N'écoutant que mon courage, j'ai ouvert la porte à toute volée, j'ai percuté un poteau de la galerie et m'y suis enroulé lascivement, une main sur le front, où le sang créait de jolis motifs allant de la classique perle à l'audacieuse étoile filante, une jambe allongée, pied pointé, pour l'effet esthétique… » *Andrée, joual vert, veux-tu l'écrire à matin, c'te phrase-là, oui ou non ?*

« N'écoutant que mon courage, j'ai ouvert la porte à toute volée et, en état d'apesanteur, j'ai effectué un saut de l'ange : préparation, appel, détente, période de suspension, réception… » *Et on recommence encore, un gars ne pouvant se trouver deux fois de suite en état d'apesanteur, plus prosaïquement nommé ici période de suspension, sans avoir touché le sol.*

« N'écoutant que mon courage, j'ai ouvert la porte à toute volée et, en état d'apesanteur, j'ai effectué un saut de l'ange, afin d'attraper Winslow en vol et de m'assurer qu'il s'empalerait correctement sur le piquet de clôture.» *Hi! Hi! Petite blague à la Moreau, je n'ai pas pu m'en empêcher, question de détendre l'atmosphère surchargée de cette tragique matinée. Pour ceux qui n'ont pas envie d'aller fouiller dans le livre, la version finale de la phrase donne ceci:* «N'écoutant que mon courage, j'ai ouvert la porte à toute volée et, en état d'apesanteur, j'ai effectué un saut de l'ange, afin d'attraper Winslow en vol et de le dévier de sa trajectoire.»

***

Gag nº 2 : La fois où j'ai bien ri

La fois où j'ai bien ri, c'est quand je ne me rappelais plus comment écrire *Wittgenstein.* Ce genre d'oubli arrive à tout le monde, qu'on se rassure. Ça a donc donné ceci: Vitgenstein, Witgensthein, Vitghenstein, Witghennschtein, jusqu'à ce que je me décide à aller vérifier dans ma bibliothèque. C'est drôle, non?

***

Gag nº 3 : La fois où j'ai ri jaune

La fois où j'ai ri jauneeeeeeeeeeeeeeeee, c'eeeeeeeeeeeeeeeest quand mon ordinateeeeeeeeeeeeeeur a déééééééééééééci-déééééééééé deeeeeee seeeeeeeeeeeee meeeeeeeeeeettreeeeeeeeee eeeeeeeeeen modeeeeeeeeeee Mirror Lakeeeeeeeeeeeeee eeeeeeeet a commeeeeeeeeeeeencééééééééé à faireeeeee uneeeeeeeee fixation sur la lettreeeeeeee eeeeeeeeeeeee eeeeeeet seeeeeeeees varianteeeeeeees (*ééééééééééé, èèèèèèèèèèèèè, êêêêêêêêêêêê, ëëëëëëëëëë*), problèèèèèèèèèèmeeeeeeeee queeeeeeee j'ai un instant peeeeeeeensééééééé rééééésoudreeeee eeeeeeen ééééééééééé-liminant la leeeeeeeettreeeeeeee *eeeeeeeeeee* jusqu'à la fin du roman, qui aurait deeeeeeeeee ceeeeeeeeee fait pu s'intituleeeeeeeer

La duxim ou scond disparition, ou eeeeeeeeeecore *La disparition partill*, jusqu'à ce qu'une âme charitable m'offre un clavier fabriqué dans un pays où il n'y a pas de lac, donc pas de lac Miroir et autres plans d'eau diaboliques.

***

Gag n° 4 : La fois où j'ai failli pogner les nerfs

La fois où j'ai failli pogner les nerfs, c'est quand j'ai décidé de nommer mon personnage de flic Tim Robbins et que je ne me souvenais plus du nom de Tim Robbins. Je savais qu'il y avait quelque chose dans son nom qui sonnait comme Robert ou Robin, mais ça n'allait pas plus loin, alors j'ai décidé de faire défiler dans mon esprit tous les Robert et Robin que je connaissais : Robert Redford, Le Petit et le Grand Robert, Robert Moreau, Robin des bois/Robin Hood (soit Robin la Capuche ou le Capuchon, on ne rit pas), Robin Renucci, mon ami Robert, Robinson Crusoé, Robertson Davies, Batman et Robin, Robin Fusée, Jean Eugène Robert-Houdin, Robert Kennedy, Robert Kennedy Junior, Robert Bourassa, Robin Lalancette, Robin Williams, Robert Lepage, Robin Wright, c'est fou ce qu'il y a de Robert et de Robin célèbres quand on y pense, mais le procédé n'a pas fonctionné. Remarquez, j'aurais pu essayer le même truc avec Tim : Tim Burton, Tim Lalancette, Tim Horton, Tim Robbins ! mais le fait est que c'est Robin qui m'est venu à l'esprit, et non Tim, d'où l'impossibilité de chercher une quelconque association avec Tim, sinon j'aurais allumé un peu plus vite que ça.

Bref, j'ai cherché pendant un bon trois quarts d'heure, ouvrant puis refermant inutilement mes dictionnaires de cinéma, au cas où le titre d'un film dans lequel jouait Robbins me serait revenu, mais ma mémoire avait recouvert tout ce qui avait trait à cet acteur d'une épaisse couche d'un impénétrable blanc. En d'autres termes, j'expérimentais ce matin-là un blocage total par rapport à Tim Robbins, allez savoir pourquoi, une forme d'attirance sexuelle non avouée, peut-être, ayant dégénéré en rêve porno récurrent mais totalement inaccessible à ma conscience, dans lequel Tim m'aurait toutes les nuits attachée aux barreaux de son lit king, ou encore une détestation profonde de Tim Horton, que j'aurais inconsciemment associé à Robbins. Le cerveau vous joue de ces tours, parfois.

Avec tout ça, le temps filait, ma bonne humeur dépérissait, mais j'étais déterminée à retrouver le nom de cet acteur, parce que c'est lui et personne d'autre que je voulais pour mon rôle de flic. Je me creusais le cerveau au pic et à la pelle quand un nom a lentement traversé mon champ de vision, Susan Sarandon, sitôt suivi du superbe visage de Sarandon, et Tim Robbins est apparu juste à côté, en train de l'embrasser le jour de leur mariage. Pas plus compliqué que ça. J'étais éperdument amoureuse de Tim Robbins, je ne voyais pas d'autre explication, éperdument et maladivement amoureuse, d'où le blanc ayant recouvert ma conscience et représentant sans contredit la vacuité du rêve bafoué, la pâleur de l'inaccessible étoile, l'interminable désert de l'impossible.

***

Gag n⁰ 5 : Une autre fois où j'ai bien ri

Une autre fois où j'ai bien ri, c'est quand j'ai décidé que le premier mot que devrait prononcer Moreau serait *mirror*. Ça nous a pris une journée à écrire la première phrase du roman, mais on y est arrivés.

***

Gag n⁰ 6 : Le lexicovortex

Quand une femme passe ses journées à jouer avec des mots, jonglant par-ci, s'essayant au tir de précision par-là, il y a des moments où ceux-ci se désincarnent, se vident de leur sens et deviennent de petits objets flottants non identifiables sur lesquels elle souffle pour les regarder virevolter au sein de leur insignifiance, ou qu'elle attrape au passage sans bien savoir à quoi ils peuvent servir. Elle regarde le mot *pingouin*, par exemple, et non seulement aucun pingouin ne lui apparaît, mais le mot lui-même lui semble ridicule, sans maudit bon sens, une suite de lettres qui ne devrait pas exister, qu'elle peut tout aussi bien remplacer par pont Gouin, sapingouin, gouin des mers, sans que ça n'y change rien.

J'appelle ça l'attraction du lexicovortex, ou encore la lexicophathie, mots qui s'écrasent eux-mêmes sur la page quand je suis atteinte du syndrome en question. Ce phénomène s'est produit plusieurs fois pendant que j'écrivais *Mirror Lake*, avec *interlope*, par exemple (extralope, infralope, exalope, trois salopes, entre-lopin et Guadeloupe), avec *déclinant* (jamais un dé clinant n'abolira le hasard), puis avec *zigzaguant* (quel est ce zig zaguant sur la mer, quelle est cette mer où le zig zague, quel est ce zèbre ziguotant sur la digue ; les surréalistes savaient de quoi je parle), ce qui peut donner suite à autant d'errances dans le lexicovortex qu'il y a de mots dans le dictionnaire.

SCÈNE D'ANTICIPATION[*]

Un air de déjà-vu

« Y bouge ! Sacrament, Philippe, y bouge ! »

J'en étais à ma dixième ou douzième réincarnation quand j'ai entendu cette phrase surgir de l'ordinateur de Winslow, qui s'était mis au goût du jour et passait la moitié de son temps

---

[*] L'auteure se voit ici dans l'obligation de préciser que cette scène fut écrite en juillet 2005, c'est-à-dire bien avant que l'idée de faire un film de cette histoire ne germe dans l'esprit de qui que ce soit. Il s'agit donc d'une réelle scène d'anticipation, qui a été retirée de la version finale du roman parce que jugée trop invraisemblable, ce qui, maintenant que l'avenir a transformé l'invraisemblable en réalité (ce qui arrive plus souvent qu'on ne le croit), lui donne quelques frissons d'horreur rétrospective. En me baignant dans les brumes de Mirror Lake, aurais-je hérité, se demande-t-elle, des talents discutables de tante Hortèse ?

sur YouTube, question de parfaire sa culture, le con. Mon cœur n'a fait qu'un bond, mes oreilles se sont dressées du même coup et je me suis rapproché à petis pas inquiets, suivi de Bill, qui ne me lâchait pas d'une semelle, pareil à Winslow quand j'étais Moreau.

Winslow regardait la bande-annonce d'un film curieusement intitulé *Mystery Lake*, qui prendrait bientôt l'affiche dans tous les cinémas se respectant, et se grattait le front en plissant les yeux à la manière de la musaraigne cendrée, tout en rapprochant son visage de l'écran, en le reculant, en le rapprochant, comme s'il voulait faire la mise au point sur des objets ou des personnages qui n'apparaissaient pas dans l'image mais auraient dû s'y trouver. À la fin de la bande, il est allé jeter un œil sur le lac, dans son frigidaire, sous son lit, puis s'est rassis en grognant pour la réécouter.

Moi aussi je me suis mis à grogner quand une voix hors-champ a demandé à je ne sais qui, la bande commençait à peine, « Tu sais ce que ça veut dire, toi, le lac Kaionwahere ? » question purement rhétorique, puisque la voix a donné la réponse un peu plus tard : « Eh ben, ça veut dire le lac des Âmes perdues. » Si j'avais été capable de lâcher un ou deux *baptême*, c'est ce que j'aurais fait, mais aucun des jappements de mon répertoire ne comportait de *b*, de *p* ni de *m*, la configuration de la cavité buccale du chien lui permettant de se taire au lieu de dire des niaiseries. J'ai donc émis un gémissement et posé une de mes pattes sur la cuisse gauche de Winslow, en serrant un peu les griffes, pour qu'il comprenne bien ce que je voulais. Pas si con que ça quand on le poussait un peu, Winslow a de nouveau pesé sur la touche « Play » et je suis tombé sur le cul, façon chien.

Les images qui défilaient devant moi auraient pu être prises à Mirror Lake et j'avais l'impression de regarder en accéléré le film de ma vie, mais en négatif, car le gars qui jouait mon rôle ne s'appelait plus Bob, mais Fred, on se demande pourquoi, alors que Winslow avait été remplacé par un maudit Français qui ne pouvait évidemment pas être à la hauteur de nos brillants échanges linguistiques et culturels. Quant à Anita, la grande Anita Swanson, elle dansait dans un club topless et avait adopté le joli sobriquet de Kate, comme Kate Winslet, qui, toute bonne actrice qu'elle est, n'a pas la prestance de Swanson. C'était le monde, le vrai monde, tel que je le connaissais, mais à l'envers.

Baptême!

Pendant mes nombreux mois de dormance ou d'hibernation, quelqu'un s'était emparé de mon histoire, je dis bien *mon* histoire, et l'avait transformée, jetant Ping l'oignon aux ordures comme un moins que rien et réexpédiant Albert Leraton dans les bois, où il risquait de tomber dans l'un des pièges du chasseur de coyotes miraculeusement apparu pendant que j'avais les yeux fermés. J'étais sur le point de mordre Winslow quand celui qui se faisait passer pour moi dans le film a recrié : « Y bouge! Sacrament, Philippe, y bouge! »

Pas capable de supporter cette scène une troisième fois, Winslow s'est levé d'un bond, est sorti du chalet, a sauté dans sa chaloupe, suivi de moi et de Bill, qui me suivait partout, pour aller avertir Moreau, c'est-à-dire moi, que Victor Morgan avait remis ça, qu'il avait pris un pseudonyme, Bob Canuel ou quelque chose du genre, pour réaliser une version cinématographique de son seul et unique roman, *The Maine Attraction*. Il fallait arrêter ça, sinon tout le monde qui irait voir ce film risquait à plus ou moins long terme d'être transformé en roche ou en danseuse topless.

Assis dans la chaloupe, Bill et moi on les regardait gesticuler, pointer le lac, pointer les bobettes léopard d'Anita accrochées sur la corde à linge comme autant de petites fesses de bébés fauves, se gratter le nez, se gratter le front, écraser un moustique, jusqu'à ce que Winslow désigne son chalet, c'est-à-dire son ordinateur, le contenant valant ici pour le contenu, et se rue avec Moreau vers la chaloupe. À bout de souffle, ils ont saisi les rames, les ont fait pivoter, Moreau étant gaucher, Winslow droitier et l'un étant assis du bord de l'autre, puis on a repris la direction de la rive sud en fendant les vagues hautes, pareil au jour où j'avais vu Winslow agiter son fanal de l'autre côté du lac, ce qui m'a mis un brin nostalgique, mais l'heure n'était pas aux états d'âme. L'heure était à l'action !

Après avoir écouté la bande-annonce à trois reprises lui aussi, ce qui faisait six pour Winslow, au bord de l'apoplexie, Moreau, c'est-à-dire moi, est venu me gratter la tête sans pour autant gratter la sienne ou, selon le point de vue, est venu se gratter la tête, puisque j'étais davantage Moreau que Moreau n'était moi, comprenne qui pourra, avant d'aller soulever un coin de rideau pour vérifier s'il n'y avait pas un noyé qui rampait sur la plage. Rassuré par ce qu'il n'avait pas vu, il a demandé à Winslow de lui repasser la bande-annonce, puis il a décrété on ne fait rien, on attend que le film sorte, on va le voir incognito, verres fumés, capuches, fausses moustaches, niqab pour Anita, et on se pousse.

Son idée, c'est-à-dire la mienne, était que Morgan alias Canuel avait peut-être voulu se racheter et que si on prenait le temps d'aller voir le film, il ne se casserait peut-être plus la gueule tous les 17 ou 18 août, selon que l'année était bissextile ou pas. Cette idée n'avait pas de sens, on ne change pas le cours du temps ni des événements, on ne change surtout pas le cours d'un roman, parce que quand c'est écrit, c'est écrit, on n'y peut rien, le mot précède l'image, mais étant donné que c'était mon idée, je me suis fermé la gueule et on s'est payé une petite sortie au cinéma en famille, au retour de laquelle Moreau ne savait toujours pas qui il était et s'appelait toujours Bob. Quand c'est écrit, c'est écrit.

Allocution prononcée lors de
la remise du prix Ringuet
de l'Académie des lettres du Québec
Grande Bibliothèque de Montréal
19 septembre 2007

Quand Robert Moreau, le narrateur de *Mirror Lake*, a appris de source sûre que son histoire venait de se mériter un prix littéraire, il a sauté dans sa chaloupe, ne sachant trop s'il devait fredonner *Mambo italiano*, *Volare* ou *La chevauchée des Walkyries*, qu'il confondait cependant avec *Valderi, Valdera*, le tout pour aller annoncer à Bob Winslow, son indécrottable mais essentiel voisin, que lui, Robert Moreau, avait remporté un prestigieux et convoité prix littéraire.

Cela dit, quand Moreau a bombé le torse en prononçant le nom de Ringuet, monsieur Ringuet, Winslow a immédiatement rétorqué de son air le plus débonnaire que Moreau ne pouvait avoir remporté un prix littéraire, impossible, Bob, puisqu'on ne l'avait jamais vu écrire, ce à quoi Moreau a répliqué qu'on n'avait jamais surpris Shakespeare en pleine activité créatrice non plus, pas même en se grattant le front devant un cappuccino sur une terrasse ensoleillée de Stratford-upon-Avon, ce qui n'avait pas empêché Juliette Capulet de se suicider.

En apprenant aussi brutalement la mort de Juliette Capulet, Winslow n'a pu retenir le flot de larmes envahissant ses voies lacrymales et a entrepris illico la composition d'un hymne enhoublonné à la mémoire des jeunes filles fauchées dans la fleur de l'âge, contraignant Moreau à lui tendre quelques

mouchoirs propres et à le consoler en lui parlant de l'immortalité de certains personnages de fiction, propos qui ont
redoublé les pleurs de Winslow, celui-ci ne voulant absolument
pas passer la prochaine éternité en compagnie de Winnie the
Pooh et de Humpty Dumpty. Ce qu'il voulait, Winslow, c'était
pêcher la truite en Amérique en rotant ses hot-dogs devant les
roses du couchant.

Aucun danger qu'il se transforme en matériel d'archives,
not a chance, l'a rassuré Moreau, car si l'un d'entre eux devait
être sacré immortel, c'était lui, Robert Moreau, antihéros par
excellence de cette Amérique dont les lacs et les rivières s'épui-
saient. Por qué ? s'est enquis un Winslow soudainement devenu
polyglotte grâce à la quatrième et non dernière bouteille de
Gritty McDuff qu'il venait de décapsuler.

En guise de réponse, Moreau est allé lui chercher un miroir,
que Winslow a dévisagé pour le retourner vite fait vers Moreau,
histoire de lui fournir la preuve qu'ils n'avaient ni l'un ni
l'autre une gueule d'immortel, geste qui a eu pour effet de les
entraîner dans une épique prise de bec sur la superficialité
de l'apparence et les qualités requises pour entrer dans un
dictionnaire ou dans une histoire littéraire, ce qui n'était pas
donné à tous ni à toutes.

Pour couper court à toute argumentation, Winslow a lancé
que, de toute façon, la postérité, ça n'existait plus. Obsolete,
Bob. Quelques instants de silence ont suivi, durant lesquels les
mouches en ont profité pour se tailler une place dans le récit,
puis Moreau s'est écrié qu'il avait quand même gagné un prix
nommé Ringuet, Ringuet, monsieur, quoi qu'en dise Winslow,
ce dont ne pouvait se vanter Shakespeare. Il a ensuite commencé
à rédiger ses remerciements sur le coin de la nappe à carreaux
tachée du souvenir de tant d'œufs refroidis, en vue de donner
à Winslow la preuve irréfutable qu'il l'avait bien remporté, ce

foutu prix, Moreau n'étant pas du genre à se confondre inutilement en remerciements.

Cher Monsieur Ringuet, a-t-il d'abord écrit, chers membres de l'Académie des lettres du Québec, chers membres du jury, chers lecteurs, chères lectrices, cher papa, chère maman et chers amis de Mirror Lake : chère Anita Swanson, cher Bob Winslow, eh oui, très cher Bob Winslow, cher et adorable Jeff, cher et non moins adorable Bill, cher Artie, chers Dalton, cher Conan, cher petit Robert deux, cher Albert Leraton, cher Ping l'oignon, ch…er Tim Robbins et… et toi, Humpty Dumpty, je tiens à vous remercier du fond du cœur, qui de m'avoir accordé ce prix, qui de m'avoir permis de l'obtenir.

Sincèrement, je vous remercie chaleureusement, car c'est un véritable honneur pour moi de recevoir ce prix aujourd'hui, d'autant plus que la compétition était redoutable (en passant, mes félicitations aux autres finalistes, qui m'ont donné des sueurs froides, je l'avoue), c'est un honneur, donc, et une immense joie, que de savoir que la bande d'heureux clowns en compagnie desquels j'ai passé d'inoubliables mois sur les rives d'un lac me renvoyant mon image ait gagné la faveur de l'institution littéraire. Les jours sont parfois longs, à Mirror Lake, mais les années y sont d'une fulgurante brièveté, à l'image de nos vies, et il est extrêmement doux de savoir, avant que la grande et tout aussi fulgurante faucheuse nous happe, à moins qu'elle ne nous zappe – oublions l'immortalité –, que les pages que nous aurons noircies auront touché quelques vivants.

Merci encore aux membres de l'Académie, que j'assure de toute mon estime, merci aux membres de son jury, et longue vie, pourquoi pas, à Robert Moreau.

MAXIM   LAURENCE   LAURENT   SYLVAIN   GILDOR   BENOIT
GAUDETTE   LEBOEUF   LUCAS   MARCEL   ROY   GOUIN

Lac Mystère

UN FILM DE ÉRIK CANUEL

SCÉNARIO DIANE CAILHIER   PRODUIT PAR JACQUES BONIN

AU CINÉMA LE 23 AOÛT

LACMYSTERE-LEFILM.COM   LESFILMSCHRISTAL

Achevé d'imprimer au Canada
sur papier 30 % recyclé
sur les presses de Imprimerie Lebonfon Inc.

procédé
sans
chlore

30 % post-
consommation

archives
permanentes